The Perfect Guide Book of
Windows 11 for Users
[Complete Edition]

一冊に凝縮

Windows 11

橋本和則

完全ガイド

基本操作
＋
疑問・困った解決
＋
便利ワザ

本書の対応バージョン

本書はWindows 11のバージョン23H2に対応しています。掲載情報はHomeエディションを基本としておりますが、一部Pro ／ Enterprise ／ Educationエディションだけの機能についても掲載しております。また、掲載情報は2024年2月時点のものです。Windows 11やアプリはインターネットを通じて更新されていきますので、ご利用の環境などによって機能や操作画面が変更されている場合があります。

本書に関するお問い合わせ

この度は小社書籍をご購入いただき誠にありがとうございます。小社では本書の内容に関するご質問を受け付けております。本書を読み進めていただきます中でご不明な箇所がございましたらお問い合わせください。なお、ご質問の前に小社Webサイトで「正誤表」をご確認ください。最新の正誤情報を下記のWebページに掲載しております。

本書サポートページ https://isbn2.sbcr.jp/23494/

上記ページの「正誤情報」のリンクをクリックしてください。
なお、正誤情報がない場合、リンクは用意されていません。

ご質問送付先

ご質問については下記のいずれかの方法をご利用ください。

Webページより

上記のサポートページ内にある「この商品に関する問い合わせはこちら」をクリックすると、メールフォームが開きます。要綱に従ってご質問をご記入の上、送信ボタンを押してください。

郵送

郵送の場合は下記までお願いいたします。

〒105-0001
東京都港区虎ノ門2-2-1
SBクリエイティブ　読者サポート係

はじめに

AI機能満載のWindows 11は、今までのWindowsの歴史の中でも革命的なOSといえます。

筆者はWindows 3.0（1991年リリース）から30年以上Windowsに触れていますが、大きな改変があればOSのタイトルは新しいものになるのが常でした。
しかし、Windows 11 23H2はタイトルはそのまま、PCの使い方に革命を起こすような大幅な機能追加が行われています。

代表的なのが、「Copilot in Windows」（Copilot）です。Copilotは人間のような自然な会話ができるAIチャットで、AI画像生成や文章の要約、Windowsの操作アシストなどが簡単にできるようになりました。

OSとしても文章の音声入力、音声の字幕起こし（ライブキャプション）、画像内の文字列のテキスト化などに対応し、これらのAI機能を活用すれば今まで時間がかかった作業を手間なく終えることができます。

このほか、Microsoft Edgeではサイドバーによる翻訳やWebの要約などに対応、メールの標準アプリはOutlook for Windowsになり刷新され高機能に、フォトでは被写体以外のぼかし・背景の切り抜きなどの写真加工が自在に、Clipchampでは各種動画編集に加えAIによる動画自動生成が可能になるなど、各種機能も充実しました。

このような大幅な機能追加と進化により、今までとは異なる新しいPCの使い方と知識が必要になったのが、Windows 11 23H2なのです。

本書では、この新しいWindows 11の基本から応用までをしっかり解説しています。

本書解説が、新しい時代の新しいPCの使い方を知るきっかけになり、日ごろPCを使われるユーザーの皆様の一助になれば幸いです。

橋本情報戦略企画
橋本和則

本書の使い方

- 本書はWindows 11を使いこなすために必要な基本的な操作はもちろんのこと、多くの人が困ったときに知りたい情報や解決方法をできるだけ多く掲載しています。Windows 11の使い方に迷ったら、まずは本書に目を通してください。きっと答えが見つかります。

- それぞれのワザは実際の画面をふんだんに掲載して解説しています。手順を追うだけで確実に操作を実行することができます。

- 本編以外にも、ローマ字かな対応表、ショートカットキー一覧、用語集などお役立ち情報を多数掲載しています。お手元に置いて、必要なときにご参照ください。

紙面の構成

ワザ
目的別に、知りたいことから操作方法を探すことができます。

お役立ち度
★★★
知っておきたい優先度を★の数で示しています。

関連
関係する知識や操作があるところでは、Q番号とその内容を記載しています。

おトクな情報
ワザにまつわる役立つ情報を掲載しています。

ショートカットキー
操作に使えるショートカットキーです。

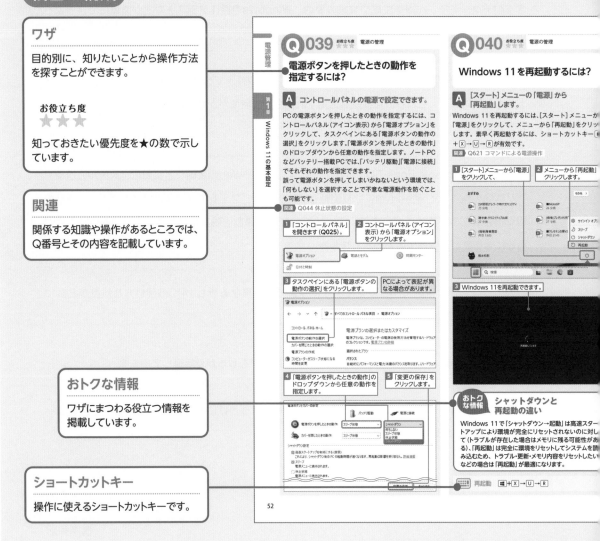

「知りたい情報」＋「困った解決」の見つけ方

1 まずは章から絞り込む	本書では、Windowsに関する情報を幅広く掲載しています。各章は機能や目的ごとに分かれています。まずはそれぞれの章を見て、知りたいことを絞り込んでください。	
2 次にテーマで探す	それぞれの章では、解説するワザをテーマごとに分類しています。テーマでさらに絞り込み、目的の項目を探してください。	
3 キーワードからも探せる	本書の巻末には索引を用意しています。操作内容をキーワードから調べたい場合はぜひ活用してください。	

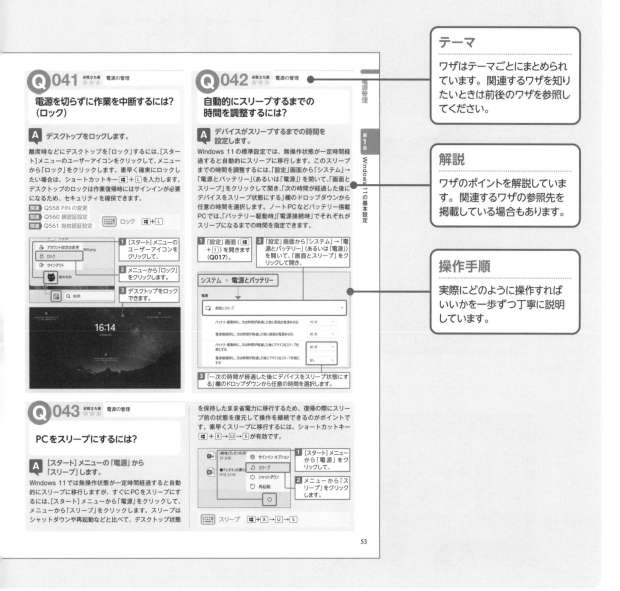

テーマ

ワザはテーマごとにまとめられています。関連するワザを知りたいときは前後のワザを参照してください。

解説

ワザのポイントを解説しています。関連するワザの参照先を掲載している場合もあります。

操作手順

実際にどのように操作すればいいかを一歩ずつ丁寧に説明しています。

パソコンの基本操作

パソコン（PC）の操作は、キーボードとマウスを使って行います。ノートパソコンでは、マウスの代わりにタッチパッドを使用するのが一般的です。ここではマウスとタッチパッドの操作方法を説明します。また、タッチパネル対応のディスプレイを備えたパソコンの場合は、画面を指で触って操作をすることもできます。

キーボード

マウス

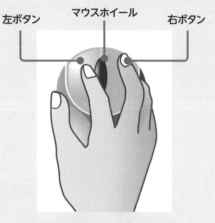

左ボタン　　マウスホイール　　右ボタン

マウスの左ボタンに人差し指を置き、右ボタンに中指を置きます。
マウスホイールは人差し指または中指で回転させます。

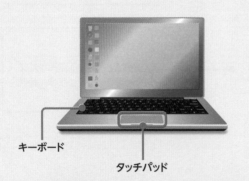

キーボード

タッチパッド

タッチパッドには左ボタンと右ボタンが付いています。これが、マウスの左ボタンと右ボタンと同じ働きをします。

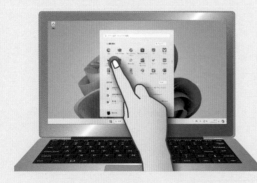

タッチパネル対応のディスプレイの場合は、画面をタッチして操作できます。

マウス／タッチパッドの操作

クリック

画面上のものやメニューを選択したり、ボタンをクリックしたりするときに使います。

左ボタンを 1 回押します。

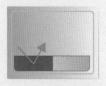

左ボタンを 1 回押します。

右クリック

操作可能なメニューを表示するときに使います。

右ボタンを 1 回押します。

右ボタンを 1 回押します。

ダブルクリック

ファイルやフォルダーを開いたりするときに使います。

左ボタンをすばやく 2 回押します。

左ボタンをすばやく 2 回押します。

ドラッグ

画面上のものを移動するときに使います。移動先でボタンを離すことはドロップです。

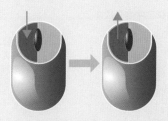

左ボタンを押したままマウスを移動し、移動先で左ボタンを離します。

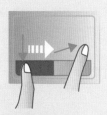

左ボタンを押したままタッチパッドを指でなぞり、移動先で左ボタンを離します。

タッチパネルでのタッチ操作

タッチパネル対応のディスプレイの場合は、画面をタッチして操作できます。

タップ

マウスのクリックに当たります。

指で 1 回トンと触れます。

ロングタップ

マウスの右クリックに当たります。

指を数秒触れたままにします。

ダブルタップ

マウスのダブルクリックに当たります。

指で素早く 2 回トントンと触れます。

スライド

画面をスクロールさせるときなどに使用します。

画面を指で触れたまま上下左右に動かします。

スワイプ

画面の右側からスワイプして通知センターを呼び出すなど、Windows 11特有の機能を使用します。

画面を指で素早く払うように動かします。

ピンチ／ストレッチ

画面を拡大/縮小させるときに使用します。

画面に触れた 2 本の指をつまんだり広げたりします。

よく使うキー

Esc（エスケープ）キー
操作を取り消すときに使います。

半角 / 全角キー
日本語入力モードと半角英数モードを切り替えます。

Delete（デリート）キー
カーソルの右側の文字を削除します。

テンキー
電卓のように数字や演算記号が集まったキーです。

BackSpace（バックスペース）キー
カーソルの左側の文字を削除します。

Shift（シフト）キー
他のキーと組み合わせて使います。

スペースキー
空白の入力や漢字への変換に使います。

Enter（エンター）キー
文字の確定や改行入力で使います。

矢印キー
カーソルを上下左右に移動します。

Ctrl（コントロール）キー
他のキーと組み合わせて使います。

ショートカットキー

複数のキーを組み合わせて押すことで、特定の操作を素早く実行することができます。本書中では ⌴⌴ + △△ キーのように表記しています。

▶ Ctrl + A キーという表記の場合

「Ctrl」を押しながら「A」を押します。

▶ Ctrl + Shift + Esc キーという表記の場合

「Ctrl」と「Shift」を押しながら「Esc」を押します。

CONTENTS

第2章 Windows 11のデスクトップ操作 ────── 57

第5章 タスクバーの操作と設定を知る 103

通知センターとバナー

第6章 ファイルの操作とOneDriveの活用 ————————117

ファイルの基本操作

エクスプローラーの表示

第7章 日本語入力をマスターする ⸺ 145

第8章 Windows 11のアプリをマスターする 165

第9章 WebブラウザーでインターネットやAIを活用しよう …… 183

第10章 メールを使いこなす ————————— 213

第11章 写真や動画・音楽の楽しみ方を知る ———— 241

第12章 ハードウェア・周辺機器を使いこなす — 263

第13章 Microsoftアカウントとサインインを知る …… 295

第14章 Windows 11の管理とシステム設定を知る …… 309

第15章 セキュリティ対策を知る ——— 335

本書の掲載内容について

● 本書では、2024年2月20日現在の情報に基づき、Windows 11についての解説を行っています。

● 画面および操作手順の説明には、以下の環境を利用しています。

　• Windows 11のバージョン　：23H2(OSビルド 22631.3155)

　• Windows 11のエディション：Windows 11 Home ／ Windows 11 Pro

　• PCがインターネットに接続され、Microsoftアカウントでサインインしていることを前提にしています。

● 本書の発行後、Windows 11がアップデートされた際に、一部の機能や画面、操作手順が変更になる可能性があります。また、各種サービスの画面や機能が予告なく変更される場合があります。あらかじめご了承ください。

第1章

Windows 11の基本設定

Windows 11は数々の新しい機能が追加されて魅力的なOSに進化しました。本章では、Windows 11の基本操作とともに、AIアシスタントであるCopilot in Windowsなどの新機能、輝度・音量・電源など最初に必要になる調整、各種設定手順やシステムの確認などについて解説します。

Q001

お役立ち度 ★★★　Windows 11の確認

Windows 11について知りたい!

A 最新のOSで機能に優れ、さまざまなAI機能も搭載しています。

最新のWindows 11はOSやアプリの機能が強化され、より使いやすく、より高性能になっています。新しい機能の

中でも特徴的なのがAIアシスタント「Copilot」(Q008)であり、質問回答、音声チャット、操作や設定のアシスト、画像生成、文章の要約などがすべてAIで行えます。また、音声入力(Q032)、画像内文字列をテキスト化(Q078)、動画再生音声をリアルタイムに文字起こし(ライブキャプション、Q474)、動画自動生成(Q486)、写真の背景の切り抜き(Q460)や被写体以外のぼかし(Q459)など、以前のWindowsにはなかった数々のAI機能が搭載されています。

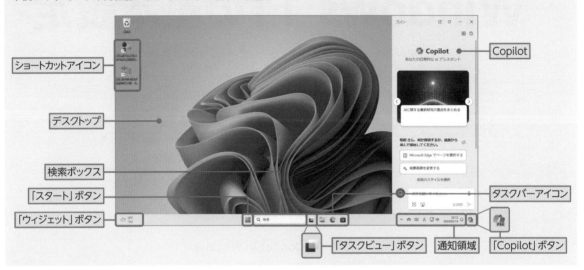

ショートカットアイコン／デスクトップ／検索ボックス／「スタート」ボタン／「ウィジェット」ボタン／「タスクビュー」ボタン／通知領域／「Copilot」ボタン／タスクバーアイコン／Copilot

Q002

お役立ち度 ★★★　Windows 11の確認

[スタート]メニューを開くには?

A 「スタート」ボタンをクリックします。

Windows 11で[スタート]メニューを開くには、タスクバーの「スタート」ボタンをクリックします。
また、⊞を押すと素早く[スタート]メニューを開くこともできます。

サインインしているアカウント	現在サインインしているアカウントの名前とアカウントの画像が表示されます(画像の変更方法はQ570)。
電源	電源操作ができます(Q038)。
ピン留め済み	アプリ・フォルダー・Webページのショートカットアイコンが表示されます。任意のアプリやフォルダーなどをピン留めできます(Q097)。
おすすめ	最近利用した項目が表示されます。

1 タスクバーの「スタート」ボタンをクリックします。

2 [スタート]メニューを開くことができます。

ピン留め済み／おすすめ／サインインしているアカウント／電源

[スタート]メニューを開く ⊞

Q003

お役立ち度 ★★★　Windows 11の確認

Windows 11のエディションや バージョンを知りたい!

A 「バージョン情報」で確認します。

現在利用している Windows 11のエディションやバージョンを知りたい場合は、[スタート]メニューから「設定」を開き（**Q017**）、「システム」→「バージョン情報」を開いて、「Windowsの仕様」欄の「エディション」と「バージョン」を確認します。エディションはコンシューマー向けに「Home」と「Pro」が存在します。また、バージョンの上2桁は西暦20xxのxxを示しており、末尾の「H1」は前期、「H2」は後期であることを示します。

⌨ 「システム」画面を開く 🪟＋Ⅹ→Ⅴ

1 「設定」画面（🪟＋Ⅰ）を開きます（**Q017**）。

2 「設定」画面から「システム」→「バージョン情報」を開きます。

システム › バージョン情報

🪟 Windows の仕様 　　　　　　コピー　ᐱ

エディション	Windows 11 Pro
バージョン	23H2
インストール日	2023/07/16
OS ビルド	22631.2506
シリアル番号	██████████
エクスペリエンス	Windows Feature Experience Pack 1000.22677.1000.0

3 「Windowsの仕様」欄の「エディション」と「バージョン」を確認します。

エディション	OS名（Windows 11）と「Home」「Pro」などのエディションを確認できます。
バージョン	バージョンの上2桁は西暦20xxのxxを示しており、末尾の「H1」は前期、「H2」は後期であることを示します。

Q004

お役立ち度 ★★★　Windows 11の確認

HomeとProの エディションの違いは?

A Proはネットワークなどの ビジネス向けの機能が充実しています。

Windows 11のエディションには一般入手できるコンシューマー向けの「Home」、ビジネス＆コンシューマー向けの「Pro」が存在します。また企業向けの「Enterprise」、教育機関向けの「Education」がありますが、コンシューマー向けではないため一般入手はできません。Windows 11においては「Home」と「Pro」の間に大きな機能差はなく、またHomeで不足を感じる場合は「Proにアップグレード」することもできます（**Q610**）。なお、本書記述は指定があるものを除き全エディション対応になります。

関連　Q610 Home から Pro へのアップグレード

● エディションの比較

機能	Home	Pro	Enterprise	Education
Windows Update	○	○	○	○
Windows Update for Business	×	○	○	○
BitLocker ドライブ暗号化／ BitLocker To Go	×	○	○	○
グループ ポリシー	×	○	○	○
リモートデスク トップ（ホスト）	×	○	○	○
リモートデスク トップ （クライアント）	○	○	○	○
Hyper-V	×	○	○	○
Windows サンドボックス	×	○	○	○

システム › バージョン情報

🪟 Windows の仕様 　　　　　　コピー　ᐱ

エディション	Windows 11 Home
バージョン	23H2
インストール日	2023/06/24

システム › バージョン情報

🪟 Windows の仕様 　　　　　　コピー　ᐱ

エディション	Windows 11 Pro
バージョン	23H2
インストール日	2023/07/16
OS ビルド	22631.2506

コンシューマー向けのエディションには「Home」と「Pro」があります（確認方法は**Q003**）。

Q005 ★★★ お役立ち度 Windows 11の確認

PCのCPU名やメモリ容量などの基本スペックを知りたい!

A CPUやメモリなどの情報はバージョン情報で確認できます。

CPU名やメモリ容量などの基本的なデバイスの情報を知りたい場合は、「設定」画面（**Q017**）から「システム」→「バージョン情報」を開いて、「デバイスの仕様」欄の「プロセッサ」や「実装RAM」で確認します。なお、ここで表示される「デバイス名」（コンピューター名）は任意に変更することもできます（**Q609**）。また、PCの情報を詳しく知りたい場合は「システム情報」（**Q582**）を活用します。

関連 Q582 システム情報の確認
関連 Q609 コンピューター名の変更

1 「設定」画面（■ + I ）を開きます（**Q017**）。

2 「設定」画面から「システム」→「バージョン情報」を開いて、

3 「デバイスの仕様」欄の「プロセッサ」や「実装RAM」で確認します。

デバイス名	コンピューター名（デバイス名／ PC名）を確認できます。
プロセッサ	CPUの型番と動作クロック数が確認できます。
実装RAM	PCに物理的に搭載している物理メモリ容量が確認できます。
システムの種類	オペレーティングシステムのシステムビット数を確認できます（Windows 11は「64ビット」のみ）。ARMモデルであれば「ARMベース」と表示されます。

⌨ 「システム」画面を開く ■ + X → Y

Q006 ★★★ お役立ち度 Windows 11の確認

システム情報などをテキストとして取得するには?

A バージョン情報で「コピー」をクリックして貼り付けます。

バージョン情報における「デバイスの仕様」や「Windowsの仕様」をテキストとして取得したい場合には、「コピー」をクリックします。クリップボードに情報が送られるため、メモ帳などに貼り付ければテキストとして活用・保存できます。

1 「設定」画面（■ + I ）を開きます（**Q017**）。

2 「設定」画面から「システム」→「バージョン情報」を開いて、

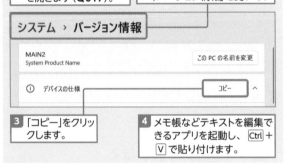

3 「コピー」をクリックします。

4 メモ帳などテキストを編集できるアプリを起動し、 Ctrl + V で貼り付けます。

Q007 ★★★ お役立ち度 Windows 11の確認

Windows 11のシステム要件は?

A 古いPCはWindows 11を動作させることはできません。

Windows 11ではPCにTPM（トラステッドプラットフォームモジュール）が必須になったため、古いPCにはWindows 11を導入できません（IntelモデルであればCore iシリーズの第8世代以降のCPUを搭載しているなどの各種要件を満たす必要がある）。

●Windows 11 のシステム要件

プロセッサ	64ビット対応で1GHz以上かつ2コア以上のプロセッサ
メモリ	4GB以上
ストレージ	64GB以上
TPM	TPM 2.0
その他	初期セットアップ時インターネット接続＆Microsoftアカウント必須

Q008

お役立ち度 ★★★　Copilot in Windows

対話型AIをWindows 11で利用するには?

A Copilot（コパイロット）を利用します。

新しいWindows 11に搭載される、自然な言葉で必要な情報を得ることやWindowsの操作などを行えるAIが「Copilot in Windows」(Copilot) です。Copilotはタスクバーの「Copilot」ボタンをクリックするか、ショートカットキー ⊞ ＋ C でアクセスできます。Copilotがデスクトップの右端にサイドバーとして表示されます。なお、ローカルアカウントでのCopilotの利用は制限されます。

⌨ 「Copilot」を開く／閉じる ⊞ + C

1 タスクバーの「Copilot」ボタンをクリックします。

あるいは、ショートカットキー ⊞ ＋ C を入力します。

2 Copilotがサイドバーとして表示されます。

Windowsのバージョンによって、「Copilot」ボタンの位置は異なります。

Q009

お役立ち度 ★★★　Copilot in Windows

AIにいろいろな質問に答えてもらうには?

A Copilotに自然な文章で質問します。

Copilotの「何でも聞いてください」に任意の質問を入力します。質問はWebの検索サイトでの単語ごとに区切った検索キーワードではなく、自然な文章を入力します。例えば「〜について教えてください」「〜をしたい」などです。
質問を入力すると、質問に応じた回答が表示されます。そのまま会話を継続することも可能です。

1 Copilotをサイドバーに表示します(Q008)。

2 任意の質問を入力して、

3 Enter を押します。

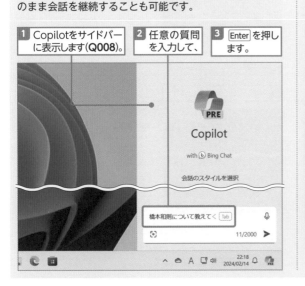

4 質問に応じた回答が表示されます。

5 サジェストされた質問を続けてクリックします。

6 質問に応じた回答が表示されます。

サジェストされた質問を続けてクリックします。

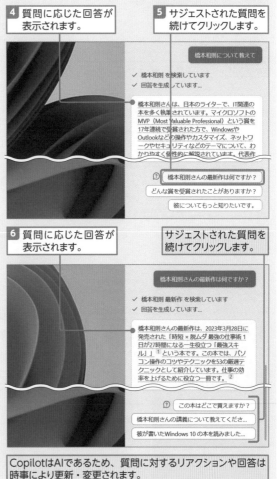

CopilotはAIであるため、質問に対するリアクションや回答は時事により更新・変更されます。

Q010 お役立ち度 ★★★ Copilot in Windows

声で話してAIチャットをするには?

A 「マイクを使用する」をクリックして、Copilotに話しかけます。

Copilotは音声チャットも可能です。Copilotのマイクアイコンをクリックすると音声入力モードになるので、PCのマイクにそのまま話しかければ、Copilotは回答を表示します。

1 Copilotをサイドバーに表示します（**Q008**）。 **2** マイクアイコンをクリックします。

3 マイクに向かって質問内容を声に出して話します。

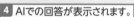

4 AIでの回答が表示されます。

Q011 お役立ち度 ★★★ Copilot in Windows

AIを利用してWindows 11を操作するには?

A CopilotにWindowsの操作を指示します。

Windows 11の一部の操作はCopilotでも可能です。ショートカットキー ⊞ + C でCopilotを開いて、「音を消してください」と入力して送信すれば、「音量を調整する」が表示されミュートできるほか、「ウィンドウを整えてください」と入力して送信すれば、「ウィンドウのスナップ」を行うことができます。

1 Copilotをサイドバーに表示します（**Q008**）。 **2** 「音を消してください」と入力して、

3 Enter を押します。 **4** 「音量を調整する」が表示されます。

5 「はい」をクリックします。 **6** ミュートできます。

Copilotは AIであるため、質問に対するリアクションや回答は時事により更新・変更されます。

Q012 お役立ち度 ★★★ Copilot in Windows

AIで画像を生成するには?

A Copilotに「〜画像を作ってください」と問います。

AIで画像を生成するにはCopilotを開いて、「〜画像を作ってください」と入力して送信すれば、AIで生成された画像が表示されます。

任意の画像をクリックすれば、Microsoft Edgeで画像を表示して保存やダウンロードもできます。

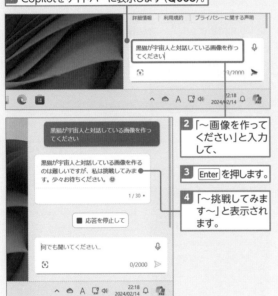

1 Copilotをサイドバーに表示します（**Q008**）。

2 「〜画像を作ってください」と入力して、

3 Enter を押します。

4 「〜挑戦してみます〜」と表示されます。

5 画像の生成が行われます。

6 画像が生成されます。

7 任意の画像をクリックします。

8 AI生成画像をMicrosoft Edgeで表示できます。

保存やダウンロードなどもできます。

Q013 お役立ち度 ★★★ Copilot in Windows

Copilotを新しいトピックにするには?

A 「新しいトピック」をクリックします。

Copilotはチャット形式であるため、相互の会話が連続して行われる形になります。ある質問の会話を終了して、新しいトピックの会話を始めたい場合は、「新しいトピック」をクリックします。

1 「新しいトピック」をクリックします。

2 新しい質問ができます。

Q014 お役立ち度 ★★★ Copilot in Windows

AIで文章を修正・要約するには?

A 任意の文章を選択して、Copilotに送信します。

Copilotで文章の修正や要約をしたい場合は、デスクトップにCopilotが表示されている状態で文章をコピーします。Copilotに表示された「選択したテキストまたはコピーしたテキストをチャットに送信しますか」で「送信」をクリックすると、テキストが送信され、テキストに対する処理を選択できるので、任意の処理をクリックします。

関連 Q342 AIでWebページの概要を生成する

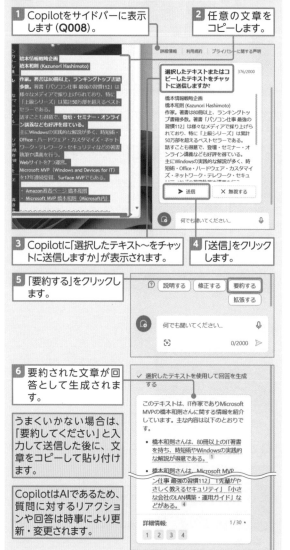

1 Copilotをサイドバーに表示します(**Q008**)。

2 任意の文章をコピーします。

3 Copilotに「選択したテキスト〜をチャットに送信しますか」が表示されます。

4 「送信」をクリックします。

5 「要約する」をクリックします。

6 要約された文章が回答として生成されます。

うまくいかない場合は、「要約してください」と入力して送信した後に、文章をコピーして貼り付けます。

CopilotはAIであるため、質問に対するリアクションや回答は時事により更新・変更されます。

Q015 お役立ち度 ★★★ Copilot in Windows

AIから目的のアプリを起動するには?

A Copilotに任意のアプリ名を「起動したい」と入力します。

アプリの起動はCopilotでも可能です。ショートカットキー ⊞ + C でCopilotを開いて、「Wordを起動して」などと入力すれば、「アプリを開く」が表示され「Wordアプリを開きますか?」と問われるため、「はい」をクリックすればWordを起動できます。このほか、「ワードプロセッサーで文字入力したい」「表計算をしたい」などと目的を入力しても、該当するアプリを起動できます。

1 Copilotをサイドバーに表示します(**Q008**)。

2 「絵を描くアプリを起動してください」と入力して、

3 Enter を押します。

4 「アプリを開く」が表示されます。

5 「はい」をクリックします。

6 「ペイント」が起動します。

CopilotはAIであるため、質問に対するリアクションや回答は時事により更新・変更されます。

Q016 お役立ち度 ★★★ Copilot in Windows

質問をオートコンプリートするには?

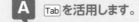
A [Tab]を活用します。

Copilotで質問を入力している際、薄い文字とともに[Tab]が表示さることがあります。これはオートコンプリートであり、[Tab]を押すことで質問の入力を省くことができます。

1 質問内容の一部を入力します。　**2** 薄い文字でオートコンプリートの候補が表示されます。

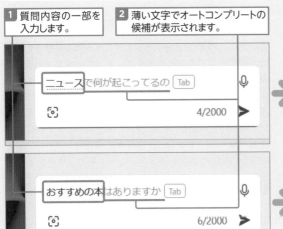

3 [Tab]を押します。　**4** 質問内容をオートコンプリートできます。

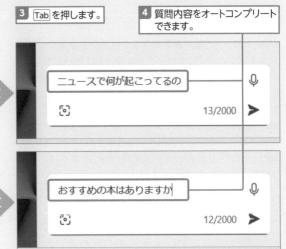

Q017 お役立ち度 ★★★ Windows 11の基本設定

Windows 11を確認・設定（カスタマイズ）するには?

A 「設定」を開いて各項目にアクセスします。

Windows 11を確認・設定するには、[スタート]メニューの「ピン留め済み」から「設定」をクリックして、「設定」画面を表示します。また、「ピン留め済み」に見当たらない場合は、[スタート]メニューの「すべてのアプリ」から「設定」をクリックします。「設定」画面は、ショートカットキー ⊞ + [I] で素早くアクセスすることもできます。

関連 Q025 コントロールパネルを開く

⌨️ 「設定」画面を開く ⊞ + [I]

おトクな情報

[スタート]メニュー下部への配置

[スタート]メニューの電源アイコン横に、「設定」アイコンを配置することもできます（Q021）。

1 [スタート]メニューから「設定」をクリックします。

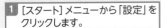

2 「設定」画面が表示されます。

Windows 11の各種設定（カスタマイズ）ができます。

Q018 お役立ち度 ★★★ Windows 11の基本設定

ショートカットメニュー（右クリックメニュー）を表示するには？

A 対象をマウスで右クリックします。

Windows 11では対象部位を右クリックするとショートカットメニュー（右クリックメニュー）が表示されます。キーボードに 🖱 （アプリケーションキー）が存在する場合は、対象を選択して 🖱 を押せば素早く右クリックメニューを表示できます。

Windows 11のショートカットメニューはよく使うものだけが厳選された形で表示される仕様であり、また「切り取り」「コピー」「名前の変更」「削除」などはアイコンをクリックしての操作になります。

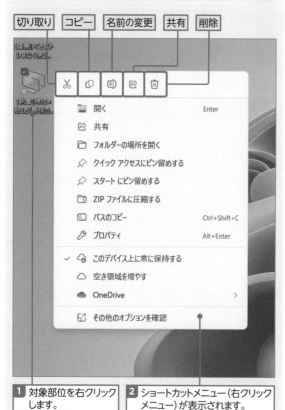

切り取り　コピー　名前の変更　共有　削除

1 対象部位を右クリックします。
2 ショートカットメニュー（右クリックメニュー）が表示されます。

右クリックの対象によって、ショートカットメニューに表示される項目は異なります。

⌨ ショートカットメニューの表示　🖱 / Shift + F10

Q019 お役立ち度 ★★★ Windows 11の基本設定

以前のショートカットメニューを表示するには？

A Shift を押しながら右クリックします。

Windows 11のショートカットメニューはよく使うものだけが厳選されて表示されますが、すべてのメニュー項目を表示した以前のものを表示したい場合は、ショートカットメニューから「その他のオプションを確認」をクリックします。また、素早く以前のショートカットメニューを表示したい場合は、対象を Shift を押しながら右クリックします。なお、キーボードに 🖱 が存在する場合は、Shift + 🖱 で素早く以前のショートカットメニューを表示できます。

1 右クリックして、ショートカットメニューから「その他のオプションを確認」を選択します。

あるいは、対象を Shift を押しながら右クリックします。

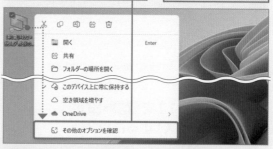

2 以前のショートカットメニューを表示できます。

⌨ 以前のショートカットメニューの表示　Shift + 🖱

Q020

お役立ち度 ★★★　Windows 11の基本設定

Windows 11の主要設定項目に素早くアクセスするには?

A 「スタート」ボタンを右クリックしてクイックリンクメニューからアクセスします。

Windows 11でよく利用される設定は、「クイックリンクメニュー」からアクセスできます。クイックリンクメニューは「スタート」ボタンを右クリックすれば表示できますが、素早く各項目にアクセスしたい場合はショートカットキー ⊞ + X がおすすめです。⊞ + X を押した後に、各項目に表示されるキーを入力すれば、すぐに目的の設定を表示できます。例えば ⊞ + X を入力した後に O を押せば「電源オプション」に素早くアクセスできます。

● ショートカットキー

項目	ショートカットキー
インストールされているアプリ	⊞ + X → P
モビリティセンター(バッテリー搭載機のみ)	⊞ + X → B
電源オプション	⊞ + X → O
イベントビューアー	⊞ + X → V
システム	⊞ + X → Y
デバイスマネージャー	⊞ + X → M
ネットワーク接続	⊞ + X → W
ディスクの管理	⊞ + X → K
コンピューターの管理	⊞ + X → G
ターミナル	⊞ + X → I
ターミナル(管理者)	⊞ + X → A

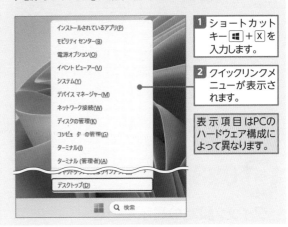

1 ショートカットキー ⊞ + X を入力します。

2 クイックリンクメニューが表示されます。

表示項目はPCのハードウェア構成によって異なります。

Q021

お役立ち度 ★★★　Windows 11の基本設定

[スタート]メニューの下部に「設定」アイコンを配置したい!

A 個人用設定で「設定」を表示します。

[スタート]メニューから「設定」にアクセスできますが(**Q017**)、設定にアクセスしやすくするために[スタート]メニューの電源アイコンの横に「設定」アイコンを配置したい場合は、「設定」画面から「個人用設定」→「スタート」を開いて、「フォルダー」をクリックして、「設定」をオンにします。

[スタート]メニューの「ピン留め済み」にある「設定」は環境によって表示位置が移動する可能性がありますが、電源アイコンの横の「設定」アイコンは表示位置が固定なので、よく「設定」にアクセスする場合は便利です。

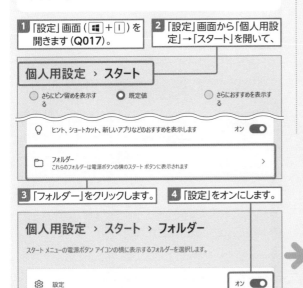

1 「設定」画面(⊞ + I)を開きます(**Q017**)。

2 「設定」画面から「個人用設定」→「スタート」を開いて、

個人用設定 > スタート

○ さらにピン留めを表示する　● 既定値　○ さらにおすすめを表示する

💡 ヒント、ショートカット、新しいアプリなどのおすすめを表示します　オン ●

📁 フォルダー
これらのフォルダーは電源ボタンの横のスタート ボタンに表示されます　>

3 「フォルダー」をクリックします。

4 「設定」をオンにします。

個人用設定 > スタート > フォルダー

スタート メニューの電源ボタン アイコンの横に表示するフォルダーを選択します。

⚙ 設定　オン ●

5 [スタート]メニューの電源アイコンの横に「設定」アイコンを配置できます。

Q022

お役立ち度 ★★★　クイック設定とハードウェアの調整

クイック設定を表示するには?

A 通知領域の「ネットワーク／ボリューム／バッテリー」アイコンをクリックします。

「クイック設定」では、PCの各種ハードウェアや機能を素早く調整できます。「クイック設定」を起動するには、通知領域の「ネットワーク／ボリューム／バッテリー」アイコンをクリックします。あるいは、ショートカットキー ⊞ ＋ A で素早く起動できます。

なお、この「クイック設定」で表示される（設定できる）項目は、PCのハードウェア構成によって異なります。

⌨ 「クイック設定」を開く　⊞ ＋ A

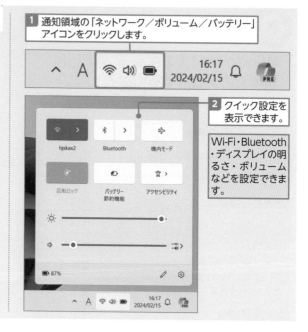

1 通知領域の「ネットワーク／ボリューム／バッテリー」アイコンをクリックします。

2 クイック設定を表示できます。

Wi-Fi・Bluetooth・ディスプレイの明るさ・ボリュームなどを設定できます。

Q023

お役立ち度 ★★★　クイック設定とハードウェアの調整

クイック設定の表示項目をカスタマイズするには?

A クイック設定の編集を行います。

「クイック設定」で表示される項目は任意に追加／削除が可能です。クイック設定（**Q022**）を表示した状態で、「クイック設定の編集」をクリックします。「＋追加」をクリックすれば、任意の項目をクイック設定に追加できます。また既存項目右上に表示される「ピン留め解除」をクリックすることで削除できます。項目はドラッグ＆ドロップで位置を移動することも可能です。

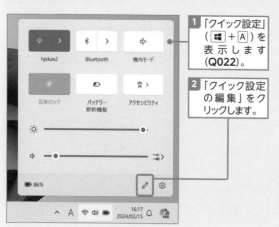

1 「クイック設定」（⊞ ＋ A）を表示します（**Q022**）。

2 「クイック設定の編集」をクリックします。

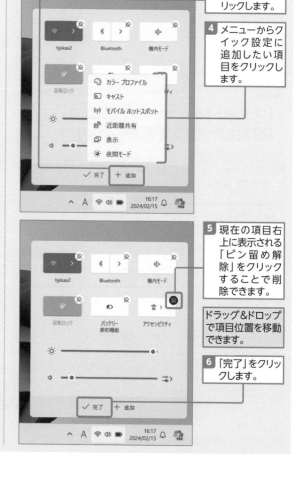

3 「＋追加」をクリックします。

4 メニューからクイック設定に追加したい項目をクリックします。

5 現在の項目右上に表示される「ピン留め解除」をクリックすることで削除できます。

ドラッグ＆ドロップで項目位置を移動できます。

6 「完了」をクリックします。

Q024

お役立ち度 ★★★ クイック設定とハードウェアの調整

クイック設定に表示されている項目の設定にアクセスするには?

A クイック設定の項目を右クリックしてアクセスします。

クイック設定（■ + A ）には、PCで調整できる各機能が表示されますが、この機能を詳細に設定するには、クイック設定から該当項目を右クリックして、表示されたメニューから「設定を開く」をクリックします。

例えば、Wi-Fiの「設定」画面には、クイック設定の「Wi-Fi」を右クリックして、メニューから「設定を開く」をクリックします。「サウンド」を調整するには、クイック設定の「サウンド」アイコンを右クリックして、メニューから「設定を開く」をクリックします。該当する「設定」画面に素早くアクセスできます。

1 クイック設定から該当項目を右クリックして、

2 メニューから「設定を開く」をクリックします。

3 クイック設定に表示されている項目の設定にアクセスできます。

Q025

お役立ち度 ★★★ コントロールパネルやコマンド

コントロールパネルを開くには?

A Windowsツールからアクセスします。

Windows 11の基本的なカスタマイズは「設定」で行いますが（**Q017**）、いくつかのカスタマイズは「コントロールパネル」を開く必要があります。コントロールパネルを開くには、[スタート] メニューの「すべてのアプリ」から「Windowsツール」をクリックして、「コントロールパネル」をダブルクリックします。本書のコントロールパネルは目的の設定項目まで素早く到達できる「アイコン表示」で解説していますので、コントロールパネルの「表示方法」のドロップダウンから「大きいアイコン」を選択します。

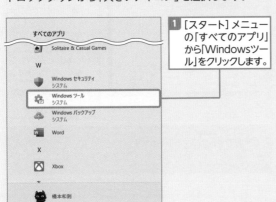

1 [スタート] メニューの「すべてのアプリ」から「Windowsツール」をクリックします。

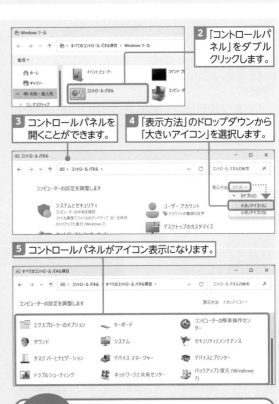

2 「コントロールパネル」をダブルクリックします。

3 コントロールパネルを開くことができます。

4 「表示方法」のドロップダウンから「大きいアイコン」を選択します。

5 コントロールパネルがアイコン表示になります。

おトクな情報 コントロールパネルへの素早いアクセス

コントロールパネルを素早く開きたい場合は、■ を押して [スタート] メニューを開き、検索ボックスに「con」と入力して検索結果から起動します（**Q095**）。

Q026

お役立ち度 ★★★　コントロールパネルやコマンド

コマンドを直接実行するには?

A 「ファイル名を指定して実行」から
コマンドを入力します。

コマンドを実行できる「ファイル名を指定して実行」を表示するには、「スタート」ボタンを右クリックして、クイックリンクメニューから「ファイル名を指定して実行」を選択します。あるいは、ショートカットキー ⊞ + R を入力します。コマンド操作という目的を考えると、マウスを利用せず表示できるショートカットキーのほうが便利です。「ファイル名を指定して実行」では、コマンドを入力して Enter を押すことで素早くコマンドを実行できます。

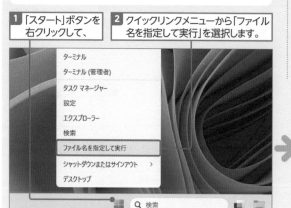

1 「スタート」ボタンを右クリックして、
2 クイックリンクメニューから「ファイル名を指定して実行」を選択します。

あるいは、ショートカットキー ⊞ + R を入力します。

3 「ファイル名を指定して実行」を開くことができます。

コマンドを入力して Enter を押すことで素早くコマンドを実行できます。

⌨ 「ファイル名を指定して実行」を開く　⊞ + R

Q027

お役立ち度 ★★★　コントロールパネルやコマンド

コマンドを実行するための
プロンプトを開くには?

A Windows PowerShell
あるいはコマンドプロンプトを開きます。

コマンドを実行するためのプロンプトは、「Windows PowerShell」か「コマンドプロンプト」を利用します。「Windows PowerShell」を利用するには、ショートカットキー ⊞ + X → A (管理者) あるいは ⊞ + X → I で起動できます(既定の場合)。また、コマンドプロンプトは、ショートカットキー ⊞ + R で「ファイル名を指定して実行」を表示して、「cmd」と入力して Enter を押せば起動できます。双方ともにコマンドを連続実行できるほか、コマンドの結果を確認することもできます。

Windows PowerShell を起動

1 「スタート」ボタンを右クリックして、
2 クイックリンクメニューから「ターミナル」を選択します。

あるいは、ショートカットキー ⊞ + X → I を入力します。
3 「Windows PowerShell」を起動できます。

```
Windows PowerShell
Copyright (C) Microsoft Corporation. All rights reserved.
```

⌨ 「Windows PowerShell(管理者)」を開く　⊞ + X → A

コマンドプロンプトを起動

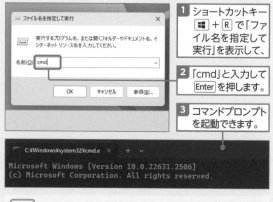

1 ショートカットキー ⊞ + R で「ファイル名を指定して実行」を表示して、
2 「cmd」と入力して Enter を押します。
3 コマンドプロンプトを起動できます。

```
Microsoft Windows [Version 10.0.22631.2506]
(c) Microsoft Corporation. All rights reserved.
```

⌨ 「Windows PowerShell」を開く　⊞ + X → I

Q028 お役立ち度 ★★★ ディスプレイの設定

ディスプレイの明るさ(輝度)を調整するには?

A クイック設定で輝度を調整します。

ディスプレイの輝度調整に対応したPC(ノートPCやタブレットPC)であれば、「クイック設定」(■+A)から明るさスライダーで、ディスプレイの明るさを調整できます。また、「設定」画面から「システム」→「ディスプレイ」を開いて、「明るさ」のスライダーで調整することもできます。なお、PCによっては物理キーボード上にある機能キーで明るさを調整できます。

「クイック設定」で明るさ調整

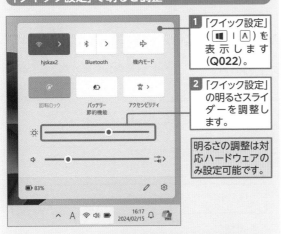

1 「クイック設定」(■+A)を表示します(Q022)。

2 「クイック設定」の明るさスライダーを調整します。

明るさの調整は対応ハードウェアのみ設定可能です。

「設定」で明るさ調整

1 「設定」画面(■+I)を開きます(Q017)。

2 「設定」画面から「システム」→「ディスプレイ」を開いて、「明るさ」のスライダーで調整できます。

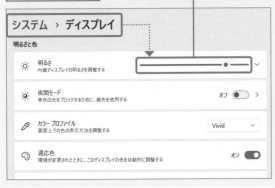

⌨ 「クイック設定」を開く ■+A

Q029 お役立ち度 ★★★ ディスプレイの設定

ディスプレイの明るさ(輝度)を周囲の明るさに従って自動調整するには?

A 照度センサーによる自動調整をオンにします。

PCによっては照度センサーを搭載しており、周囲の明るさに従って、自動的にディスプレイの明るさを調整します。この周囲の明るさに従った自動調整は、「設定」画面から「システム」→「ディスプレイ」を開いて、「明るさ」をクリックして開き、「照明が変化した場合に明るさを自動的に調整する」のチェックでオン/オフにできます。自動的な調整では明るすぎる/暗すぎると感じる場合は、チェックを外すとよいでしょう。

1 「設定」画面(■+I)を開きます(Q017)。

2 「設定」画面から「システム」→「ディスプレイ」を開いて、「明るさ」をクリックします。

3 「照明が変化した場合に明るさを自動的に調整する」をチェックします。

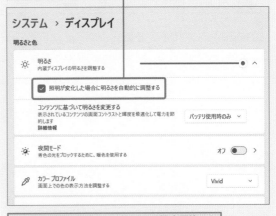

輝度自動調整は対応ハードウェアのみ設定可能です。

Q030 お役立ち度 ★★★ ディスプレイの設定

ブルーライトを抑えて
目に優しい表示にするには?

A 「夜間モード」をオンにします。

ブルーライトを抑えてディスプレイの表示を暖色にする「夜間モード」を適用するには、「設定」画面から「システム」→「ディスプレイ」を開いて、「夜間モード」をオンにします。また夜間モードの強さを調整するには、「夜間モード」をクリックして開き、暖色の強さを調整することもできます。なお、夜間モードに頻繁に切り替えるならば、「クイック設定」に「夜間モード」を追加するとよいでしょう（**Q023**）。

1 「設定」画面（■ +I）を開きます（**Q017**）。

2 「設定」画面から「システム」→「ディスプレイ」を開いて、「夜間モード」をオンにします。

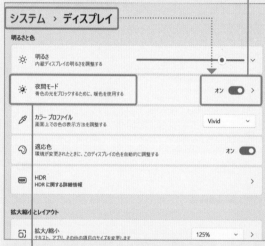

3 「夜間モード」をクリックします。

4 「強さ」のスライダーで暖色の強さを調整します。

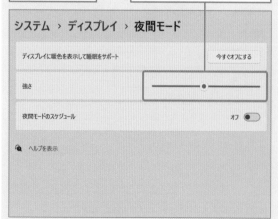

Q031 お役立ち度 ★★★ ディスプレイの設定

画面が暗くなるまでの時間を
調整するには?

A 画面の電源を切るまでの時間を設定します。

Windows 11の標準設定では、無操作状態が一定時間経過するとディスプレイ（画面）が暗くなります。これは省電力のためなのですが、この暗くなるまでの時間を調整するには、「設定」画面から「システム」→「電源とバッテリー」（あるいは「電源」、PCによって異なる）を開いて、「画面とスリープ」をクリックして開き、「〜次の時間が経過した後に画面の電源を切る」欄で任意の時間を選択します。
ノートPCなどバッテリー搭載PCでは、「バッテリー駆動時」「電源接続時」でそれぞれで画面が暗くなるまでの時間を指定できます。

1 「設定」画面（■ +I）を開きます（**Q017**）。

2 「設定」画面から「システム」→「電源とバッテリー」（あるいは「電源」）を開いて、「画面とスリープ」をクリックします。

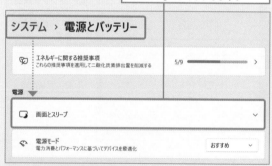

3 「〜次の時間が経過した後に画面の電源を切る」欄で任意の時間を選択します。

システム ＞ 電源とバッテリー

電源

📺 画面とスリープ

バッテリー駆動時に、次の時間が経過した後に画面の電源を切る:	10分
電源接続時に、次の時間が経過した後に画面の電源を切る:	30分
バッテリー駆動時に、次の時間が経過した後にデバイスをスリープ状態にする:	30分
電源接続時に、次の時間が経過した後にデバイスをスリープ状態にする:	1時間

関連リンク エネルギー効率の良いスリープ設定を選択中

⌨ 「電源オプション」を開く ■ +X → O

Q032 お役立ち度 ★★★ サウンドの調整

マイクに話しかけて
AIで文字入力を行うには?

A 音声入力を起動します。

Windows 11では音声入力に対応しており、マイクなど
で音声入力ができれば、AIが音声をテキストにしてくれま
す。

「音声入力」を起動するには、ショートカットキー ⊞ ＋
H を入力します。「音声入力」が起動したら、マイクに向
かって話せば、話した言葉を文字として入力できます。音
声入力はかなり精度が高いため、きちんと話せば文章など
もしっかり入力できます。

記号も入力可能で、「！」は「びっくりマーク」、改行は「次
の行」などとマイクに向かって話せば入力できます。

⌨ 「音声入力」を開く ⊞ ＋ H

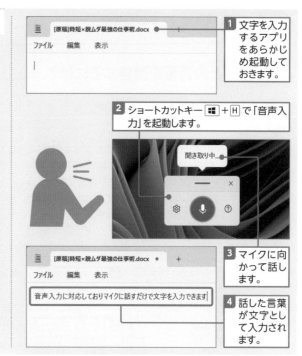

1 文字を入力するアプリをあらかじめ起動しておきます。

2 ショートカットキー ⊞ ＋ H で「音声入力」を起動します。

3 マイクに向かって話します。

4 話した言葉が文字として入力されます。

Q033 お役立ち度 ★★★ サウンドの調整

PCの音量(ボリューム)を
調整するには?

A クイック設定の音量で調整します。

PCの音量を調整するには、クイック設定(⊞ ＋ A)を表
示して、「ボリューム」のスライダーで調整します。
なお、PCによっては物理キーボード上にある機能キーで
音量を調整できます。

1 クイック設定(⊞ ＋ A)を表示します(Q022)。

2 「ボリューム」のスライダーで調整します。

Q034 お役立ち度 ★★★ サウンドの調整

サウンド出力を
一時的に停止するには?

A 音量をミュートにします。

音量をゼロ(ミュート)にするには、クイック設定(⊞ ＋
A)を表示して、ボリュームアイコンをクリックします。
アイコンが「×」になればミュートであり、再びクリック
することでミュートをオフにすることもできます。
なお、システムサウンド(エラー音や通知音)のみを鳴ら
ないようにすることもできます(Q620)。

関連 Q620 システムサウンドの停止

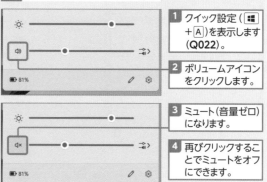

1 クイック設定(⊞ ＋ A)を表示します(Q022)。

2 ボリュームアイコンをクリックします。

3 ミュート(音量ゼロ)になります。

4 再びクリックすることでミュートをオフにできます。

Q035 お役立ち度 ★★★ サウンドの調整

アプリごとの音量を調整するには?

A 音声ミキサーで調整します。

例えば、Microsoft EdgeでYouTubeのビデオを再生し、同時にメディアプレーヤーで音楽を聴くなど、複数の音声出力が行われている状況で、アプリごとの音量を調整するには、クイック設定（Q022）から「サウンド出力の選択」をクリックして、「音量ミキサー」で調整します。
なお、ショートカットキー ⊞ ＋ Ctrl ＋ V で「音声出力」の音量ミキサーに素早くアクセスできます。

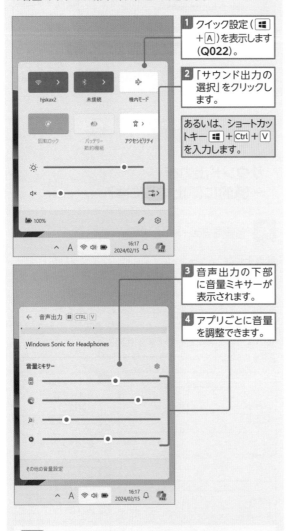

1 クイック設定（⊞ ＋ A ）を表示します（Q022）。

2 「サウンド出力の選択」をクリックします。

あるいは、ショートカットキー ⊞ ＋ Ctrl ＋ V を入力します。

3 音声出力の下部に音量ミキサーが表示されます。

4 アプリごとに音量を調整できます。

⌨ 「音声出力」を開く ⊞ ＋ Ctrl ＋ V

Q036 お役立ち度 ★★★ サウンドの調整

音が聞こえないときには?

A ミュートの確認、スピーカーの出力先などを確認します。

Windows 11で音が聞こえないという場合は、まずショートカットキー ⊞ ＋ A で「クイック設定」を表示して、ボリュームがミュートになっていないかを確認します。
ミュートになっていない場合は、「音声出力先が異なる」ことが考えられます。例えば、Bluetoothスピーカー／内蔵スピーカー／スピーカー搭載外部ディスプレイなどを接続している状況では、それぞれ出力先を切り替えることができるため、クイック設定から「サウンド出力の選択」をクリックして、出力デバイスから音声を出力するスピーカーが正しいかを確認します。

関連 Q498 入出力デバイスの選択

ミュートではないかを確認する

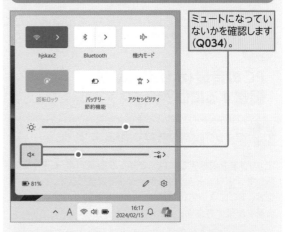

ミュートになっていないかを確認します（Q034）。

スピーカーが正しいかを確認する

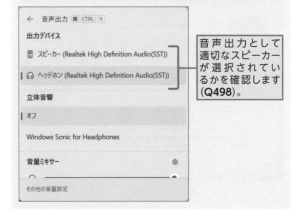

音声出力として適切なスピーカーが選択されているかを確認します（Q498）。

Q037 お役立ち度 ★★★ 電源の管理

PCのパフォーマンスを最適にしたい!

1 「設定」画面（■ + I ）を開きます（Q017）。

2 「設定」画面から「システム」→「電源とバッテリー」（あるいは「電源」）を開きます。

A 高パフォーマンスモードにします。

PCによっては電源モードで消費電力とパフォーマンスのバランスをとることができます。「設定」画面から「システム」→「電源とバッテリー」（あるいは「電源」）を開いて、「電源モード」のドロップダウンから、任意の項目を選択することにより、パフォーマンスを最適化できます。「電源モード」において、パフォーマンスが高まる選択をした場合、消費電力が増えます。なお、「電源モード」の有無、および選択できる項目はPCによって異なります。

3 「電源モード」のドロップダウンから、任意の項目を選択します。

「電源モード」は対応ハードウェアのみ設定可能です。

選択できる項目はPCによって異なります。

⌨ 「電源オプション」を開く ■ + X → O

Q038 お役立ち度 ★★★ 電源の管理

PCの電源を完全に切るには?

A [スタート] メニューの「電源」から「シャットダウン」します。

PCの電源を完全に切るには、[スタート] メニューから「電源」をクリックして、メニューから「シャットダウン」をクリックします。素早く電源を切りたい場合は、ショートカットキー ■ + X → U → U が有効です。

なお、Windows 11の標準設定の「シャットダウン→起動」という行程では、「高速スタートアップ」（ハイブリッドブート）という正常に起動したときの環境を保存しておくことにより高速でWindows 11を起動できる仕組みが適用されるため、環境が完全にリセットされないという特性があります。環境をリセットするには、再起動（Q040）が必要です。

関連 Q040 Windows 11の再起動

⌨ シャットダウン ■ + X → U → U

1 [スタート] メニューから「電源」をクリックして、

2 メニューから「シャットダウン」をクリックします。

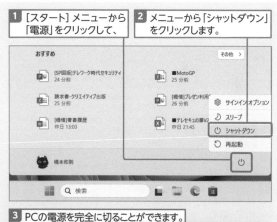

3 PCの電源を完全に切ることができます。

Q039 お役立ち度 ★★★ 電源の管理

電源ボタンを押したときの動作を指定するには?

A コントロールパネルの電源で設定できます。

PCの電源ボタンを押したときの動作を指定するには、コントロールパネル（アイコン表示）から「電源オプション」をクリックして、タスクペインにある「電源ボタンの動作の選択」をクリックします。「電源ボタンを押したときの動作」のドロップダウンから任意の動作を指定します。ノートPCなどバッテリー搭載PCでは、「バッテリ駆動」「電源に接続」でそれぞれの動作を指定できます。

誤って電源ボタンを押してしまいかねないという環境では、「何もしない」を選択することで不意の電源動作を防ぐことも可能です。

関連 Q044 休止状態の設定

1 「コントロールパネル」を開きます（Q025）。　**2** コントロールパネル（アイコン表示）から「電源オプション」をクリックします。

3 タスクペインにある「電源ボタンの動作の選択」をクリックします。　PCによって表記が異なる場合があります。

4 「電源ボタンを押したときの動作」のドロップダウンから任意の動作を指定します。　**5** 「変更の保存」をクリックします。

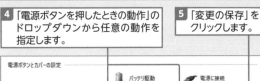

Q040 お役立ち度 ★★★ 電源の管理

Windows 11を再起動するには?

A ［スタート］メニューの「電源」から「再起動」します。

Windows 11を再起動するには、［スタート］メニューから「電源」をクリックして、メニューから「再起動」をクリックします。素早く再起動するには、ショートカットキー ⊞ ＋ X → U → R が有効です。

関連 Q621 コマンドによる電源操作

1 ［スタート］メニューから「電源」をクリックして、　**2** メニューから「再起動」をクリックします。

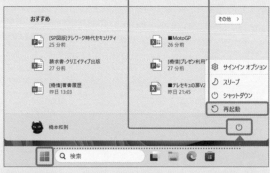

3 Windows 11を再起動できます。

おトクな情報 シャットダウンと再起動の違い

Windows 11で「シャットダウン→起動」は高速スタートアップにより環境が完全にリセットされないのに対して（トラブルが存在した場合はメモリに残る可能性がある）、「再起動」は完全に環境をリセットしてシステムを読み込むため、トラブル・更新・メモリ内容をリセットしたいなどの場合は「再起動」が最適になります。

再起動 ⊞ ＋ X → U → R

Q041 お役立ち度 ★★★ 電源の管理

電源を切らずに作業を中断するには? (ロック)

A デスクトップをロックします。

離席時などにデスクトップを「ロック」するには、[スタート]メニューのユーザーアイコンをクリックして、メニューから「ロック」をクリックします。素早く確実にロックしたい場合は、ショートカットキー ⊞ + L を入力します。デスクトップのロックは作業復帰時にはサインインが必要になるため、セキュリティを確保できます。

関連 Q558 PIN の変更
関連 Q560 顔認証設定
関連 Q561 指紋認証設定

ロック ⊞ + L

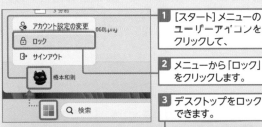

1 [スタート]メニューの**ユーザーアイコン**をクリックして、

2 メニューから「ロック」をクリックします。

3 デスクトップをロックできます。

16:14
10月28日(土)

Q042 お役立ち度 ★★★ 電源の管理

自動的にスリープするまでの時間を調整するには?

A デバイスがスリープするまでの時間を設定します。

Windows 11 の標準設定では、無操作状態が一定時間経過すると自動的にスリープに移行します。このスリープまでの時間を調整するには、「設定」画面から「システム」→「電源とバッテリー」(あるいは「電源」)を開いて、「画面とスリープ」をクリックして開き、「次の時間が経過した後にデバイスをスリープ状態にする」欄のドロップダウンから任意の時間を選択します。ノートPCなどバッテリー搭載PCでは、「バッテリー駆動時」「電源接続時」でそれぞれがスリープになるまでの時間を指定できます。

1 「設定」画面 (⊞ + I) を開きます (Q017)。

2 「設定」画面から「システム」→「電源とバッテリー」(あるいは「電源」)を開いて、「画面とスリープ」をクリックして開き、

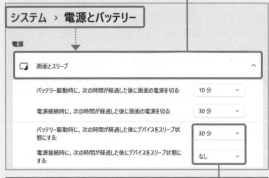

システム > 電源とバッテリー

電源

画面とスリープ

バッテリー駆動時に、次の時間が経過した後に画面の電源を切る:	10 分
電源接続時に、次の時間が経過した後に画面の電源を切る:	30 分
バッテリー駆動時に、次の時間が経過した後にデバイスをスリープ状態にする:	30 分
電源接続時に、次の時間が経過した後にデバイスをスリープ状態にする:	なし

3 「～次の時間が経過した後にデバイスをスリープ状態にする」欄のドロップダウンから任意の時間を選択します。

Q043 お役立ち度 ★★★ 電源の管理

PCをスリープにするには?

A [スタート]メニューの「電源」から「スリープ」します。

Windows 11 では無操作状態が一定時間経過すると自動的にスリープに移行しますが、すぐにPCをスリープにするには、[スタート]メニューから「電源」をクリックして、メニューから「スリープ」をクリックします。スリープはシャットダウンや再起動などと比べて、デスクトップ状態

を保持したまま省電力に移行するため、復帰の際にスリープ前の状態を復元して操作を継続できるのがポイントです。素早くスリープに移行するには、ショートカットキー ⊞ + X → U → S が有効です。

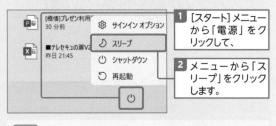

1 [スタート]メニューから「電源」をクリックして、

2 メニューから「スリープ」をクリックします。

スリープ ⊞ + X → U → S

Q044

お役立ち度 ★★★ 電源の管理

電源操作で休止状態を指定できるようにするには?

A 電源メニューに「休止状態」を表示する設定をします。

Windows 11において「スリープ」とはメモリに作業内容を保持している省電力状態、「休止状態」とはストレージ（SSD／HDD）に作業内容を保持して電源を切っている状態です。

つまり、スリープに比べて休止状態のほうがPCを利用していない際に電力を消費せず、またシャットダウンや再起動などと比べてすぐに作業に復帰できるというメリットがあるのですが、Windows 11の標準設定では無効になっています。

「休止状態」を有効にするには、コントロールパネル（アイコン表示）から「電源オプション」をクリックして、タスクペインにある「電源ボタンの動作の選択」をクリックします。「現在利用可能ではない設定を変更します」をクリックしたうえで、「シャットダウン設定」欄にある「休止状態」をチェックして「変更の保存」をクリックすれば、以後[スタート]メニューの電源から「休止状態」を指定できるようになります。

1 「コントロールパネル」を開きます（Q025）。

2 コントロールパネル（アイコン表示）から「電源オプション」をクリックします。

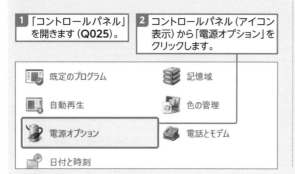

3 タスクペインにある「電源ボタンの動作の選択」をクリックします。

PCによって表記が異なる場合があります。

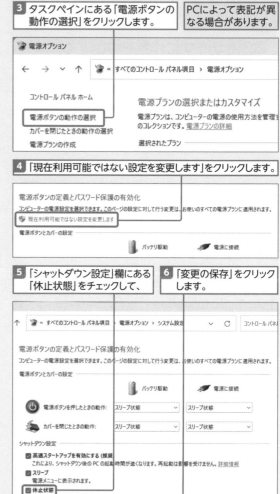

4 「現在利用可能ではない設定を変更します」をクリックします。

5 「シャットダウン設定」欄にある「休止状態」をチェックして、

6 「変更の保存」をクリックします。

休止状態 ⊞+X → U → H

Q045

お役立ち度 ★★★ 電源の管理

デスクトップが動作不能などの場合に強制終了するには?

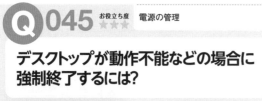

電源を長押しして強制終了

A 電源ボタンを長押しして強制シャットダウンします。

PCのデスクトップが操作不能になり、通常の手順でシャットダウンや再起動ができない場合は、タスクマネージャーで原因となっている可能性があるアプリの強制終了を試みます（Q615）。

また、タスクマネージャーも操作できない場合は、電源ボタンを長押し（10秒以上、PCによって異なる）することで強制シャットダウンできます。なお、強制シャットダウンは最終的な手段であり、システムやデータファイルを壊してしまう可能性がある点に留意します。

関連 Q615 アプリを強制終了する

Q046 お役立ち度 ★★★ モバイル

ノートPCのバッテリー残量を確認するには?

通知領域のバッテリーアイコンで大まかな残量を確認できます。

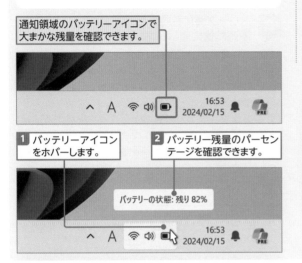

1 バッテリーアイコンをホバーします。

2 バッテリー残量のパーセンテージを確認できます。

バッテリーの状態: 残り 82%

A 通知領域のバッテリーアイコンで確認できます。

ノートPCなどバッテリー搭載PCで「バッテリー残量」を確認するには、通知領域のバッテリーアイコンで大まかに確認できるほか、バッテリーアイコンをマウスポインターでホバーすることで残量のパーセンテージを確認できます。また、クイック設定（🪟+Ａ）でも、バッテリー残量をパーセンテージで確認でき、バッテリーアイコンをクリックすれば、「電源とバッテリー」にアクセスできます。

クイック設定（**Q022**）でも、バッテリー残量をパーセンテージで確認できます。

■ 81%

Q047 お役立ち度 ★★★ モバイル

ノートPCのカバー(キーボード)を閉じたときの電源動作を変更したい!

A スリープやシャットダウンなどに変更できます。

ノートPCのカバー（キーボード）を閉じたときの電源動作を指定するには、コントロールパネル（アイコン表示）から「電源オプション」をクリックして、画面左側のタスクペインにある「電源ボタンの動作の選択」をクリックします。「カバーを閉じたときの動作」の「バッテリ駆動」「電源に接続」のそれぞれの電源動作を指定できます。

1 「コントロールパネル」を開きます（**Q025**）。

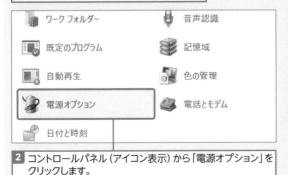

2 コントロールパネル（アイコン表示）から「電源オプション」をクリックします。

3 タスクペインにある「電源ボタンの動作の選択」をクリックします。

PCによって表記が異なる場合があります。

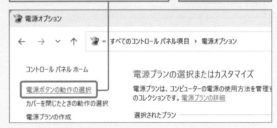

4 「カバーを閉じたときの動作」の「バッテリ駆動」「電源に接続」のそれぞれの電源動作を指定できます。

5 「変更の保存」をクリックします。

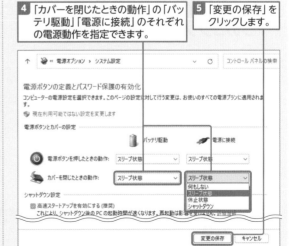

対応ハードウェアのみ設定・指定動作が可能です。

Q048 お役立ち度 ★★★ モバイル

バッテリーの消費を抑えるには?

A バッテリー節約機能を有効にします。

バッテリーの消費を抑えるバッテリー節約機能は、バッテリー残量が少なくなると有効になります(20%以下、PCによって異なる)。バッテリーの消費を抑えるためにすぐに有効にするには、「設定」画面から「システム」→「電源とバッテリー」を開いて、「バッテリー節約機能」をクリックして開き、「バッテリー節約機能」の「今すぐ有効にする」をクリックします。バッテリー節約機能を有効にすると、ディスプレイが暗めになりバックグラウンドアプリの動作が制限され、バッテリー消費を抑えることができます。

1 「設定」画面(■+I)を表示します(Q017)。

2 「設定」画面から「システム」→「電源とバッテリー」を開いて、「バッテリー節約機能」をクリックして、

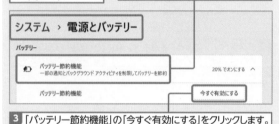

3 「バッテリー節約機能」の「今すぐ有効にする」をクリックします。

Q049 お役立ち度 ★★★ モバイル

モダンスタンバイって何?

A スリープ時にも通信を続けるなど電源特性に違いがあります。

バッテリー搭載PCの一部は「モダンスタンバイ」に対応しています。モダンスタンバイはスリープ中であっても、スマートフォンのようにネットワーク通信や対応アプリを継続して動作させることができます。
PCがモダンスタンバイ対応かどうかを確認するには、Windows PowerShell やコマンドプロンプトに「powercfg /a」と入力してEnterを押します。「スタンバイ(S0 低電力アイドル)」と表示されるPCは「モダンスタンバイ対応機」になります。

1 「Windows PowerShell」(■+X→I)を起動します(Q027)。

2 「powercfg /a」と入力してEnterを押します。

3 「スタンバイ(S0 低電力アイドル)」と表示されるPCは「モダンスタンバイ対応機」になります。

Q050 お役立ち度 ★★★ モバイル

ディスプレイの明るさや音量などを1つのコンソールで調整するには?

明るさ	スライダーでディスプレイの明るさを調整できます。
音量	音量調整やミュートが行えます。
バッテリの状態	バッテリーのプランを変更できます。
画面の向き	「画面の回転」をクリックすることで画面を回転できます。

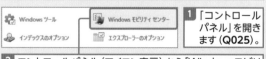

1 「コントロールパネル」を開きます(Q025)。

2 コントロールパネル(アイコン表示)から「Windowsモビリティセンター」をクリックします。

(キーボード) 「Windowsモビリティセンター」を開く ■+X→B

A 「Windowsモビリティセンター」を起動します。

ノートPCなどバッテリー搭載PCでは、1つのコンソールでディスプレイの明るさ・音量・画面回転などが素早く行える「Windowsモビリティセンター」が利用可能です。コントロールパネル(アイコン表示)から「Windowsモビリティセンター」をクリックすることで起動できますが、素早く起動するにはショートカットキー■+X→Bが最適です。

3 「Windowsモビリティセンター」を起動できます。

「Windowsモビリティセンター」は対応ハードウェアのみ表示・操作が可能です。

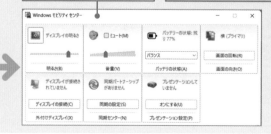

第2章

Windows 11の
デスクトップ操作

Windows 11のデスクトップ操作について解説します。デスクトップを
見やすく&使いやすくするカスタマイズのほか、テーマや壁紙の変更、ウィ
ジェット、仮想デスクトップなどについて解説します。
また、デスクトップを画像や動画として保存する、便利なスクリーンショッ
トテクニックについても解説します。

Q051 ★★★ お役立ち度 デスクトップを使いやすく

デスクトップからドライブやデータに 素早くアクセスしたい!

A 「コンピューター」「ユーザーのファイル」などの アイコンをデスクトップに表示できます。

各ドライブやユーザーのファイルへのアクセスには、エクスプローラー（**Q177**）を利用しますが、デスクトップに「コンピューター」(PC)や「ユーザーのファイル」（ドキュメントやピクチャなどのユーザーフォルダー群）、「コントロールパネル」などを配置すると素早くアクセスできます。「設定」画面から「個人用設定」→「テーマ」を開いて、「デスクトップアイコンの設定」をクリックします。
「デスクトップアイコンの設定」で表示したいアイコンをチェックします。

1 「設定」画面（⊞＋I）を開きます（Q017）。

2 「設定」画面から「個人用設定」→「テーマ」を開いて、

3 「デスクトップアイコンの設定」をクリックします。

4 「デスクトップアイコンの設定」で表示したいアイコンをチェックします。

5 「OK」をクリックします。

6 「PC」（コンピューター）や「ユーザーのファイル」などの指定のアイコンをデスクトップに表示できます。

Q052 ★★★ お役立ち度 デスクトップを使いやすく

デスクトップ上のアイコンを 自動的に整えたい!

A 「アイコンの自動整列」を設定します。

デスクトップ上のアイコンはドラッグで自由な位置に移動できますが、デスクトップ上でバラバラな位置に配置してしまうと探しにくくなります。自動的に整列させておきたいのであれば、デスクトップを右クリックして、ショートカットメニューから「表示」→「アイコンの自動整列」をチェックします。適用後、新しいアイコンを追加・削除した場合にもデスクトップの左上から自動的に整列します。また、この状態でアイコンをドラッグ＆ドロップすれば、並び順を変更することもできます。

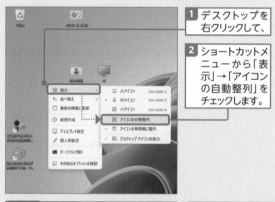

1 デスクトップを右クリックして、

2 ショートカットメニューから「表示」→「アイコンの自動整列」をチェックします。

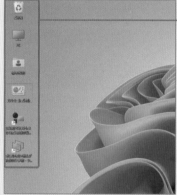

3 アイコンが自動的に整列します。

おトクな情報 アイコンを自由に配置する場合

デスクトップを右クリックして、ショートカットメニューから「表示」→「アイコンの自動整列」のチェックを外せば自由な配置が可能です。

Q053 お役立ち度 ★★★ デスクトップを使いやすく

アプリのショートカットアイコンをデスクトップに作成するには?

A [スタート] メニューの「すべてのアプリ」からドロップします。

デスクトップによく使うアプリを素早く起動できる「アプリのショートカットアイコン」を作成するには、[スタート] メニューの「すべてのアプリ」を開いてから目的のアプリアイコンをデスクトップに向けてドラッグ＆ドロップします（[スタート] メニューの「ピン留め済み」のアイコンでは、この操作は不可）。

複数のショートカットアイコンを作成したいときは、「アプリを一覧表示」（Q096）からドラッグ＆ドロップするのも便利です。

関連 Q096 アプリの一覧表示

関連 Q201 フォルダーのショートカットアイコン作成

1 [スタート]メニューの「すべてのアプリ」をクリックします。

2 アプリアイコンをドラッグして、デスクトップにドロップします。

3 アプリのショートカットアイコンを作成できます。

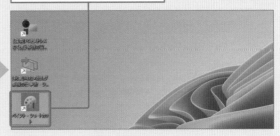

Q054 お役立ち度 ★★★ デスクトップを使いやすく

デスクトップのアイコンを使いやすく並べ替えるには?

A 「名前順」「種類順」などに並び替えできます。

デスクトップ上のアイコンは任意の順に並び替えることができます。例えば「名前順」にするには、デスクトップを右クリックして、ショートカットメニューから「並べ替え」→「名前」と選択します。また、「並べ替え」→「項目の種類」と選択すれば、ファイルの種類ごとに並べられます。

なお、同じ並べ替えをもう一度選択することで並び順の昇順・降順を切り替えることができます。

1 デスクトップを右クリックして、 **2** ショートカットメニューから「並べ替え」→「名前」と選択します。

3 アイコンの並び方が変更されます。

Q055

デスクトップアイコンを
見やすくするには?

A デスクトップアイコンのサイズを変更します。

デスクトップの解像度やディスプレイのサイズによっては、デスクトップのアイコンが小さくて見えにくいことがあります。そんなときはアイコンのサイズを大きく変更します。デスクトップを右クリックして、ショートカットメニューから「表示」→「大アイコン」と選択すればデスクトップのアイコンを大きくできます。

関連 Q200 アイコンの絵柄の変更
関連 Q059 デスクトップ拡大率

1 デスクトップを右クリックして、

2 ショートカットメニューから「表示」→「大アイコン」と選択します。

3 デスクトップアイコンが指定の大きさになります。

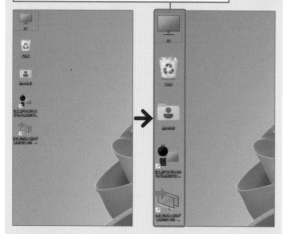

おトクな情報　アイコンサイズの調整

大アイコンでは大きすぎるという場合は、デスクトップを一度クリックした後に、Ctrl を押しながらマウスホイールを回転させれば、アイコンを適切なサイズに調整できます。

Q056

デスクトップアイコンを
人に見せたくない場合には?

A デスクトップアイコンを
一時的に非表示にします。

仕事などでPC画面を見せたり、オンライン会議で画面を共有するなどの場面で、他者にデスクトップ上のアイコンを見せたくない場合は、デスクトップを右クリックして、ショートカットメニューから「表示」→「デスクトップアイコンの表示」のチェックを外すことで、非表示にできます。なお、この操作では単に非表示になるだけで、デスクトップ上のアイコンは保持されます。同様の操作で「デスクトップアイコンの表示」をチェックすれば、再表示できます。

1 デスクトップを右クリックして、

2 ショートカットメニューから「表示」→「デスクトップアイコンの表示」のチェックを外します。

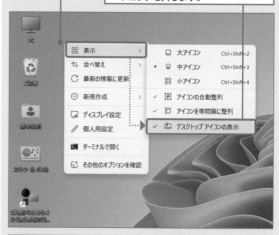

3 デスクトップアイコンが非表示になります。

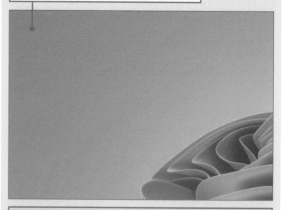

同様の操作で「デスクトップアイコンの表示」をチェックすれば再表示できます。

Q057

お役立ち度 ★★★ デスクトップを使いやすく

すべてのウィンドウをどかして すぐにデスクトップを確認するには?

A すべてのウィンドウを一気に最小化します。

デスクトップそのものを表示したい際、いちいちデスクトップ上に展開しているウィンドウを1つ1つ最小化するのは面倒です。一気にデスクトップを表示する(すべてのウィンドウを一括で最小化する)には、ショートカットキー ⊞ ＋ Ｄ を入力します。操作直後であれば、同様のショートカットキーでウィンドウを再表示することもできます。

おトクな情報 タスクバーの右端で操作

タスクバーの右端をクリックしてデスクトップを表示したい場合は、「設定」画面から「個人用設定」→「タスクバー」を開いて、「タスクバーの動作」をクリックして開き、「デスクトップを表示するには、タスクバーの隅を選択します」をチェックします。

1 ショートカットキー ⊞ ＋ Ｄ を入力します。

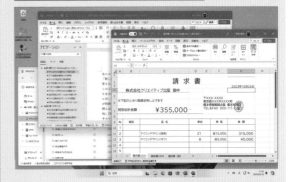

2 すべてのウィンドウを一括で最小化できます。

ウィンドウの再表示は同様の操作で可能です。

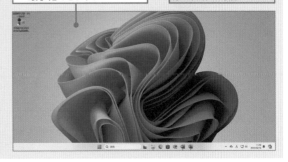

Q058

お役立ち度 ★★★ デスクトップを使いやすく

ウィンドウをどかさずにデスクトップ 上のアイコンにアクセスするには?

A デスクトップをエクスプローラーで表示します。

たくさんのウィンドウを開いているときに、デスクトップ上のアイコンにアクセスするには、Q057で紹介した一気にデスクトップの表示にしてもよいのですが、もう1つ「エクスプローラーでデスクトップのアイコンを表示してしまう」のも便利です。デスクトップの余白(ウィンドウ／タスクバーではない部分)をクリックして、ショートカットキー Ctrl ＋ Ｎ でデスクトップ上のアイコンにアクセスできます。

なお、この手順でのエクスプローラーでは設定表示の有無にかかわらず「PC」(コンピューター)や「コントロールパネル」などにもアクセスできて便利です。

⌨ デスクトップをエクスプローラーで開く Ctrl ＋ Ｎ

1 デスクトップの余白をクリックして、
2 ショートカットキー Ctrl ＋ Ｎ を入力します。

3 エクスプローラーからデスクトップ上にあるアイコンにアクセスできます。

Q059

お役立ち度 ★★★　デスクトップを使いやすく

デスクトップ全体の拡大率を変えて見やすくするには?

A デスクトップの拡大率を変更します。

PCによってディスプレイのサイズや解像度は異なりますが、デスクトップ全体を大きくして見やすくするには、「設定」画面から「システム」→「ディスプレイ」を開いて、「拡大／縮小」のドロップダウンから任意の拡大率を選択します（設定可能な拡大率の範囲はPCのディスプレイによって異なる）。また拡大率を詳細に設定するには、「拡大／縮小」をクリックすることで、カスタムスケーリングを指定できます。デスクトップに多くのオブジェクトを表示したいのであれば縮小方向に、大きく見やすくするなら拡大方向に設定するとよいでしょう。

1 「設定」画面（⊞＋Ｉ）を開きます（Q017）。

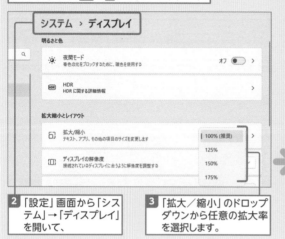

2 「設定」画面から「システム」→「ディスプレイ」を開いて、

3 「拡大／縮小」のドロップダウンから任意の拡大率を選択します。

4 デスクトップ全体の拡大率を変更できます。

Q060

お役立ち度 ★★★　デスクトップを使いやすく

デスクトップの文字の大きさを変更するには?

A テキストサイズ（文字）の拡大率を変更します。

Q059で解説したデスクトップの拡大率は「拡大すると画面が狭くなる」「縮小すると文字が小さくて見にくい」ことになりますが、デスクトップオブジェクトにおける文字（テキスト）だけを拡大して視認性を高めることもできます。「設定」画面から「アクセシビリティ」→「テキストのサイズ」を開いて、「テキストのサイズ」のスライダーで任意のサイズを指定して「適用」をクリックします。
この設定では、テキスト（文字）とその周囲だけが大きく表示されるようになるので、デスクトップを広く使いつつ文字を見やすくできます。

1 「設定」画面（⊞＋Ｉ）を開きます（Q017）。

2 「設定」画面から「アクセシビリティ」→「テキストのサイズ」を開いて、

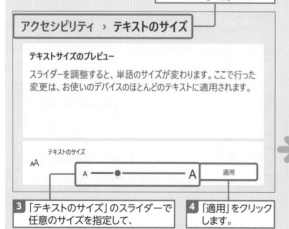

3 「テキストのサイズ」のスライダーで任意のサイズを指定して、

4 「適用」をクリックします。

5 テキスト（文字）とその周囲だけが大きく表示されるようになります。

Q061 ★★★★ お役立ち度 デスクトップを使いやすく

文字カーソルのサイズや色を変更するには?

A テキストカーソルインジケーターで変更します。カーソルの太さも変更できます。

デスクトップで文字入力を行っている際、文字カーソルを見失いがちな場合は、文字カーソルのサイズ・色・太さを変更して見やすくするとよいでしょう。「設定」画面から「アクセシビリティ」→「テキストカーソル」を開いて、「テキストカーソルインジケーター」をオンにして、任意の色とサイズを選択します。「テキストカーソルの太さ」のスライダーで任意に文字カーソルの太さを指定することもできます。

1 「設定」画面（ ⊞ + I ）を開きます（Q017）。

2 「設定」画面から「アクセシビリティ」→「テキストカーソル」を開いて、

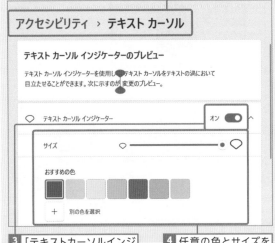

3 「テキストカーソルインジケーター」をオンにして、

4 任意の色とサイズを選択します。

5 「テキストカーソルの太さ」のスライダーで文字カーソルの太さを指定できます。

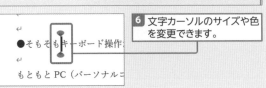

6 文字カーソルのサイズや色を変更できます。

Q062 ★★★★ お役立ち度 デスクトップを使いやすく

デスクトップの一部を拡大表示するには?

A 「拡大鏡」を活用します。

プレゼンテーションやPC指導などの場面では、デスクトップの一部を拡大表示してわかりやすく示したいことがあります。このような際に有効なのが「拡大鏡」です。
「拡大鏡」は、[スタート]メニューの「すべてのアプリ」から「アクセシビリティ」→「拡大鏡」をクリックして起動します。「拡大鏡」の「＋」「－」をクリックすることで任意に拡大率を変更でき、また拡大中にマウスポインターを移動することにより拡大位置（表示位置）を変更できます。
なお、ショートカットキー ⊞ + ; ／ ⊞ + + で拡大鏡の起動／拡大、また ⊞ + － で縮小することもできます。

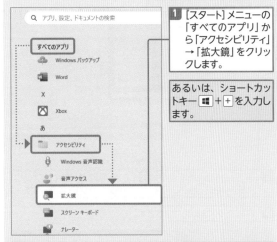

1 [スタート]メニューの「すべてのアプリ」から「アクセシビリティ」→「拡大鏡」をクリックします。

あるいは、ショートカットキー ⊞ + + を入力します。

2 「拡大鏡」の「＋」「－」をクリックすることで任意に拡大率を変更できます。

3 「拡大鏡」を終了するには「×」をクリックします。

⌨ 「拡大鏡」の起動／拡大 ⊞ + ; ／ ⊞ + +

⌨ 縮小 ⊞ + －

Q063 お役立ち度 ★★★ テーマや壁紙

デスクトップを暗めにして
見やすくするには?

A ダークモードに設定します。

デスクトップ全体が明るくてまぶしかったり、暗いところ
で目に優しく作業したいなどの場合は「ダークモード」に
設定します。ダークモードに設定するには、「設定」画面か
ら「個人用設定」→「色」を開いて、「モードを選ぶ」のドロッ
プダウンから「ダーク」を選択します。
なお、この設定のほか、「テーマ」から暗めのイメージを選
択する方法もあります。

関連 Q068 デスクトップのテーマ選択

1 「設定」画面（⊞＋Ｉ）を開きます（**Q017**）。

2 「設定」画面から「個人用
設定」→「色」を開いて、

3 「モードを選ぶ」のドロップダウ
ンから「ダーク」を選択します。

4 デスクトップを暗めにできます。

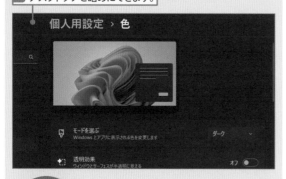

おトクな情報　節電効果

ディスプレイの明るさやデスクトップの背景（**Q064**）も
暗めに設定すると、有機ELや一部の液晶パネルではバッ
テリーの持ちがよくなります。

Q064 お役立ち度 ★★★ テーマや壁紙

デスクトップの背景が
ごちゃごちゃして見にくい場合には?

A 「背景をカスタマイズ」で単色を選択します。

デスクトップの背景がごちゃごちゃして見にくい、デスク
トップアイコンのアイコン名などが見にくいと感じるので
あれば、背景を単色にするのも手です。
「設定」画面から「個人用設定」→「背景」を開いて、「背景を
カスタマイズ」のドロップダウンから「単色」を選択して、
「背景色の選択」から任意の色を選択します。

1 「設定」画面（⊞＋Ｉ）を開きます（**Q017**）。

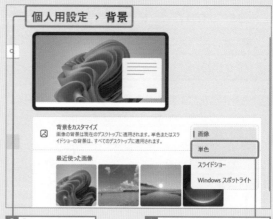

2 「設定」画面から
「個人用設定」→
「背景」を開いて、

3 「背景をカスタマイズ」のド
ロップダウンから「単色」
を選択します。

4 「背景色の選択」から任意の色をクリックします。

5 デスクトップ
の背景を単色
にできます。

Q065 お役立ち度 ★★★ テーマや壁紙

デスクトップの壁紙を自分の好きな写真に次々切り替えるには?

A スライドショーで複数画像のあるフォルダーを指定します。

Windows 11のデスクトップは数分～数時間間隔で任意のフォルダー内にある画像を次々切り替えて表示する「デスクトップスライドショー」に対応しています。「設定」画面から「個人用設定」→「背景」を開いて、「背景をカスタマイズ」のドロップダウンから「スライドショー」を選択します。「スライドショー向けに写真アルバムを選択する」の「参照」をクリックして、複数の写真(画像)があるフォルダー(ピクチャフォルダーなど)を選択すればOKです。「画像の切り替え間隔」で任意の画像表示時間(切り替え時間)を、「デスクトップ画像に合うものを選択」で画像のレイアウトを指定できます。「画像の順序をシャッフルする」をオンにすれば、フォルダー内からランダムに画像が選出されます。

1 「設定」画面(⊞+I)を開きます(**Q017**)。

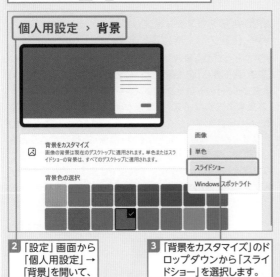

2 「設定」画面から「個人用設定」→「背景」を開いて、

3 「背景をカスタマイズ」のドロップダウンから「スライドショー」を選択します。

4 「スライドショー向けに写真アルバムを選択する」の「参照」をクリックします。

5 任意の複数の画像があるフォルダーを選択して、「このフォルダーを選択」をクリックします。

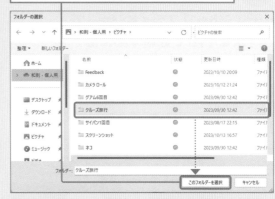

6 「画像の切り替え間隔」で任意の画像表示時間を指定します。

7 「画像の順序をシャッフルする」でランダム選出する場合はオンにします。

8 「デスクトップ画像に合うものを選択」で画像のレイアウトを指定します。

9 デスクトップの壁紙を自分の好きな画像に次々切り替えられます。

Q066 お役立ち度 ★★★ テーマや壁紙

デスクトップスライドショーで背景を手動で更新するには?

A デスクトップを右クリックして更新できます。

Q065で背景にデスクトップスライドショーを設定すると、「画像の切り替え間隔」で指定した時間が経過すると次の画像が表示されますが、すぐに次の画像を表示したいのであれば、デスクトップを右クリックして、ショートカットメニューから「次のデスクトップの背景」を選択します。デスクトップの背景をすぐに更新できます。

1 あらかじめデスクトップスライドショーの設定を行います（Q065）。

2 デスクトップを右クリックして、

3 ショートカットメニューから「次のデスクトップの背景」を選択します。

4 デスクトップの背景をすぐに更新できます。

Q067 お役立ち度 ★★★ テーマや壁紙

デスクトップの背景をお気に入りの写真にするには?

A 背景をカスタマイズして任意の写真を指定します。

デスクトップの背景（壁紙）は任意の画像に変更が可能です。「設定」画面から「個人用設定」→「背景」を開いて、「背景をカスタマイズ」のドロップダウンから「画像」を選択します。「背景をカスタマイズ」の設定が開くので、「最近使った画像」から画像をクリックして指定できるほか、「写真を参照」をクリックすれば、任意の写真（画像）を指定することもできます。背景のレイアウトは「デスクトップ画像に合うものを選択」のドロップダウンで変更できます。画像全体をデスクトップに収めたい場合は、「画面のサイズに合わせる」など、写真とデスクトップの縦横比などを考慮して選択します。

1 「設定」画面（⊞+Ｉ）を開きます（Q017）。

2 「設定」画面から「個人用設定」→「背景」を開いて、

3 「背景をカスタマイズ」のドロップダウンから「画像」を選択します。

個人用設定 > 背景

背景をカスタマイズ
画像の背景は現在のデスクトップに適用されます。単色またはスライドショーの背景は、すべてのデスクトップに適用されます。

画像
単色
スライドショー

最近使った画像

4 「最近使った画像」から画像をクリックして指定します。

「写真を参照」をクリックすれば、任意の写真（画像）を指定できます。

最近使った画像

写真の選択　　　写真を参照

最近使った画像

写真の選択

デスクトップ画像に合うものを選択

ページ幅に合わせる
画面のサイズに合わせる
拡大して表示
並べて表示
中央に表示
スパン

5 背景のレイアウトは「デスクトップ画像に合うものを選択」のドロップダウンで任意に変更できます。

6 デスクトップの背景をお気に入りの写真にできます。

Q068

お役立ち度 ★★★　テーマや壁紙

デスクトップ全般の配色（テーマ）を
がらりと変更するには？

A デスクトップのテーマを変更します。

デスクトップ全般の配色を一気にがらりと変更するには、デスクトップのテーマを変更します。「設定」画面から「個人用設定」→「テーマ」を開いて、任意のテーマをクリックすれば変更できます。Windows 11にはあらかじめ複数のデスクトップのテーマが用意されていますが、「テーマの参照」をクリックすれば、Microsoft Storeから目新しいテーマをダウンロードして適用することも可能です。

デスクトップのテーマ変更

1 「設定」画面（⊞ + Ⅰ）を開きます（Q017）。

2 「設定」画面から「個人用設定」→「テーマ」を開いて、

3 任意のテーマをクリックします。

4 デスクトップのテーマを変更できます。

テーマのダウンロード

1 「テーマ」の「テーマの参照」をクリックします。

2 Microsoft Storeから任意のテーマをクリックして入手します。

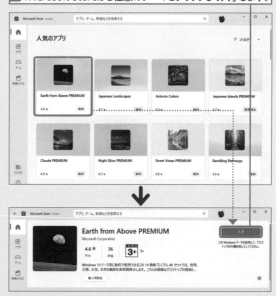

3 新しいテーマをデスクトップに適用できます。

Q069

お役立ち度 ★★★　テーマや壁紙

ウィンドウが半透明になるのを停止するには?

A 透明効果をオフにします。

Windows 11はPCのビデオパフォーマンスが高いと判断されると(GPUの性能やビデオメモリなどで総合的に判断される)、デスクトップに透明効果が適用されます。透明効果は[スタート]メニューや通知センターを表示した際にうっすら透過している効果です。

特に必要性を感じない、あるいは少しでもデスクトップの描画パフォーマンスを高めたい場合は、「設定」画面から「個人用設定」→「色」を開いて、「透明効果」をオフにします。

1 「設定」画面(⊞+I)を開きます(Q017)。

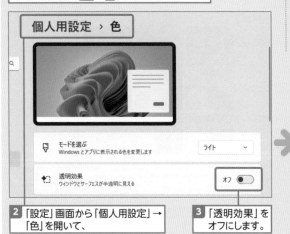

個人用設定 > 色

2 「設定」画面から「個人用設定」→「色」を開いて、

3 「透明効果」をオフにします。

4 ウィンドウが半透明にならなくなります。

Q070

お役立ち度 ★★★★　スクリーンショット

デスクトップ全体のスクリーンショットを保存するには?

A ショートカットキー一発でデスクトップ全体を保存できます。

現在のデスクトップ全体を素早く画像としてファイルに保存するには、ショートカットキー ⊞+Print Screen で一発保存できます。「視覚効果」のアニメーションが有効であれば(Q617)、画面が一瞬暗転します。キャプチャした画像は「ピクチャ」→「スクリーンショット」フォルダーに連番の画像ファイルとして保存されます。

関連 Q455 ピクチャフォルダーを開く

おトクな情報　スクリーンショットの貼り付け

クリップボードにも画像データが転送されるため、画像編集ソフトやワープロソフトなどに Ctrl+V で貼り付けて活用することもできます。

⌨ スクリーンショット　⊞+Print Screen

1 ショートカットキー ⊞+Print Screen を入力します。

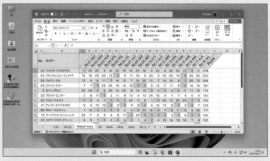

「視覚効果」のアニメーションが有効であれば、画面が一瞬暗転します。

2 エクスプローラーの「ピクチャ」→「スクリーンショット」フォルダーに連番の画像ファイルとして保存されます。

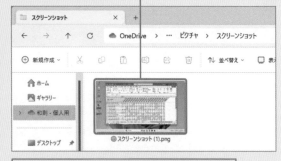

スクリーンショット (1).png

スクリーンショットはクリップボードにも転送されます。

Q071
お役立ち度 ★★★ Snipping Toolの活用

Snipping Toolで領域を指定したスクリーンショットを保存するには?

A 「Snipping Tool」の領域切り取りを活用します。

デスクトップの領域の一部を切り取って画像にするには「Snipping Tool」が便利です。ちなみに「Snipping Tool」は[スタート]メニューから起動することもできますが、スクリーンショットの場面を考えるとショートカットキーで起動するのがよいでしょう。「Snipping Tool」は ⊞ + Shift + S 、あるいは設定済みであれば Print Screen で起動できます(ショートカットキーの設定については、**Q077**)。既定では「四角形モード」なので、そのまま領域をドラッグで指定すればスクリーンショット完了です。この手順で取得した画像は、クリップボードに転送されるため、任意のアプリで Ctrl + V で貼り付けて利用できます(ファイルに自動保存も可能、**Q074**)。

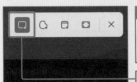

1 ショートカットキー ⊞ + Shift + S (設定していれば Print Screen)で「Snipping Tool」を起動します。

既定では「四角形モード」です。

2 そのままスクリーンショットしたい領域をドラッグします。

3 スクリーンショットが完了すると、通知バナーで画像が表示されます。

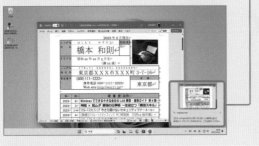

▦ 「Snipping Tool」の起動
⊞ + Shift + S / Print Screen

Q072
お役立ち度 ★★★ Snipping Toolの活用

Snipping Toolのスクリーンショットを確認・加工するには?

A 通知バナーとして表示されるスクリーンショットをクリックします。

「Snipping Tool」でスクリーンショットすると(**Q071**)、デスクトップに通知バナーが表示されます。この通知バナーをクリックすることで、ウィンドウ表示の「Snipping Tool」でボールペン・蛍光ペンなどの書き込みを行うことやトリミングが可能になります。
なお、通知バナーのクリックが間に合わなかった場合は、通知センター(**Q169**)からアクセスするとよいでしょう。

1 「Snipping Tool」で任意にスクリーンショットします(**Q071**)。

2 Snipping Toolの通知バナーをクリックします。

通知バナーをクリックが間に合わなかったときは、通知センター(**Q169**)の該当通知をクリックします。

3 切り取りやペンで書き込み、マーカーを引くなど任意の加工を行います。

画像は任意の形式で保存できます(**Q073**)。

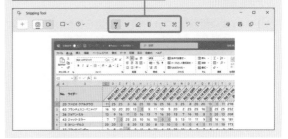

Q073 お役立ち度 ★★★ Snipping Toolの活用

Snipping Toolのスクリーンショットを任意のファイル形式で保存するには?

A 保存時にPNG・JPGなどのファイルの種類を指定できます。

「Snipping Tool」では、現在表示しているスクリーンショットを任意の画像ファイル形式で保存できます。

ファイルの保存は「名前を付けて保存」をクリックして、「名前を付けて保存」ダイアログで保存するパスを選択します（既定では「ピクチャ」→「スクリーンショット」フォルダー）。ファイル名に任意の名前を付けて、ファイルの種類を選択した後に「保存」をクリックすれば、スクリーンショットをファイルとして保存できます。

1 [Snipping Tool]で編集画面を開きます（**Q072**）。　**2** 「名前を付けて保存」をクリックします。

3 「名前を付けて保存」ダイアログで保存するパスを選択します。　**4** 「ファイルの種類」のドロップダウンから任意のファイル形式を選択します。

5 任意にファイルを命名します。　**6** 「保存」をクリックします。

おトクな情報　ファイルの種類について

「ファイルの種類」はファイル容量を減らしたい場合は不可逆圧縮である「JPG」（ジェーペグ）ですが、デスクトップ上の細かい文字などを画質として保ちたい場合は「PNG」（ピング）がおすすめです。

⌨ 名前を付けて保存　`Ctrl` + `S`

Q074 お役立ち度 ★★★ Snipping Toolの活用

Snipping Toolのスクリーンショットを自動保存するには?

A Snipping Toolの設定で自動保存設定が可能です。

Q073では「Snipping Tool」から任意のファイル名で保存する方法を紹介しましたが、いちいちスクリーンショット後に保存操作をするのは面倒です。「Snipping Tool」でスクリーンショットしたら自動的に画像ファイルとして保存するには、[スタート]メニューの「すべてのアプリ」から「Snipping Tool」をクリックして起動します。ウィンドウ表示の「Snipping Tool」で「…」（もっと見る）→「設定」をクリックします。「スクリーンショットを自動的に保存する」をオンにします。

スクリーンショット直後に、ユーザーの「ピクチャ」→「スクリーンショット」フォルダーに自動的にファイル名を付けた画像ファイルが保存されるようになります。

1 [スタート]メニューの「すべてのアプリ」から「Snipping Tool」をクリックします。

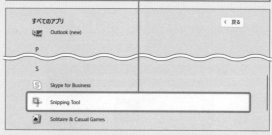

2 「…」（もっと見る）→「設定」をクリックします。

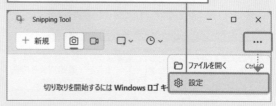

3 「スクリーンショットを自動的に保存する」をオンにします。

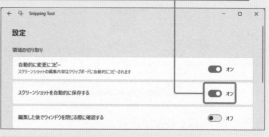

バージョンによっては既定でオンになっています。

Q075 お役立ち度 ★★★ Snipping Toolの活用

Snipping Toolでウィンドウだけを スクリーンショットするには?

A 切り取りモードから 「ウィンドウモード」を活用します。

「Snipping Tool」のスクリーンショットでは、切り取りモードは標準で「四角形モード」(矩形選択) が適用されていますが、1つのウィンドウだけのスクリーンショットにしたい場合は、「Snipping Tool」から「ウィンドウモード」をクリックします。ウィンドウを指定(クリック)するだけで、スクリーンショットが可能になります。

1 「Snipping Tool」を起動します(**Q071**)。

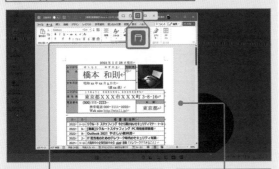

2 切り取りモードから「ウィンドウモード」をクリックします。　**3** ウィンドウを指定(クリック)します。

4 指定したウィンドウだけがスクリーンショットできます。

「Snipping Tool」の起動
⊞ + Shift + S ／ Print Screen

Q076 お役立ち度 ★★★ Snipping Toolの活用

Snipping Toolのスクリーンショットに 境界線を追加したい!

A Snipping Toolの設定で 境界線の追加を指定できます。

「Snipping Tool」では、スクリーンショットの画像に境界線を追加できます。[スタート]メニューの「すべてのアプリ」から「Snipping Tool」をクリックして起動し、ウィンドウ表示の「Snipping Tool」から「…」(もっと見る)→「設定」をクリックして、「各スクリーンショットに境界を追加」をオンにします。またこの欄にある「∨」をクリックすれば、境界線の色や太さを指定できます。なお、自動保存されるスクリーンショットには境界線は追加されません。

1 [スタート]メニューの「すべてのアプリ」から「Snipping Tool」をクリックして起動します。　**2** 「…」(もっと見る)→「設定」をクリックします。

3 「各スクリーンショットに境界を追加」をオンにします。　**4** 「∨」をクリックして、境界線の色や太さを指定します。

5 スクリーンショットした画像を「Snipping Tool」で加工する際に、指定した境界線が追加されます。

Q077

お役立ち度 ★★★ Snipping Toolの活用

Snipping Toolを起動する
スクリーンショットキーを確認するには?

A 設定で Print Screen キーの使用が
有効かを確認・変更できます。

「Snipping Tool」を起動するためのショートカットキーは
■ + Shift + S になりますが、自分のPCのキーボードに
Print Screen（PrtScn）があれば、このキーだけで起動するこ
とも可能です。「設定」画面から「アクセシビリティ」→「キー
ボード」を開いて、「PrintScreenキーを使用して画面キャプ
チャを開く」がオンになっていれば、Print Screen でスク
リーンショットが可能です。なお、既定の設定（Print Screen
が有効か否か）はWindows 11のバージョンや出荷時の状
況によって異なります。

1 「設定」画面（■ + I）を開きます（Q017）。

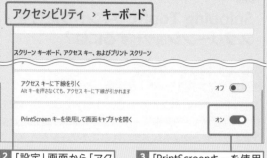

2 「設定」画面から「アク
セシビリティ」→「キー
ボード」を開いて、

「オン」にすれば、PrintScreen で
「Snipping Tool」を起動でき
ます。

3 「PrintScreenキーを使用
して画面キャプチャを開く」
をオンにします。

PrintScreen が存在しない
キーボードの場合は、■
+ Shift + S を利用します。

Q078

お役立ち度 ★★★ Snipping Toolの活用

Snipping Toolでスクショした
画像内文字をAIでテキストにするには?

A 「Snipping Tool」のテキストアクションで
画像内文字をテキストにできます。

画像内の文字は、文字として読むことはできてもテキスト
としてアプリで活用することはできませんが、「Snipping
Tool」なら画像内文字をテキストにできます。対象画像を
「Snipping Tool」でスクリーンショットし、通知バナーを
クリックして「Snipping Tool」で表示したら「テキストアク
ション」をクリックします。画像内の文字が認識されるので、
「すべてのテキストをコピーする」をクリックして、テキス
トを扱えるアプリ（Wordやメモ帳など）にペーストします。

1 「Snipping Tool」で任意に
スクリーンショットします。

2 「Snipping Tool」の通知
バナーをクリックします。

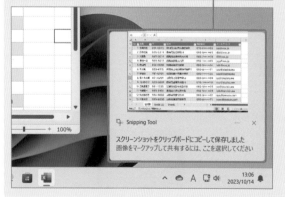

3 「Snipping Tool」で表示したら、「テキストアクション」を
クリックします。

4 画像内の文字が
認識されるので、

5 「すべてのテキストをコピーする」を
クリックします。

6 テキストを扱えるアプリ（Wordやメモ帳など）に貼り付けま
す。

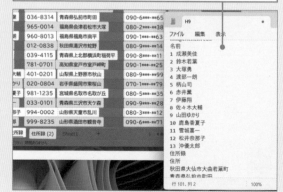

Q079 お役立ち度 ★★★ Snipping Toolの活用

Snipping Toolでデスクトップの操作を動画として保存するには？

A 「Snipping Tool」を起動して「録画」をクリックします。

「Snipping Tool」では静止画だけではなく、動画を撮って保存することもできます。デスクトップ上の任意の領域の動き（操作）を録画するには、[スタート] メニューの「すべてのアプリ」から「Snipping Tool」をクリックして起動します。ウィンドウ表示の「Snipping Tool」から「録画」をクリックしてから「＋新規」をクリックします（バージョンによって手順は異なる）。デスクトップで録画したい領域をドラッグで選択して、「スタート」をクリックすればカウントダウン後に録画が開始されます。録画を終了するには、「録画を停止」をクリックします。ウィンドウ表示の「Snipping Tool」に録画した動画が表示されるので、保存するには「名前を付けて保存」をクリックして、MP4形式で保存します。

1 [スタート] メニューの「すべてのアプリ」から「Snipping Tool」をクリックします。

2 「録画」をクリックしてから「＋新規」をクリックします。

3 デスクトップにおいて録画したい領域をドラッグで選択します。

4 「スタート」をクリックします。

5 動画の録画の終了は「録画を停止」をクリックします。

6 「Snipping Tool」に録画した動画が表示されます。

7 「名前を付けて保存」をクリックして保存します。

Q080 お役立ち度 ★★★ ウィジェット

ウィジェットボードを表示するには？

A 「ウィジェット」ボタンをホバー（もしくはクリック）します。

Windows 11の「ウィジェットボード」（ウィジェットが配置されたボード）にアクセスするには、タスクバーの左端にある「ウィジェット」ボタンの上にマウスポインターを置けば（ホバー）開きます（クリックでも開く）。ウィジェットボードはスクロールで見渡すことができるほか、任意のウィジェットを追加することも可能です。

なお、タスクバーに「ウィジェット」ボタンがない場合でも（非表示にする設定は**Q158**）、ショートカットキー ⊞ ＋ W ですぐに表示できます。

関連 Q158「ウィジェット」ボタンの非表示

ウィジェットボードの表示 ⊞ ＋ W

1 タスクバーの左端にある「ウィジェット」ボタンをホバーします。

2 「ウィジェット」ボタンの表示は時事や環境によって「天気」などに変化します。

2 ウィジェットボードを表示できます。

Q081 お役立ち度 ★★★ ウィジェット

ウィジェットボードを最大化するには?

A ウィジェットボードをフルビューで展開します。

ウィジェットボードをデスクトップ上で最大化して表示するには、ウィジェットボードの「フルビューに展開する」をクリックします。ウィジェットボードの表示が拡張され、ウィジェットが見渡しやすくなります。

1 「ウィジェットボード」（■+W）を開きます（Q080）。

2 ウィジェットボードの「フルビューに展開する」をクリックします。

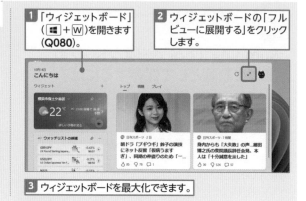

3 ウィジェットボードを最大化できます。

Q082 お役立ち度 ★★★ ウィジェット

ウィジェットやフィードの内容を確認するには?

A ウィジェットボードの任意のウィジェットをクリックします。

ウィジェットボード内の任意のウィジェット内容が気になる場合は、該当ウィジェットをクリックします。Microsoft Edgeで詳細な内容を確認できます。

1 「ウィジェットボード」（■+W）を開きます（Q080）。

2 ウィジェットボードの任意のウィジェットをクリックします。

3 Microsoft Edgeで詳細な内容を確認できます。

Q083 お役立ち度 ★★★ ウィジェット

ウィジェットを追加するには?

A 「ウィジェットを追加」をクリックします。

ウィジェットボードに任意のウィジェットを追加するには、ウィジェットボードの「ウィジェットを追加」をクリックします。「ウィジェットをピン留めする」の一覧から任意のものを選択して「ピン留めする」をクリックすれば、目的のウィジェットを追加できます。

1 「ウィジェットボード」（■+W）を開きます（Q080）。

2 ウィジェットボードの「ウィジェットを追加」をクリックします。

3 「ウィジェットをピン留めする」の一覧から任意のものを選択して、

4 「ピン留めする」をクリックします。

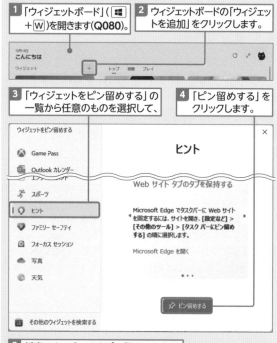

5 任意のウィジェットをピン留めできます。

Q084 お役立ち度 ★★★ ウィジェット

「ウィジェット」ボタンをホバーするだけで ウィジェットボードを表示しないようにするには?

A マウスポインターのホバーによる ウィジェット表示を停止します。

タスクバーの「ウィジェット」ボタンにマウスポインター を合わせる（ホバー）だけで自動的にウィジェットボード が表示されますが、これを防ぐにはウィジェットボードを 開いて、「設定」（ユーザーアイコン）をクリックします。 ウィジェットの設定で「ホバー時にウィジェットボードを 開く」をオフにすれば、以後はマウスポインターを合わせ てもウィジェットボードは展開しなくなります。

なお、この設定を適用しても、「ウィジェット」ボタンのク リックやショートカットキーによるウィジェットボードの 表示は有効です。

1 「ウィジェットボード」（⊞ ＋Ｗ）を開きます（**Q080**）。

2 「設定」（ユーザーアイコン）を クリックします。

3 ウィジェットの設定で「ホバー時にウィジェットボードを開く」 をオフにします。

4 以後、「ウィジェット」ボタンをホバーしても、ウィジェットボード は展開されません。

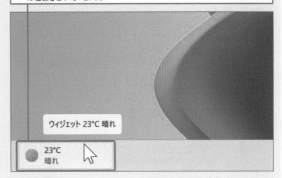

Q085 お役立ち度 ★★★ 仮想デスクトップ

仮想デスクトップとは?

A デスクトップを仮想的に増やして、 デスクトップを切り替えて活用できます。

仮想デスクトップは1つのデスクトップ表示だけでは作業 領域が足りない、あるいは作業ごとにデスクトップを分け たい場合などに利用できる、「仮想的にデスクトップを増や す機能」です。

デスクトップ領域を複数作成でき、任意のデスクトップに それぞれ作業ウィンドウを配置して、デスクトップを切り 替えることができます。

例えば、ビジネスとホビーでデスクトップを分けて、必要 なときに切り替えるなどの活用ができます。

なお、広いデスクトップで切り替えを必要としない場合や マルチディスプレイを利用している環境では、無理に仮想 デスクトップ機能を活用する必要はありません。

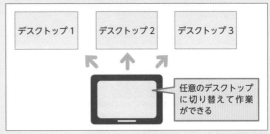

仮想的にデスクトップを増やして、任意のデスクトップに切り替えて作 業ができます。

Q086 お役立ち度 ★★★ 仮想デスクトップ

仮想デスクトップを追加するには?

A 「タスクビュー」ボタンをホバーして
「新しいデスクトップ」を作成します。

仮想デスクトップを追加するには、ショートカットキー
⊞ + Tab でタスクビューを表示して行う方法と「タスク
ビュー」ボタンで行う方法があります。「タスクビュー」ボ
タンで仮想デスクトップを追加するには、タスクバーの「タ
スクビュー」ボタンをホバーして、「新しいデスクトップ」
をクリックします。

なお、ショートカットキー ⊞ + Ctrl + D であれば、新し
い仮想デスクトップを即時追加できます。

1 タスクバーの「タスクビュー」ボタンをマウスポインターで
ホバーします。

2 「新しいデスクトップ」をクリックします。

3 仮想デスクトップが追加されます。

⌨ 仮想デスクトップを追加 ⊞ + Ctrl + D

Q087 お役立ち度 ★★★ 仮想デスクトップ

仮想デスクトップのデスクトップを
切り替えるには?

A 「タスクビュー」ボタンを
ホバーして切り替えます。

仮想デスクトップで複数のデスクトップが存在する環境
で、任意のデスクトップに表示を切り替えたい場合は、タ
スクバーの「タスクビュー」ボタンをホバーして、切り替
えたいデスクトップをクリックします。ちなみに、隣のデ
スクトップに素早く切り替えたい場合は、ショートカット
キー ⊞ + Ctrl + → / ⊞ + Ctrl + ← が便利です。

1 タスクバーの「タスクビュー」ボタンをマウスポインターで
ホバーします。

2 切り替えたいデスクトップをクリックします。

3 指定した仮想デスクトップに移動できます。

⌨ 右のデスクトップに切り替え ⊞ + Ctrl → →

⌨ 左のデスクトップに切り替え ⊞ + Ctrl + ←

Q088 お役立ち度 ★★★ 仮想デスクトップ

仮想デスクトップをタスクビューで操作するには?

A タスクビューを表示して作成や切り替えを行います。

Q086やQ087では、「タスクビュー」ボタンをホバーして仮想デスクトップの追加や切り替えを行いましたが、タスクビューで仮想デスクトップを操作したい場合は、タスクバーの「タスクビュー」ボタンをクリックして、タスクビューを表示します。下部の「新しいデスクトップ」をクリックすれば、仮想デスクトップを追加できるほか、仮想デスクトップを切り替えることもできます。

1 タスクバーの「タスクビュー」ボタンをクリックします。

2 「新しいデスクトップ」をクリックします。

3 仮想デスクトップが追加されます。 **4** 切り替えたい仮想デスクトップをクリックすると、指定した仮想デスクトップに移動できます。

⌨ 「タスクビュー」を表示 ⊞ + Tab

Q089 お役立ち度 ★★★ 仮想デスクトップ

任意の仮想デスクトップにアプリを移動するには?

A タスクビューでウィンドウの移動先を指定します。

仮想デスクトップにおいて任意のデスクトップにウィンドウを移動するには、タスクビューからの操作が便利です。タスクバーの「タスクビュー」ボタンをクリックして、タスクビューを表示します。タスクビューのウィンドウの一覧から移動したいアプリ(ウィンドウ)をドラッグして、対象のデスクトップにドロップします。タスクビューのウィンドウを右クリックして、ショートカットメニューから「移動先」→「デスクトップ名」を選択してもOKです。

また、タスクビューからのウィンドウ移動の際に「新しいデスクトップ」を指定することにより、新しいデスクトップの作成とウィンドウの移動を同時に実現することもできます。

1 タスクバーの「タスクビュー」ボタンをクリックします。

2 ウィンドウの一覧から移動したいアプリ(ウィンドウ)を右クリックして、 **3** ショートカットメニューから「移動先」→「デスクトップ名」を選択します。

ウィンドウをドラッグして、対象のデスクトップにドロップしてもOKです。

4 選択した仮想デスクトップにアプリを移動できます。

Q090 お役立ち度 ★★★ 仮想デスクトップ

仮想デスクトップごとに名前を指定するには?

A 仮想デスクトップ名をクリックして入力できます。

仮想デスクトップを追加すると、「デスクトップ2」などの名前が付けられますが、この名前を変更したい場合は、タスクバーの「タスクビュー」ボタンをホバーし、それぞれの名前をクリックして、任意の名称を入力します。

デスクトップに任意の名前を付けることにより、デスクトップをわかりやすく管理できます。

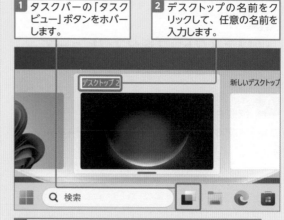

1 タスクバーの「タスクビュー」ボタンをホバーします。

2 デスクトップの名前をクリックして、任意の名前を入力します。

3 仮想デスクトップのデスクトップに任意に命名できます。

Q091 お役立ち度 ★★★ 仮想デスクトップ

仮想デスクトップの背景を変更するには?

A 右クリックして、「背景の選択」をクリックします。

仮想デスクトップごとに背景を変えておくと使い分けしやすいでしょう。タスクバーの「タスクビュー」ボタンをホバーします。背景を変更したいデスクトップを右クリックして、メニューから「背景の選択」をクリックします。背景で画像を指定すれば、それぞれの背景を変更できます。

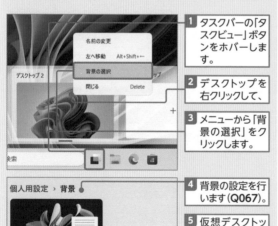

1 タスクバーの「タスクビュー」ボタンをホバーします。

2 デスクトップを右クリックして、

3 メニューから「背景の選択」をクリックします。

4 背景の設定を行います(**Q067**)。

5 仮想デスクトップの背景を変更できます。

Windowsのバージョンによっては、正常に動作しないことがあります。

Q092 お役立ち度 ★★★ 仮想デスクトップ

仮想デスクトップのデスクトップを削除するには?

A タスクビューで削除できます。なおアプリは終了しません。

仮想デスクトップで追加したデスクトップを削除するには、「タスクビュー」ボタンをホバーして、対象デスクトップの「×」をクリックします。なお、仮想デスクトップを削除しても、該当デスクトップ上にあったウィンドウは閉じられず、残ったデスクトップに統合されます。

1 タスクバーの「タスクビュー」ボタンをホバーします。

2 対象デスクトップの「×」をクリックします。

3 仮想デスクトップを削除できます。

第3章

[スタート]メニューを使いこなす

Windows 11の[スタート]メニューは主にアプリを起動するために利用しますが、任意のフォルダーやWebページを開く際にも活用できます。
また、[スタート]メニューの「ピン留め済み」ではフォルダーを作成できるなど改善されており、各種カスタマイズすることで使いやすくできます。

Q093 お役立ち度 ★★★ [スタート]メニューからのアプリ起動

[スタート]メニューから
アプリを起動するには?

A [スタート]メニューのアプリをクリックします。

「スタート」ボタンをクリックして、[スタート]メニューを
開くと「ピン留め済み」のアプリ(ショートカットアイコン)
が表示されます。この中に目的のアプリがあれば、ショー
トカットアイコンをクリックすることで該当アプリを起動
できます。

また、「ピン留め済み」に存在しない場合は、「すべてのアプ
リ」をクリックして、一覧からアプリを探して起動します。
なお、よく利用するアプリは、「すべてのアプリ」をいちい
ち開くのは面倒なので、[スタート]メニューかタスクバー
にピン留めしておきましょう。

関連 Q097 [スタート]メニューにピン留め

関連 Q148 タスクバーにピン留め

1 「スタート」ボタンを
クリックします。

:::::: [スタート]メニューの表示 ⊞

2 [スタート]メニューを開くと「ピン留め済み」が表示されます。

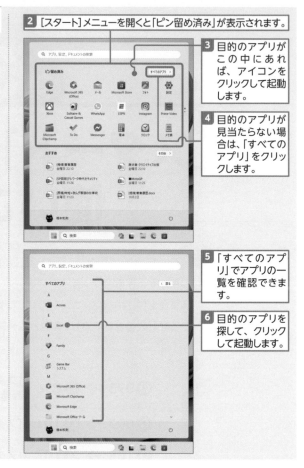

3 目的のアプリが
この中にあれ
ば、アイコンを
クリックして起動
します。

4 目的のアプリが
見当たらない場
合は、「すべての
アプリ」をクリッ
クします。

5 「すべてのアプ
リ」でアプリの一
覧を確認できま
す。

6 目的のアプリを
探して、クリック
して起動します。

Q094 お役立ち度 ★★★ [スタート]メニューからのアプリ起動

「すべてのアプリ」で
目次を一覧表示するには?

A 「すべてのアプリ」のインデックスを
クリックします。

[スタート]メニューから「すべてのアプリ」を開くと、アプ
リがずらりと表示されて、スクロールして目的のアプリを探
す手間がかかります。そんなときはインデックスをクリック
してインデックスの一覧を表示します(セマンティックズー
ム)。この後、例えば「カメラ」を起動したければ、インデッ
クスの一覧で「か」をクリックすることで素早くアクセスで
きます。

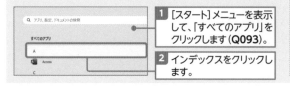

1 [スタート]メニューを表示
して、「すべてのアプリ」を
クリックします(Q093)。

2 インデックスをクリックし
ます。

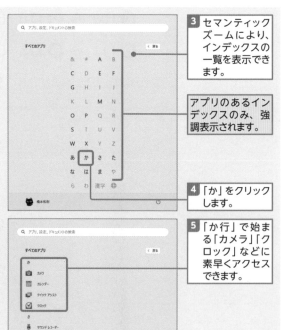

3 セマンティック
ズームにより、
インデックスの
一覧を表示でき
ます。

アプリのあるイン
デックスのみ、強
調表示されます。

4 「か」をクリック
します。

5 「か行」で始ま
る「カメラ」「ク
ロック」などに
素早くアクセス
できます。

Q095

お役立ち度 ★★★　[スタート]メニューからのアプリ起動

[スタート]メニューで見つけにくいアプリを素早く起動するには?

A [スタート]メニューでアプリを検索します。

[スタート]メニューからアプリを探すのは大変ですが、簡単な方法に「検索」があります。[スタート]メニューを表示した後に、キーボードでアプリ名を入力すれば、アプリを検索して表示できます。例えば、「スタート」ボタンをクリックして、そのまま「でんたく」などと入力することで電卓を検索結果に表示できるので、クリックすれば起動できます。なお、この機能は「ローマ字読み」「アプリの英語名」などにも対応しています。例えば「電卓」であればローマ字で「den」(dentakuの一部)、英語で「cal」(calculatorの一部)と入力しても検索することが可能です。

> **おトクな情報** **キーボード操作だけで素早く起動**
>
> 素早くアプリを起動するには、⊞で[スタート]メニューを表示します。そのままアプリ名の一部を入力し、検索結果のアプリ名をカーソルキーで選択してEnterを押せばマウスを利用せずに起動できます。

1 [スタート]メニューを表示します。

2 アプリ名に該当するキーワード(ここでは「den」と「pai」)をキーボードで入力します。

3 キーワードで検索したアプリが表示されるので、クリックします。

検索結果として表示される項目や順序は、環境によって異なります。

 アプリを探す　⊞ →[アプリ名]入力

Q096

お役立ち度 ★★★　[スタート]メニューからのアプリ起動

エクスプローラーでアプリの一覧を表示して起動するには?

A コマンドでアプリ一覧の特殊なフォルダーをエクスプローラーで開きます。

[スタート]メニューの「すべてのアプリ」ではインデックスが付けられた状態でアプリの一覧が表示されますが、アプリの一覧をエクスプローラーで表示することもできます。ショートカットキー⊞+Rで「ファイル名を指定して実行」を表示して「shell:appsfolder」と入力してEnterを押します。「Applications」フォルダーが開くので、任意のアプリをダブルクリックして起動します。
また、この「Applications」フォルダーでは、任意のアプリをデスクトップにドロップすることで簡単にデスクトップにアプリのショートカットアイコンを作成することも可能です。

関連 Q616 アプリの自動起動

1 ショートカットキー⊞+Rで「ファイル名を指定して実行」を表示して、

2 「shell:appsfolder」と入力してEnterを押します。

3 エクスプローラーにアプリのショートカットアイコンが一覧で表示できます。

Q097

お役立ち度 ★★★　[スタート]メニューのピン留め

アプリを[スタート]メニューに ピン留めするには?

A 「すべてのアプリ」にあるアプリの ショートカットメニューからピン留めします。

[スタート]メニューを開いた直後に表示されるのが「ピン留め済み」です。ピン留めされたアプリは素早く起動できますが、よく利用するアプリをピン留めするには、[スタート]メニューの「すべてのアプリ」からアプリを右クリックして、ショートカットメニューから「スタートにピン留めする」をクリックします。

なお、アイコンの数が多いと2ページ目以降に登録されますが、よく利用するアイコンは1ページ目や先頭に移動するとよいでしょう(**Q102**)。

関連 **Q103** [スタート]メニューにフォルダーをピン留め

1 [スタート]メニューの「すべてのアプリ」をクリックして開き、アプリを右クリックして、

2 ショートカットメニューから「スタートにピン留めする」をクリックします。

3 「ピン留め済み」に該当アプリのアイコンを登録できます。

Q098

お役立ち度 ★★★　[スタート]メニューのピン留め

[スタート]メニューの「ピン留め済み」 のページを切り替えるには?

A マウスホイールやカーソルキーで 次のページに移動できます。

[スタート]メニューの「ピン留め済み」は、アイコンの登録数が多いと、複数のページにまたがって表示されます。「ピン留め済み」のページは、マウスホイールでスクロールできます。その他、カーソルキーで移動しても前後ページを表示できます。

1 「ピン留め済み」をホバーします。

2 マウスホイールの回転でページを切り替えます。

「ピン留め済み」のアイコンが多く複数ページがあるときはページの数だけマークが表示され、クリックすると該当ページに移動できます。

Q099

お役立ち度 ★★★　[スタート]メニューのピン留め

[スタート]メニューの「ピン留め済み」 のアイコンを消去するには?

A ピン留めを外します。 なおアプリは消去されません。

「ピン留め済み」にある利用しなくなったアイコンは削除するとよいでしょう。アイコンを右クリックして、ショートカットメニューから「スタートからピン留めを外す」をクリックすれば、「ピン留め済み」から消去できます。

関連 **Q295** アプリのアンインストール

1 アイコンを右クリックして、

2 ショートカットメニューから「スタートからピン留めを外す」をクリックするとピン留めが解除されます。

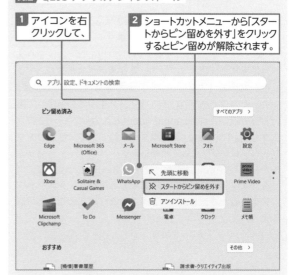

Q100 お役立ち度 ★★★ [スタート]メニューのピン留め

[スタート]メニューで「ピン留め済み」のアイコンの順序を変更するには?

A アイコンをドラッグします。

[スタート]メニューの「ピン留め済み」に表示されているアイコンの位置を移動するには、ドラッグして目的の位置にドロップします。なお、アイコンをドラッグしている最中は他のアイコンと重ねないように(他のアイコンが移動して余白ができるまで待ってから)ドロップします。

1 ピン留め済みのアイコンをドラッグします。

2 移動先で他のアイコンと重ならないように余白ができてからドロップします。

3 アイコンを移動できます。

Q101 お役立ち度 ★★★ [スタート]メニューのピン留め

[スタート]メニューで「ピン留め済み」のアイコンを前後ページに移動するには?

A アイコンをドラッグして目的のページが表示されてからドロップします。

[スタート]メニューの「ピン留め済み」に表示されているアイコンを別のページに移動するには、アイコンを上部／下部へドラッグして「∧」(前ページ)／「∨」(次ページ)の上に留めます。前後のページに表示が切り替わったら、目的の位置にドロップします。

「ピン留め済み」の2ページ目から1ページ目への移動例です。　**1** アイコンを上部にドラッグします。

2 「∧」(前ページ) が表示されたら少し留めます。

3 前ページが表示されたら、目的の位置にドロップします。　**4** アイコンを前ページに移動できます。

Q102 お役立ち度 ★★★ [スタート]メニューのピン留め

[スタート]メニューで「ピン留め済み」のアイコンを先頭に移動するには?

A 右クリックして、ショートカットメニューから「先頭に移動」をクリックします。

任意のアイコンを「ピン留め済み」の1ページ目の先頭に移動するには、アイコンを右クリックして、ショートカットメニューから「先頭に移動」をクリックします。ドラッグ&ドロップとは異なり、確実に指定位置に移動できるので便利です。

1 アイコンを右クリックして、　**2** ショートカットメニューから「先頭に移動」をクリックします。

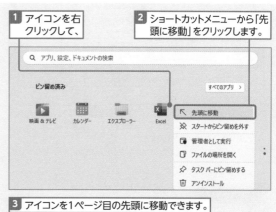

3 アイコンを1ページ目の先頭に移動できます。

Q103 お役立ち度 ★★★ ［スタート］メニューのピン留め

よく利用するフォルダーを［スタート］メニューにピン留めするには？

1 エクスプローラー（Q177）からフォルダーを右クリックして、

2 ショートカットメニューから「スタートにピン留めする」を選択します。

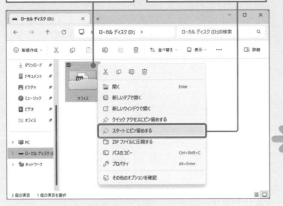

A フォルダーを右クリックして［スタート］メニューにピン留めします。

作業などで「よく利用するフォルダー」を［スタート］メニューにピン留めすることができます。エクスプローラーからフォルダーを右クリックして、ショートカットメニューから「スタートにピン留めする」を選択します。［スタート］メニューの「ピン留め済み」に指定フォルダーのアイコンを登録できます。以後［スタート］メニューから素早く該当フォルダーにアクセスできます。

関連 Q177 エクスプローラーの起動

3 ［スタート］メニューの「ピン留め済み」に指定フォルダーのアイコンを登録できます。

Q104 お役立ち度 ★★★ ［スタート］メニューのピン留め

よく利用するWebページを［スタート］メニューにピン留めするには？

1 Microsoft Edge（Q324）でWebページを表示します。

2 ツールバーから「…」→「その他のツール」→「スタート画面にピン留めする」をクリックします。

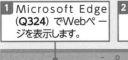

3 「はい」をクリックします。

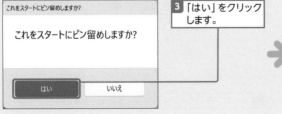

A Microsoft Edgeから［スタート］メニューにピン留めします。

よくアクセスするWebページを［スタート］メニューにピン留めするには、Microsoft EdgeでWebページを表示した状態で、ツールバーから「…」→「その他のツール」→「スタート画面にピン留めする」をクリックします。［スタート］メニューの「ピン留め済み」にWebサイトのショートカットアイコンを登録できます。以後［スタート］メニューのアイコンから素早く該当Webページにアクセスできます。

関連 Q324 Microsoft Edge の起動

4 ［スタート］メニューの「ピン留め済み」にWebページのショートカットアイコンを登録できます。

Q105 お役立ち度 ★★★★ ［スタート］メニューのフォルダー

［スタート］メニューの「ピン留め済み」でフォルダーを作成するには?

A フォルダーに収めたいアイコンを別のアイコンの上にドラッグ＆ドロップします。

［スタート］メニューの「ピン留め済み」にアイコンが増えると、複数ページをスクロールして探すのが面倒に感じることもあります。そんなときには、同じ種類や目的に合わせたフォルダーを作成してまとめるのもよいでしょう。「ピン留め済み」でフォルダーを作成するには、アイコンをドラッグして、同じフォルダー内に配置したいアイコンの上にドロップします。さらに他のアイコンを追加するにはフォルダーにドラッグ＆ドロップしていきます。

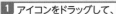
1 アイコンをドラッグして、

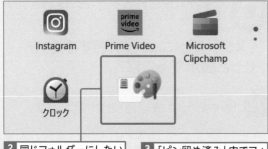

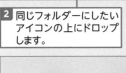
2 同じフォルダーにしたいアイコンの上にドロップします。

3 「ピン留め済み」内でフォルダーを作成できます。

Q106 お役立ち度 ★★★★ ［スタート］メニューのフォルダー

［スタート］メニューの「ピン留め済み」でフォルダー名を変更するには?

A フォルダーを開いて「名前の編集」をクリックします。

［スタート］メニューの「ピン留め済み」で作成したフォルダーは、任意に命名できます。
「ピン留め済み」から名前を変更したいフォルダーをクリックします。フォルダーが開いたら、「名前の編集」をクリックすることで、新しいフォルダー名を入力できます。

1 名前を変更したいフォルダーをクリックして開きます。

2 「名前の編集」をクリックします。

3 新しいフォルダー名を入力します。

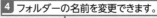

4 フォルダーの名前を変更できます。

Q107
お役立ち度 ★★★　[スタート]メニューのフォルダー

[スタート]メニューの「ピン留め済み」のフォルダーを解除するには?

A フォルダー内のアイコンをフォルダー外にドロップします。

[スタート]メニューの「ピン留め済み」で作成したフォルダーを解除するには、フォルダー内にあるすべてのアイコンをフォルダー外にドラッグ&ドロップします。フォルダー内のアイコンが1つになった時点でフォルダーが解除されます。

1 フォルダー内にあるアイコンをドラッグして、

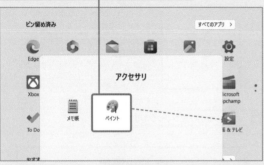

2 フォルダー外にドロップします。

フォルダー内にアイコンが1つになるまでフォルダー外にドロップします。

3 フォルダー内のアイコンが1つになるとフォルダーが解除されます。

Q108
お役立ち度 ★★★　[スタート]メニューのおすすめ

[スタート]メニューの「おすすめ」に表示される項目を削除するには?

A 表示する必要がない項目をリストから削除します。

[スタート]メニューの「おすすめ」には最近開いた項目が自動的に追加され、最近編集したデータなどにワンクリックでアクセスできます。ここに表示したくない項目は右クリックして、ショートカットメニューから「リストから削除」をクリックします。

1 「おすすめ」の項目を右クリックして、

2 ショートカットメニューから「リストから削除」をクリックします。

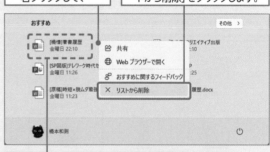

3 「おすすめ」に表示される任意項目を削除できます。

Q109
お役立ち度 ★★★　[スタート]メニューのおすすめ

[スタート]メニューの「おすすめ」をもっと表示するには?

A 「おすすめ」の「その他」をクリックします。

[スタート]メニューの「おすすめ」をもっと表示したい場合には、「おすすめ」にある「その他」をクリックします。「おすすめ」を一覧表示にして、最近編集したデータなどにアクセスできます。

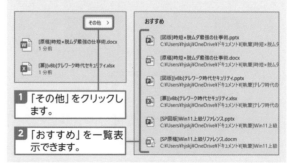

1 「その他」をクリックします。

2 「おすすめ」を一覧表示できます。

Q110 お役立ち度 ★★★ [スタート]メニューのおすすめ

[スタート]メニューの「おすすめ」に最近開いた項目を表示したくない！

A 最近開いた項目を表示しない設定にします。

[スタート]メニューの「おすすめ」に最近開いた項目を表示したくない場合は、「設定」画面から「個人用設定」→「スタート」を開いて、「最近開いた項目をスタート、ジャンプリスト、ファイルエクスプローラーに表示する」をオフにします。

1 「設定」画面（⊞＋Ｉ）を開きます（Q017）。

2 「設定」画面から「個人用設定」→「スタート」を開いて、

3 「最近開いた項目をスタート、ジャンプリスト、ファイルエクスプローラーに表示する」をオフにします。

おトクな情報 設定が適用される範囲

この設定は[スタート]メニューだけではなく、ジャンプリストやエクスプローラーなどでも最近開いた項目が表示されなくなります。

4 [スタート]メニューの「おすすめ」に、最近開いた項目が表示されなくなります。

> おすすめ
> デバイスをもっと使えば使うほど、新しいアプリがもっと多くここに表示されます。

Q111 お役立ち度 ★★★ [スタート]メニューのカスタマイズ

[スタート]メニューに「ドキュメント」「ピクチャ」などのアイコンを配置したい！

A 個人用設定で各フォルダーを表示します。

[スタート]メニューから素早く「ドキュメント」「ダウンロード」「ピクチャ」などのフォルダーにアクセスするには、[スタート]メニューの電源アイコンの横に各フォルダーのアイコンを配置してしまうと便利です。「設定」画面から「個人用設定」→「スタート」を開いて、「フォルダー」をクリックします。[スタート]メニューに表示しておきたい任意のフォルダーをオンにします。

1 「設定」画面（⊞＋Ｉ）を開きます（Q017）。

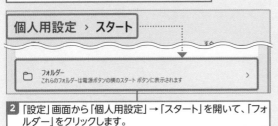

2 「設定」画面から「個人用設定」→「スタート」を開いて、「フォルダー」をクリックします。

3 任意のフォルダーをオンにします。

4 [スタート]メニューの電源アイコンの横にオンにした項目のアイコンが表示されます。「ドキュメント」「ダウンロード」「ピクチャ」などのフォルダーにアクセスできます。

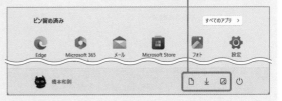

Q112 お役立ち度 ★★★ ［スタート］メニューのカスタマイズ

［スタート］メニューでピン留めのアイコン数を増やすには?

1 「設定」画面（⊞＋I）を開きます（Q017）。

2 「設定」画面から「個人用設定」→「スタート」を開いて、

3 「レイアウト」の「さらにピン留めを表示する」を選択します。

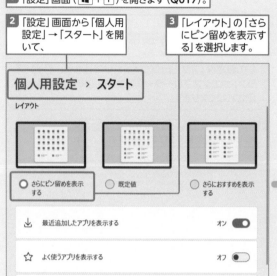

A ［スタート］メニューのレイアウトを最適化します。

［スタート］メニューの「ピン留め済み」に表示されるアイコンの数は一定数を超えるとページが増える（次ページにピン留めされる）仕様です。［スタート］メニューの「ピン留め済み」により多くのアイコンを表示するには、「設定」画面から「個人用設定」→「スタート」を開いて、「レイアウト」から「さらにピン留めを表示する」を選択します。

4 ［スタート］メニューの「ピン留め済み」により多くのアイコンを表示できます。

Q113 お役立ち度 ★★★ ［スタート］メニューのカスタマイズ

「スタート」ボタンをタスクバーの左端に配置するには?

1 「設定」画面（⊞＋I）を開きます（Q017）。

2 「設定」画面から「個人用設定」→「タスクバー」を開いて、

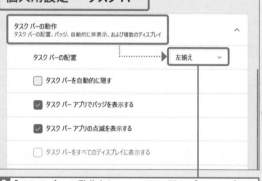

3 「タスクバーの動作」をクリックして開き、「タスクバーの配置」のドロップダウンから「左揃え」を選択します。

A 「タスクバーの配置」で「左揃え」に設定します。

Windows 11の標準状態のタスクバーはタスクバーアイコン群を中央揃えで表示するため、「スタート」ボタンの位置はタスクバーにあるタスクバーアイコンの数によって変動する仕様です。以前のWindowsのように、「スタート」ボタンをタスクバーの左端に配置するには、「設定」画面から「個人用設定」→「タスクバー」を開いて、「タスクバーの動作」をクリックして開き、「タスクバーの配置」のドロップダウンから「左揃え」を選択します。

4 「スタート」ボタンをタスクバーの左端に配置できます。

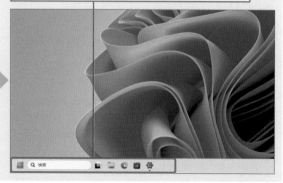

第**4**章

ウィンドウ操作とスナップのワザ

Windows 11では、基本操作であるウィンドウのサイズ変更／移動／最大化／最小化などのほか、デスクトップ内で複数ウィンドウを並べて表示できるウィンドウのスナップやスナップレイアウトが可能です。
本章では、ショートカットキーによるウィンドウ操作や、ウィンドウのスナップのカスタマイズなどについても解説します。

Q114 お役立ち度 ★★★ ウィンドウ操作

ウィンドウのサイズを変更するには?

A ウィンドウの4辺あるは4隅をドラッグします。

ウィンドウのサイズを変更するには、ウィンドウの4辺あるいはウィンドウの4隅にマウスポインターを合わせて(この際、マウスポインターの形が⇔／⤡／↕になる)ドラッグします。

なお、ウィンドウのサイズを整える方法は、4辺や4隅をドラッグする以外にも、画面いっぱいにウィンドウを表示する「最大化」(Q118)、縦に伸ばす「縦方向最大化」(Q119)、デスクトップの半面／デスクトップの3分の2サイズにする「ウィンドウのスナップ」(Q128)などがあります。

1 ウィンドウの4辺あるいは4隅にマウスポインターを合わせて、

2 ドラッグします。　**3** ウィンドウのサイズを変更できます。

おトクな情報　ショートカットキーの活用

高解像度環境やタッチパッド環境において、マウスポインターを合わせずらい場合はショートカットキーを活用します(Q115)。

Q115 お役立ち度 ★★★ ウィンドウ操作

ウィンドウのサイズをキーで変更するには?

A Alt + Space のショートカットキーを活用します。

ウィンドウのサイズを変更する際、マウスのドラッグ操作はなかなかうまくいかないことがあります。特にタッチパッドでは難しい操作です。そんなときに利用したいのがショートカットキーです。サイズを変更したいウィンドウで Alt + Space を入力するとショートカットメニューが表示されるので、そのまま S を入力します。後は → や ↓ で拡大方向に、← や ↑ で縮小方向にサイズ変更できます。ウィンドウサイズの決定は Enter を押します。

1 Alt + Space を入力します。　**2** ショートカットメニューが表示されるので、そのまま S を入力します。

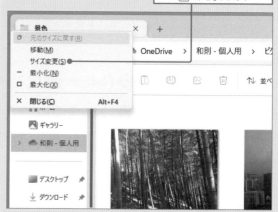

← や ↑ で縮小方向にサイズ変更できます。　→ や ↓ で拡大方向にサイズ変更できます。

3 Enter でウィンドウサイズを決定します。

⌨ ウィンドウのサイズを変更　Alt + Space → S

Q116 お役立ち度 ★★★ ウィンドウ操作

ウィンドウを移動するには?

A ウィンドウのタイトルバーをドラッグします。

デスクトップ上のウィンドウを移動するには、ウィンドウのタイトルバーにマウスポインターを合わせてドラッグします。操作自体は簡単ですが、マウスポインターがデスクトップの上端や左右端をはみ出すように移動してしまうとウィンドウがスナップしてしまうため注意が必要です。ウィンドウの移動はショートカットキーでも可能です。Alt + Space → M からカーソルキーでウィンドウを移動して、Enter で位置を確定します。

1 ウィンドウのタイトルバーにマウスポインターを合わせてドラッグします。

2 ウィンドウを移動できます。

ウィンドウの移動　Alt + Space → M

Q117 お役立ち度 ★★★ ウィンドウ操作

ウィンドウがマウスで動かせない／動かしにくいときには?

A タスクバーアイコンのウィンドウのサムネイルを右クリックします。

ウィンドウがデスクトップからはみ出してしまって、マウス操作で動かしにくいときには、対象アプリのタスクバーアイコンをホバーします。ウィンドウのサムネイルが表示されるので右クリックして、ショートカットメニューから「移動」を選択します。以後カーソルキーでウィンドウを移動できるほか、カーソルキー入力後はマウスでもウィンドウを操作できます。

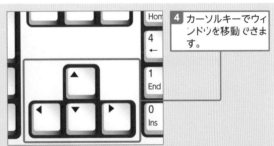

4 カーソルキーでウィンドウを移動できます。

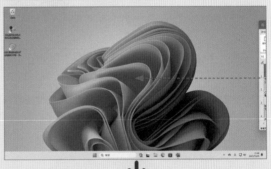

1 対象アプリのタスクバーアイコンをホバーします。

2 ウィンドウのサムネイルが表示されるので右クリックして、

3 ショートカットメニューから「移動」を選択します。

カーソルキーを一度入力してからであれば、マウス操作でもウィンドウを移動できます。

Q118 お役立ち度 ★★★ ウィンドウ操作

ウィンドウを最大化して画面いっぱいにするには?

A タイトルバーの「最大化」をクリックします。タスクバーのダブルクリックでも可能です。

ウィンドウを最大化して画面いっぱいに表示するには、ウィンドウのタイトルバー右端にある「最大化」をクリックします。このほか、ウィンドウのタイトルバーをダブルクリックしても同様に最大化できます。

また、最大化したウィンドウを元のサイズに戻すには、「元に戻す」、あるいはタイトルバーをダブルクリックします。なお、ショートカットキー ⊞ + ↑ で最大化、⊞ + ↓ で元のサイズに戻せます。

1 ウィンドウのタイトルバー右端にある「最大化」をクリックします。

あるいは、ウィンドウのタイトルバーをダブルクリックします。

2 ウィンドウを最大化できます。

元のサイズに戻すには、「元に戻す」をクリック、あるいはタイトルバーをダブルクリックします。

⌨ ウィンドウの最大化
⊞ + ↑ / Alt + Space → X

⌨ ウィンドウのサイズを元に戻す ⊞ + ↓

Q119 お役立ち度 ★★★ ウィンドウ操作

ウィンドウを縦方向にだけ最大化するには?

A ウィンドウ上下の辺の境界線をダブルクリックします。

Microsoft Edge などの Web ブラウザーや Word で文書閲覧・編集において、縦方向の表示領域を広げたい場合に便利なのが、ウィンドウのスナップの機能の1つである縦方向最大化です。縦方向の最大化は、ウィンドウの上下辺にマウスポインターを合わせて、マウスポインターが ↕ になったらダブルクリックします。戻すにはもう一度ダブルクリックします。

ショートカットキーなら ⊞ + Shift + ↑ で縦方向に最大化、⊞ + Shift + ↓ で戻ります。

1 ウィンドウの上下辺にマウスポインターを合わせて、マウスポインターが ↕ になったらダブルクリックします。

2 ウィンドウを縦方向にだけ最大化できます。

⌨ ウィンドウを縦方向にだけ最大化 ⊞ + Shift + ↑

Q120 お役立ち度 ★★★ ウィンドウ操作

ウィンドウを最小化するには?

A 「最小化」をクリックします。

ウィンドウを最小化するにはさまざまな方法があります。基本操作としてはウィンドウのタイトルバー右端にある「最小化」をクリックします。このほか、ウィンドウに該当するタスクバーアイコンをクリックしても、最小化が可能です。
ショートカットキーであれば、ウィンドウ表示(最大化していない)の状態で ⊞ + ↓ で最小化できます。

1 ウィンドウのタイトルバー右端にある「最小化」をクリックします。

あるいは、単体起動の場合はタスクバーアイコンをクリックします。

2 ウィンドウを最小化できます。

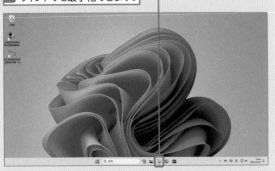

⌨ ウィンドウの最小化
⊞ + ↓ ／ Alt + Space → N

Q121 お役立ち度 ★★★ ウィンドウ操作

すべてのウィンドウを一気に最小化するには?

A デスクトップを表示するか、ショートカットキーを活用します。

現在デスクトップに展開しているすべてのウィンドウを最小化するには、ショートカットキー ⊞ + D を用いる方法がありますが(Q057)、この方法だと操作直後に同様の操作をしないと最小化前のウィンドウを復元できません。
ちなみに、ウィンドウの最小化においてショートカットキー ⊞ + M を活用すると、任意の操作の後でも ⊞ + Shift + M でウィンドウを復元できるので、使い分けると便利です。

関連 Q057 デスクトップの表示

1 ショートカットキー ⊞ + M を入力します。

2 すべてのウィンドウが最小化されデスクトップが表示されます。

ショートカットキー ⊞ + Shift + M を入力すると最小化したウィンドウを復元できます。

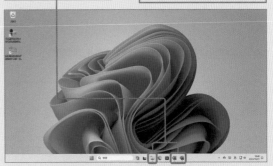

⌨ すべてのウィンドウの最小化 ⊞ + M

⌨ すべてのウィンドウを最小化(⊞ + M)の復元
⊞ + Shift + M

Q122 お役立ち度 ★★★ ウィンドウ操作

今作業しているウィンドウ以外を すべて最小化するには？

A ウィンドウのシェイクに割り当てられた ショートカットキーを活用します

デスクトップに複数のウィンドウを展開している状態で、「今作業しているウィンドウ以外のすべてのウィンドウを最小化したい」という場合は、ショートカットキー ⊞ ＋ Home を入力します。操作直後であれば、最小化されたウィンドウの復元も同様の ⊞ ＋ Home で可能です。

1 ショートカットキー ⊞ ＋ Home を入力します。

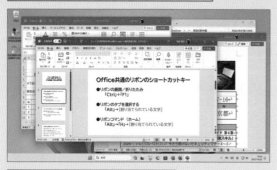

2 作業しているウィンドウ以外をすべて 最小化できます。

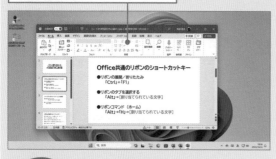

おトクな情報 ウィンドウのシェイク

このショートカットキーはウィンドウのタイトルバーを左右にドラッグする「ウィンドウのシェイク」に割り当てられているものですが、Windows 11 の既定では「ウィンドウのシェイク」は無効になっています（Q123）。

⌨ 作業しているウィンドウ以外をすべて最小化
⊞ ＋ Home

Q123 お役立ち度 ★★★ ウィンドウ操作

ウィンドウのシェイクを 有効にするには？

A 「タイトルバーウィンドウのシェイク」を オンにします。

今作業しているウィンドウ以外のすべてのウィンドウを最小化する操作として、ウィンドウのシェイク（ウィンドウのタイトルバーを左右にドラッグ）を有効にするには、「設定」画面から「システム」→「マルチタスク」を開いて、「タイトルバーウィンドウのシェイク」をオンにします。この設定を適用後、ウィンドウのタイトルバーを左右に小刻みにドラッグすることで、対象ウィンドウ以外のすべてのウィンドウを最小化できます。

1 「設定」画面（⊞ ＋ I）を開きます（Q017）。

2 「設定」画面から「システム」→「マルチタスク」を開いて、

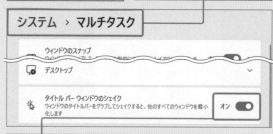

3 「タイトルバーウィンドウのシェイク」をオンにします。

4 ウィンドウのタイトルバーを 左右に小刻みにドラッグします。

5 対象ウィンドウ以外のすべてのウィンドウを 最小化できます。

Q124 お役立ち度 ★★★★ ウィンドウ操作

ウィンドウを閉じる（アプリを終了する）には？

A 「×」（閉じる）をクリックします。

ウィンドウを閉じたい（アプリを終了したい）場合は、ウィンドウのタイトルバー右端にある「×」（閉じる）をクリックします。
ちなみに素早くウィンドウを閉じたい場合は、ショートカットキー Alt + F4 を入力します。
なお、ファイルの保存が必要なアプリを「閉じる」際には、アプリを終了する前に「保存」が求められることもあります。

1 ウィンドウのタイトルバー右端にある「×」をクリックします。

2 ウィンドウを閉じることができます。

⌨ ウィンドウを閉じる　Alt + F4

Q125 お役立ち度 ★★★★ ウィンドウ操作

ウィンドウ内の表示位置を移動（スクロール）するには？

A スクロールバーをドラッグします。

アプリのウィンドウ内の表示位置を変更するには、ウィンドウの右辺にマウスポインターを移動して、スクロールバーをドラッグすれば、表示位置を調整できます。このほか、マウスホイールの回転や、Page Up / Page Down でもスクロールできます。

1 ウィンドウの右辺にマウスポインターを移動して、
2 表示されるスクロールバーをドラッグします。

3 表示位置を調整できます。

⌨ 表示のスクロール　Page Up / Page Down

Q126 お役立ち度 ★★★★ ウィンドウ操作

スクロール位置を任意に指定して移動するには？

A スクロールバーを右クリックしてショートカットメニューから指定します。

縦に長い文書の閲覧・編集などにおいて、表示位置を素早く移動するには、スクロールバーの表示したい位置のあたりを右クリックし、ショートカットメニューから「ここにスクロール」を選択するとその位置の表示に移動できます。また、「最上部」「最下部」「上にスクロール」「下にスクロール」などを指定して移動することもできます（対応アプリのみ）。

1 スクロールバーの表示したいあたりを右クリックして、

2 ショートカットメニューから「ここにスクロール」に選択します。
3 表示が指定したところに移動します。

Q127 お役立ち度 ★★★ ウィンドウ操作

スクロールバーが細くて操作しにくいのが気になる!

A 「設定」でスクロールバーを常時表示できます。

Windows 11では一部のアプリにおいてスクロールバーを細く表示して、マウスポインターを合わせた際に太く表示します。この特性が使いにくく最初から太く表示したいのであれば、「設定」画面から「アクセシビリティ」→「視覚効果」を開いて、「スクロールバーを常に表示する」をオンにします。

1 「設定」画面（■+I）を開きます（Q017）。

2 「設定」画面から「アクセシビリティ」→「視覚効果」を開いて、

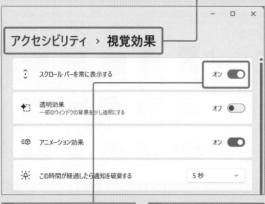

3 「スクロールバーを常に表示する」をオンにします。

4 スクロールバーを常時太く表示できます。

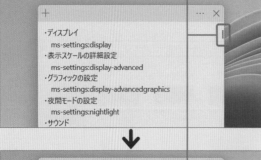

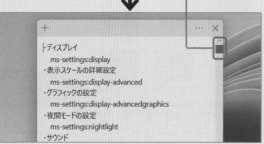

Q128 お役立ち度 ★★★ ウィンドウのスナップ

ウィンドウをデスクトップの片側で2分の1サイズにするには?

A ウィンドウのスナップを活用します。

ウィンドウをデスクトップの右端あるいは左端に吸着させて「ウィンドウをデスクトップ半面（2分の1サイズ）びったり」にするには、ウィンドウのタイトルバーをドラッグして、ドラッグしているマウスポインターをデスクトップ右端／左端の上下中央付近に移動します。ウィンドウサイズの外形が表示されるので、そのままドロップするとウィンドウをデスクトップの半面サイズにできます。

1 ウィンドウのタイトルバーをドラッグします。

2 マウスポインターをデスクトップ右端／左端の上下中央付近に移動すると、

3 ウィンドウサイズの外形が表示されるので、

4 そのままドロップするとウィンドウをデスクトップの半面サイズにできます。

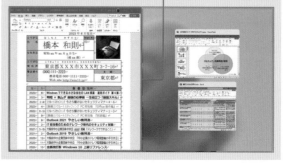

Q129
お役立ち度 ★★★★☆　ウィンドウのスナップ

デスクトップの左右に2つの
ウィンドウをきれいに並べるには?

1 複数のウィンドウ (最小化しているウィンドウを含む) が存在する状態で、ウィンドウの右端あるいは左端にスナップします (**Q128**)。

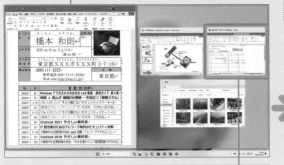

2 余白側にスナップする候補が表示されるため、任意のウィンドウのサムネイルをクリックします。

A ウィンドウのスナップから続けて操作します。

2つのウィンドウをデスクトップの左右にきれいに並べたい場合は、複数のウィンドウ (最小化しているウィンドウを含む) が存在する状態で、1つ目のウィンドウの右端あるいは左端にスナップします (**Q128**)。続けて、余白側にスナップする候補が表示されるため、任意のウィンドウのサムネイルをクリックすれば、デスクトップの左右にきれいに2つのウィンドウを並べることができます。

関連 **Q132** ショートカットキーによるスナップ

3 左右に2つのウィンドウをきれいに並べられます。

Q130
お役立ち度 ★★★☆☆　ウィンドウのスナップ

スナップしたウィンドウの
サイズを調整するには?

A 境界線をドラッグします。

デスクトップの左右にスナップしたウィンドウは、境界線をドラッグすることで2つのウィンドウのサイズ比率を変更できます。より大きく表示したいウィンドウの横幅を確保できるので便利です。

なお、2つのウィンドウ比率を2対1などにするには、スナップレイアウトを活用するのも手です (**Q133**)。

関連 **Q133** スナップレイアウト

1 スナップしたウィンドウの境界線をドラッグします。

税別合計金額		￥2,36
No.	項目	品 名
1		
2		快適テレワーク 在宅勤務
3		
4		
5		

2 2つのウィンドウのサイズ比率を変更できます。

Q131
お役立ち度 ★★★☆☆　ウィンドウのスナップ

ウィンドウをデスクトップ4分の1
サイズにスナップするには?

A デスクトップの4隅近辺にドラッグします。

デスクトップを4等分したウィンドウサイズにするには、ウィンドウのタイトルバーをドラッグして、デスクトップの4隅近辺に移動します。ウィンドウサイズの外形が4分の1サイズで表示されたら、ドロップします。

1 ウィンドウのタイトルバーをドラッグします。

2 ドラッグしているマウスポインターをデスクトップの4隅近辺に移動すると、

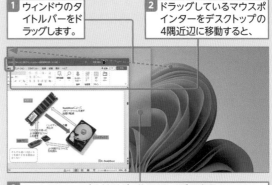

3 ウィンドウサイズの外形が4分の1サイズで表示されるので、そのままドロップすると、デスクトップ4分の1サイズにスナップできます。

Q132

お役立ち度 ★★★　ウィンドウのスナップ

ウィンドウのスナップをスムーズに行うには?

A ショートカットキーを活用します。

ウィンドウのスナップを実現するためのマウス操作は、マウスポインターをデスクトップの画面端まで移動する操作が必要です。もっと素早くウィンドウのスナップを実現するには、ショートカットキー ⊞ + → / ⊞ + ← を活用します。また、このショートカットキーは続けて操作でき、例えば ⊞ + ← で半面サイズにした後は、カーソルキーでウィンドウのサムネイルを選択して Enter 、この後に ⊞ + ↑ で4分の1サイズにするなどの応用が可能です。

1 ショートカットキー ⊞ + ← を入力します。

2 半面サイズになります。

3 カーソルキーでウィンドウのサムネイルを選択して Enter を押します。

4 ショートカットキー ⊞ + ↑ を入力します。

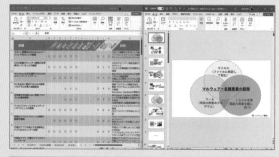

5 カーソルキーでウィンドウのサムネイルを選択して Enter を押すと、半面サイズ・4分の1サイズ・4分の1サイズのスナップにできます。

境界線をドラッグすれば、ウィンドウサイズの調整も可能です。

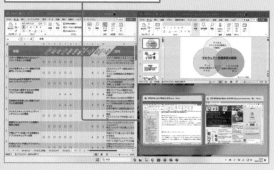

	ウィンドウの右半面スナップ	⊞ + →
	ウィンドウの左半面スナップ	⊞ + ←
	ウィンドウの右上4分の1スナップ	⊞ + → → ↑

Q133

お役立ち度 ★★★　ウィンドウのスナップ

ウィンドウからスナップのレイアウトを指定するには?

A スナップレイアウトを活用します。

スナップレイアウトはウィンドウから指定することも可能です。ウィンドウのタイトルバー右端にある「最大化」(最大化している場合は「元に戻す」)をホバーすると、スナップレイアウトの候補が表示されるので、任意の配置したい位置をクリックすればウィンドウを配置できます。
ちなみに、このスナップレイアウトに表示されるスナップレイアウトの候補は、デスクトップの解像度や拡大率に影響を受けます。

関連 Q134 ショートカットキーによるスナップレイアウト

1 ウィンドウのタイトルバー右端にある「最大化」をホバーすると、

2 スナップレイアウトの候補が表示されます。

3 任意の配置したい位置をクリックするとウィンドウを配置できます。

Q134 お役立ち度 ★★★ ウィンドウのスナップ

スナップレイアウトを
スムーズに指定したい！

A スナップレイアウトのショートカットキーを
活用します。

ウィンドウのスナップレイアウトを簡単に素早く指定した
い場合は、任意のウィンドウでショートカットキー ⊞ ＋
Z を入力します。

スナップレイアウトの候補が番号付きで表示されるので、
目的のレイアウトの番号をキー入力します。その後、配置
したい位置の選択になるので該当番号をキー入力すれば、
スムーズに目的のレイアウトを実現できます。

例えばウィンドウのスナップにおける2対1の横幅にレイ
アウトしたいのであれば、⊞ ＋ Z を入力後に 2 → 1 と
キー入力します。

⌨ スナップレイアウト ⊞ ＋ Z

1 任意のウィンドウで
ショートカットキー ⊞
＋ Z を入力します。

2 スナップレイアウトの候補が
番号付きで表示されるので、
目的のレイアウトの番号を
キー入力します。

3 配置したい位置の選択になるの
で該当番号をキー入力します。

4 目的のスナップレイア
ウトを実現できます。

Q135 お役立ち度 ★★★ ウィンドウのスナップ

ウィンドウをデスクトップに
自在に並べたい！

A スナップレイアウトバーを利用します。

デスクトップ上に2つのウィンドウを2対1の横幅で、あ
るいは3つのウィンドウを1対2対1の横幅で配置したい
などの場合は、スナップレイアウトバーが便利です。

ウィンドウのタイトルバーをデスクトップの上部にドラッ
グするとスナップレイアウトバーにスナップレイアウトの
候補が表示されるので、そのまま配置したい位置にドロッ
プします。ちなみに、このスナップレイアウトバーに表示
されるスナップレイアウトの候補は、デスクトップの解像
度や拡大率で変わります。

関連 Q136 スナップレイアウトバーの無効化

1 ウィンドウのタイトルバーをデスクトップの上部に
ドラッグします。

2 スナップレイアウトバーにスナップレ
イアウトの候補が表示されるので、

3 配置したい位置に
ドロップします。

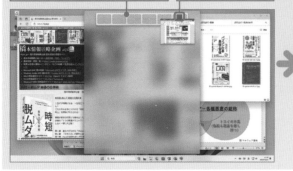

4 指定の場所にウィンドウを配置できます。

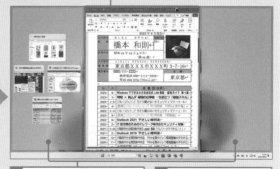

5 余白に対して配置するウィン
ドウを指定します。

6 ウィンドウをデスクトップ
に自在に並べられます。

Q136 お役立ち度 ★★★☆☆ ウィンドウのスナップ

スナップレイアウトバーを表示しないようにするには?

A カスタマイズでスナップレイアウトバーを無効にします。

ウィンドウのタイトルバーをデスクトップの上部にドラッグするとスナップレイアウトバーが表示されますが、PCの作業環境によっては邪魔な場合があります。

スナップレイアウトバーが不要なら、「設定」画面から「システム」→「マルチタスク」を開いて、「ウィンドウのスナップ」をクリックして開き、「ウィンドウを画面の上部にドラッグしたときにスナップレイアウトを表示する」のチェックを外します。

1 「設定」画面（■+I）を開きます（Q017）。

2 「設定」画面から「システム」→「マルチタスク」を開いて、

システム > マルチタスク

ウィンドウのスナップ
ウィンドウをスナップして、サイズを自動的に変更して、レイアウトに配置します　　オン ⬤

☑ ウィンドウをスナップしたときに、その次にスナップする対象を提案する

☑ ウィンドウの最大化ボタンにカーソルを合わせたときにスナップ レイアウトを表示する

☐ ウィンドウを画面の上部にドラッグしたときにスナップ レイアウトを表示する

☐ タスクビューのタスク バー アプリの上にマウス カーソルを移動したとき、そしてAlt+Tab を押したときに、スナップしたウィンドウを表示する

3 「ウィンドウのスナップ」をクリックして開き、「ウィンドウを画面の上部にドラッグしたときにスナップレイアウトを表示する」のチェックを外します。

4 ウィンドウをデスクトップ上部に移動した際にスナップレイアウトバーが表示されなくなります。

Q137 お役立ち度 ★★★☆☆ ウィンドウのスナップ

ウィンドウのスナップ機能をすべて停止するには?

A 「ウィンドウのスナップ」をオフにします。

ウィンドウのスナップ全般の機能を無効にするには、「設定」画面から「システム」→「マルチタスク」を開いて、「ウィンドウのスナップ」をオフにします。ウィンドウのスナップを無効にした場合、ウィンドウのタイトルバーをデスクトップの端に移動した際にスナップしなくなるだけではなく、スナップレイアウトの表示やショートカットキーによるウィンドウのスナップも無効になります。

1 「設定」画面（■+I）を開きます（Q017）。

2 「設定」画面から「システム」→「マルチタスク」を開いて、

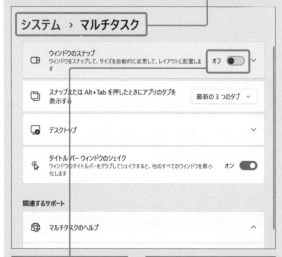

システム > マルチタスク

ウィンドウのスナップ
ウィンドウをスナップして、サイズを自動的に変更して、レイアウトに配置します　　オフ ⬤

スナップまたは Alt+Tab を押したときにアプリのタブを表示する　　最新の 3 つのタブ ∨

デスクトップ

タイトル バー ウィンドウのシェイク
ウィンドウのタイトルバーをつかんでシェイクすると、他のすべてのウィンドウを最小化します　　オン ⬤

関連するサポート

マルチタスクのヘルプ

3 「ウィンドウのスナップ」をオフにします。

4 ウィンドウを画面端に移動した際にも、サイズが変わるのを停止できます。

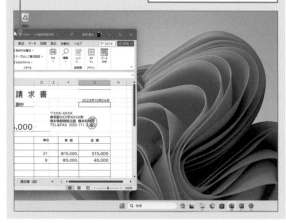

Q138 お役立ち度 ★★★ アプリの切り替え

アプリを素早く簡単に切り替えるには?

A タスクビューでアプリを切り替えます。

デスクトップに複数のウィンドウが展開されている状態で、素早く任意のウィンドウ（任意のアプリ）に操作を切り替えたい場合は「タスクビュー」を活用します。タスクビューの表示は、タスクバーの「タスクビュー」ボタンをクリックします。タスクビューが表示されたら、任意のウィンドウのサムネイルをクリックすれば、対象のウィンドウに切り替えることができます。

1 タスクバーの「タスクビュー」ボタンをクリックします。

2 タスクビューの任意のウィンドウのサムネイルをクリックします。

3 対象のウィンドウに切り替えることができます。

Q139 お役立ち度 ★★★ アプリの切り替え

ショートカットキーでタスクビューを素早く操作するには?

A ⊞ + Tab を活用します。

タスクバーの「タスクビュー」ボタンは、タスクバー項目の設定で任意に表示／非表示にできますが（**Q158**）、表示／非表示にかかわらずタスクビューを表示するには、ショートカットキー ⊞ + Tab が便利です。タスクビューが表示されたら、カーソルキーでウィンドウのサムネイルを選択後に Enter を押せば、素早く目的のウィンドウに切り替えることができます。

1 ショートカットキー ⊞ + Tab を入力します。

2 カーソルキーでウィンドウのサムネイルを選択して、

3 Enter を押します。

4 素早く目的のウィンドウに切り替えることができます。

⌨ 「タスクビュー」を開く ⊞ + Tab

Q140 お役立ち度 ★★★ アプリの切り替え

タスクビューから
スナップを指定するには?

A タスクビューでアプリを右クリックして
ショートカットメニューで指定します。

タスクビューを表示している状態で、ウィンドウのサムネイルを右クリックして、ショートカットメニューから「左にスナップ」あるいは「右にスナップ」を選択すれば、任意のウィンドウをタスクビューからスナップできます。なお、ショートカットメニューの表示は、 📄 あるいは Shift + F10 でも可能なので、ショートカットキーのみで指定することも可能です。

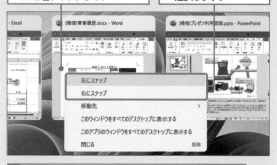

1 タスクビューを表示している状態で、ウィンドウのサムネイルを右クリックして、

2 ショートカットメニューから「〜にスナップ」を選択します。

3 任意のウィンドウをタスクビューからスナップできます。

⌨️ ショートカットメニューの表示　📄 / Shift + F10

Q141 お役立ち度 ★★★ アプリの切り替え

タスクビューから
ウィンドウを閉じるには?

A タスクビューでウィンドウのサムネイルの
「×」をクリックします。

タスクビューを表示している状態で、ウィンドウを閉じたい場合は、ウィンドウのサムネイルをマウスポインターでホバーして、タイトルバーの「×」をクリックすることで閉じることができます。また、ウィンドウのサムネイルを右クリックして、ショートカットメニューから「閉じる」を選択してもウィンドウを閉じることができます。

1 タスクビューを表示している状態で、ウィンドウのサムネイルをマウスポインターでホバーして、

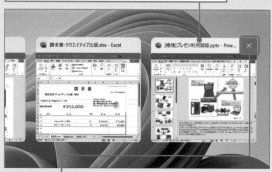

2 タイトルバーの「×」をクリックします。

3 タスクビューからウィンドウを閉じることができます。

ウィンドウのサムネイルを右クリックして、ショートカットメニューから「閉じる」を選択してもウィンドウを閉じることができます。

Q142 お役立ち度 ★★★ アプリの切り替え

アクティブウィンドウを
素早く切り替えるには?

A Windowsフリップを活用します。

アクティブウィンドウを切り替える方法は、先に解説したタスクビューのほかに「Windowsフリップ」があります。Windowsフリップによる切り替えは、Alt を押したまま（Alt から指を離さずに）Tab を押して、Tab で目的のアプリがフォーカスされたら Alt から手を離すことで実現できます。この Alt を押したままというキー入力が難しいと感じる場合は、Ctrl + Alt + Tab で Windowsフリップを表示したまま操作することもできます。

1 Alt を押したまま（Alt から指を離さずに）Tab を押します。

2 Windowsフリップが表示されます。

3 Alt を押したまま Tab で目的のアプリがフォーカスされたら Alt から手を離します。

4 アプリを切り替えることができます。

⌨️ Windowsフリップ　Alt + Tab

⌨️ Windowsフリップ（表示したまま操作可能）
Ctrl + Alt + Tab

第5章

タスクバーの
操作と設定を知る

Windows 11のタスクバーはアプリを起動することもできれば、アプリ
を切り替えることや、ジャンプリストからアプリで開いた履歴にアクセス
することもできます。
本章では、タスクバーの基本操作のほか、タスクバーのカスタマイズ、通
知領域や通知センターの活用などについて解説します。

Q143 お役立ち度 ★★★ タスクバーからのアプリ起動

タスクバーにピン留めしたアプリを起動するには?

A タスクバーのアイコンをクリックします。

タスクバーにピン留めされているタスクバーアイコンは、クリックするだけで簡単にアプリを起動できます。

[スタート] メニューにピン留めしたアプリの起動は [スタート] メニューを開いてからの操作になること、またデスクトップのショートカットアイコンからのアプリ起動はダブルクリックが必要であることなどを考えると、タスクバーアイコンからのアプリ起動は最も効率的であることがわかります。

1 タスクバーにピン留めしたタスクバーアイコンをクリックします。

2 アプリが起動します。

Q144 お役立ち度 ★★★ タスクバーからのアプリ起動

タスクバーのアプリをショートカットキーで起動するには?

A 左側から順番に ⊞ + 数字 のショートカットキーで起動できます。

タスクバーアイコンには左側から順番に (「スタート」ボタン、「タスクビュー」ボタンなどのタスクバー項目を除く)、⊞ + 1、⊞ + 2 という順序に従ったショートカットキーが割り当てられているので、該当アプリを素早く起動できます。なお、ショートカットキーの「数字」は、テンキー非対応であることに注意します。また、すでに起動状態にあるタスクバーアイコンはクリックや ⊞ + 数字 では起動できません。

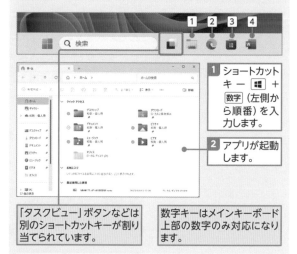

1 ショートカットキー ⊞ + 数字 (左側から順番) を入力します。

2 アプリが起動します。

「タスクビュー」ボタンなどは別のショートカットキーが割り当てられています。

数字キーはメインキーボード上部の数字のみ対応になります。

⌨ タスクバーアイコンからのアプリ起動
⊞ + 数字 (順序)

Q145 お役立ち度 ★☆☆ タスクバーからのアプリ起動

タスクバーのアイコンの順序を並び替えるには?

A タスクバーアイコンをドラッグします。

タスクバーにピン留めされているタスクバーアイコン (タスクバー項目を含まず) の順序を変更するには、タスクバーアイコンをドラッグ&ドロップで移動します。このタスクバーアイコンの並び替えは見た目が変わるだけではなく、ショートカットキー ⊞ + 数字 にも影響します (Q144)。⊞ を押したまま左手の指が届く数字キーは、4 5 までくらいであるため、優先順位が高いアプリを左側に配置すると効率的になります。

1 タスクバーアイコンをドラッグして、移動したい場所でドロップします。

2 タスクバーのアイコンの順序を並び替えられます。

Q146 お役立ち度 ★★★ タスクバーからのアプリ起動

タスクバーでアプリの状態を確認するには?

A タスクバーアイコンの表示の違いでアプリの状態を確認できます。

タスクバーアイコンでは現在のアプリの状態が表示効果で確認できます。タスクバーアイコンは状態によって、同じアクションを起こしても操作が異なることがあるため、表示効果による対象アプリの状態はしっかりと把握しておく必要があります。

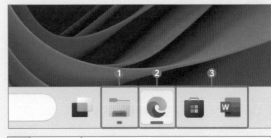

①	起動状態	アイコンの下に小さなアンダーラインが表示されます。
②	現在作業中	アイコンの背景が白濁してアンダーラインが表示されます。
③	無起動状態	何の効果も示されません。

Q147 お役立ち度 ★★★ タスクバーからのアプリ起動

タスクバーにアプリをピン留めするには?

A アプリを起動してジャンプリストからピン留めします。

タスクバーに任意のアプリをピン留めするには、まずアプリを起動します。該当タスクバーアイコンを右クリックして、ジャンプリストから「タスクバーにピン留めする」をクリックします。このほか、[スタート]メニューからピン留めする方法もあります(Q097)。

なお、タスクバーは便利なので、いろいろなアプリを登録するとよいように感じるかもしれませんが、ピン留めする数が多いと選択・操作に迷うことになるため、よく使うアプリのみをピン留めするのが基本です。

1 アプリを起動します。該当タスクバーアイコンを右クリックして、 / **2** ジャンプリストから「タスクバーにピン留めする」をクリックします。

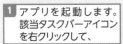
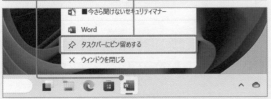

3 タスクバーにアプリをピン留めできます。 / ピン留めしたアプリは、アプリを終了してもタスクバーアイコンとして表示されます。

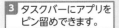

Q148 お役立ち度 ★★★ タスクバーからのアプリ起動

[スタート]メニューにあるアプリをタスクバーにピン留めするには?

A [スタート]メニュー内の対象アプリを右クリックします。

Q147では起動中のアプリをピン留めする方法を紹介しましたが、[スタート]メニュー内のアプリを直接タスクバーにピン留めするには、[スタート]メニュー内の対象アプリを右クリックして、メニューから「タスクバーにピン留めする」をクリックします。

なお、[スタート]メニュー内の対象アプリを右クリックすると「タスクバーからピン留めを外す」と表示される場合は、すでにタスクバーにピン留めされています。

[スタート]メニューに「ピン留め済み」の場合

1 対象アプリを右クリックして、 / **2** メニューから「タスクバーにピン留めする」をクリックします。

「すべてのアプリ」の場合

1 対象アプリを右クリックして、 / **2** メニューから「詳細」→「タスクバーにピン留めする」をクリックします。

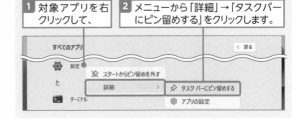

Q149 お役立ち度 ★★★ タスクバーからのアプリ起動

タスクバーからアプリの
ピン留めを外すには?

A ジャンプリストから操作します。

タスクバーにピン留めされているアプリのピン留めを解除するには、タスクバーアイコンを右クリックして、ジャンプリストから「タスクバーからピン留めを外す」をクリックします。なお、タスクバーからピン留めを外しても、アプリそのものは消去されません。

1 タスクバーのアプリ
アイコンを右クリック
して、

2 ジャンプリストから「タスクバー
からピン留めを外す」をクリック
します。

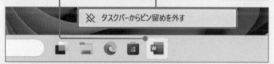

3 タスクバー
からアプリ
のピン留め
を外すこと
ができます。

Q151 お役立ち度 ★★★ タスクバーからのアプリ起動

タスクバーから同じアプリを
複数起動するには?

A タスクバーアイコンを Shift を押しながらクリックします。

タスクバーアイコンが「未起動状態」であれば、アプリ起動は「クリック」になりますが、タスクバーアイコンが「起動状態(アイコンの下にアンダーライン)」の場合、同じアプリがもう1つ必要な場合でもクリックでは起動できません。すでに起動済みのアプリを、タスクバーアイコンからもう1つ起動するには、Shift を押しながらクリックします。
また、マウスのセンターボタンをクリックしても同様の操作を実現できます。

マウスの
センターボタンを
クリック

ホイールボタン

Q150 お役立ち度 ★★★ タスクバーからのアプリ起動

タスクバーからアプリを
管理者として実行するには?

A タスクバーアイコンを
Shift を押しながら右クリックします。

タスクバーにピン留めしているアプリを管理者で起動するには、タスクバーアイコンを Shift を押しながら右クリックして、メニューから「管理者として実行」を選択します。なお、アプリを管理者として起動したい場面は特殊なケースであり、通常は必要ありません。

1 タスクバーアイコンを
Shift を押しながら右ク
リックして、

2 メニューから「管理者とし
て実行」を選択します。

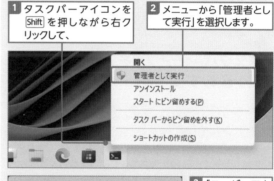

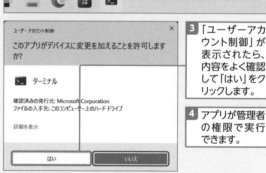

3 「ユーザーアカ
ウント制御」が
表示されたら、
内容をよく確認
して「はい」をク
リックします。

4 アプリが管理者
の権限で実行
できます。

1 すでに起動済
みのアプリを、
Shift を押しな
がらクリックし
ます。

あるいは、すでに起動済みのアプリをマウスのセンターボタンでクリックします。

2 タスクバーから同じアプ
リを複数起動できます。

この手順で起動できるのは複数
起動に対応したアプリのみです。

⌨ タスクバーから起動済みのアプリをもう1つ起動
⊞ + Shift + 数字 (順序)

Q152 お役立ち度 ★★★ タスクバーからのアプリ起動

アプリで過去に開いたファイルに
素早くアクセスするには?

A 該当するアプリのジャンプリストから
開くことができます。

アプリで過去に開いたファイル(例えばWordで過去に開いた文書ファイル)に素早くアクセスするには、該当タスクバーアイコンを右クリックして、ジャンプリストの「最近使ったアイテム」あるいは「最近」(表記はアプリによって異なる)から任意の項目(履歴)をクリックします。なお、アプリで過去に開いたファイルへのアクセスはエクスプローラーの「ホーム」からでも可能です(**Q322**)。

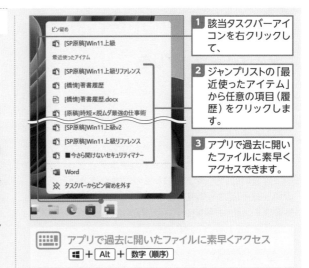

1 該当タスクバーアイコンを右クリックして、

2 ジャンプリストの「最近使ったアイテム」から任意の項目(履歴)をクリックします。

3 アプリで過去に開いたファイルに素早くアクセスできます。

⌨ アプリで過去に開いたファイルに素早くアクセス
🪟 + Alt + 数字 (順序)

Q153 お役立ち度 ★★★ タスクバーからのアプリ起動

ジャンプリストで特定の最近開いた
項目を常に表示するには?

A ジャンプリストからよく使う履歴を
ピン留めします。

Q152のようにジャンプリストの「最近~」(表記はアプリによって異なる)からアプリで最近開いた項目にアクセスできますが、このリストは開いた履歴に従って表示位置や表示項目は変動します(古いものから削除される仕様)。特定の最近開いた項目を恒久的にジャンプリストに表示しておきたい場合は、ジャンプリストから項目をホバーして、「一覧にピン留めする」(📌)をクリックします。

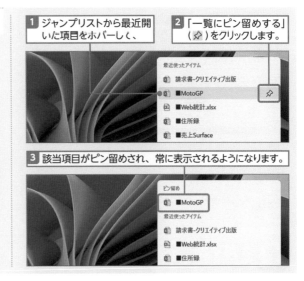

1 ジャンプリストから最近開いた項目をホバーして、

2 「一覧にピン留めする」(📌)をクリックします。

3 該当項目がピン留めされ、常に表示されるようになります。

Q154 お役立ち度 ★★★ タスクバーからのアプリ起動

ジャンプリストに表示される
最近開いた項目を削除するには?

A ジャンプリストで任意の履歴を削除します。

ジャンプリストの「最近~」(表記はアプリによって異なる)に表示される最近開いた項目を消去するには、アイテムを右クリックして、「この一覧から削除」をクリックします。なお、項目(履歴)そのものを表示したくない場合は「最近開いた項目」を非表示に設定します(**Q110**)。

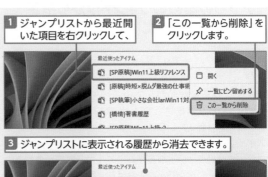

1 ジャンプリストから最近開いた項目を右クリックして、

2 「この一覧から削除」をクリックします。

3 ジャンプリストに表示される履歴から消去できます。

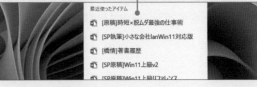

Q155
お役立ち度 ★★★ タスクバーからアプリの切り替え

タスクバーでアプリを切り替えるには?

A 起動済みのタスクバーアイコンをクリックします。

タスクバーアイコンは、未起動のものをクリックすると起動になりますが、起動状態でかつ非アクティブ(現在作業中ではないアプリ)なアイコンをクリックすると「アプリの切り替え」になります。この操作は、デスクトップに複数のウィンドウを展開している場合に素早く目的のアプリに切り替えられるので便利です。

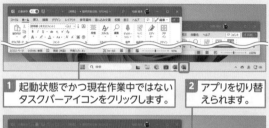

1 起動状態でかつ現在作業中ではないタスクバーアイコンをクリックします。

2 アプリを切り替えられます。

⌨ タスクバーでアプリを切り替え [⊞]+[数字(順序)]

⌨ タスクバーにフォーカス [⊞]+[T]

Q156
お役立ち度 ★★★ タスクバーからアプリの切り替え

対象アプリのウィンドウだけすべて閉じるには?

A タスクバーアイコンのジャンプリストから一括操作できます。

デスクトップ上に複数のエクスプローラー(フォルダー)などを展開している状態において、1つ1つ閉じるのは面倒な作業です。そんなときは、対象のタスクバーアイコンを右クリックして、ジャンプリストから「すべてのウィンドウを閉じる」をクリックすれば一括で閉じることができます。同じアプリの複数のウィンドウを一括で閉じたい場合に便利な操作です。

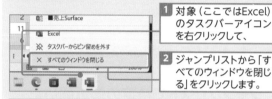

1 対象(ここではExcel)のタスクバーアイコンを右クリックして、

2 ジャンプリストから「すべてのウィンドウを閉じる」をクリックします。

3 対象アプリのウィンドウだけ一括で閉じることができます。

Q157
お役立ち度 ★★★ タスクバーからアプリの切り替え

アプリの複数のウィンドウから指定して切り替えるには?

A タスクバーアイコンをホバーして任意のサムネイルをクリックします。

同一アプリを複数起動している状態において(例えばExcelブックを複数開いている状態)、任意のアプリウィンドウに切り替えたい場合は、タスクバーアイコンをマウスポインターでホバーします。
対象アプリのウィンドウのサムネイルが一覧表示されるので、目的のものをクリックすれば切り替えることができます。

1 複数起動しているアプリのタスクバーアイコンをホバーします。

2 対象アプリのウィンドウのサムネイルが一覧表示されるので、

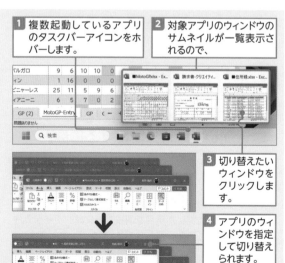

3 切り替えたいウィンドウをクリックします。

4 アプリのウィンドウを指定して切り替えられます。

Q158 お役立ち度 ★★★ タスクバーのカスタマイズ

タスクバーにあらかじめ表示されているボタンを非表示にするには?

A タスクバー項目を表示設定して、必要なボタンのみ表示します。

タスクバーには、「スタート」ボタンと「検索ボックス」の横に「タスクビュー」ボタン、左右の端に「ウィジェット」と「Copilot」が表示されますが、これらのタスクバー項目は表示／非表示を設定できます。タスクバー項目の表示設定は、「設定」画面から「個人用設定」→「タスクバー」を開いて、「タスクバー項目」の各項目で設定します。なお、ここで設定できる項目はショートカットキーで呼び出せるアイテムなので、非表示にしても問題はありません。

関連 Q168 タスクバーの検索表示設定

1 「設定」画面（⊞＋Ⅰ）を開きます（**Q017**）。	**2** 「設定」画面から「個人用設定」→「タスクバ 」を開いて、

3 「タスクバー項目」の各項目でオン／オフを設定します。	**4** オフにするとタスクバーにあらかじめ表示されているボタンを非表示にできます。

⌨	「Copilot」を開く	⊞＋C
⌨	「タスクビュー」を開く	⊞＋Tab
⌨	「ウィジェット」を開く	⊞＋W

Q159 お役立ち度 ★★★ タスクバーのカスタマイズ

タスクバーが自動的に隠れるようにするには?

A 「タスクバーを自動的に隠す」設定を有効にします。

デスクトップを少しでも広く使いたい、あるいはアプリ作業中にタスクバーを隠しておきたい場合は、タスクバーが自動的に隠れる設定にしてしまうとよいでしょう。「設定」画面から「個人用設定」→「タスクバー」を開いて、「タスクバーの動作」をクリックして開き、「タスクバーを自動的に隠す」をチェックします。この設定を適用後、タスクバーを表示・操作したい場合は、マウスポインターをデスクトップ下部に移動します。

1 「設定」画面（⊞＋Ⅰ）を開きます（**Q017**）。	**2** 「設定」画面から「個人用設定」→「タスクバー」を開いて、

3 「タスクバーの動作」をクリックして開き、「タスクバーを自動的に隠す」をチェックします。	**4** タスクバーが自動的に隠れるようになります。

デスクトップ下部にマウスポインターを移動すれば、タスクバーを表示できます。

Q160 お役立ち度 ★★★ タスクバーのカスタマイズ

タスクバーアイコンにラベルを表示するには?

A 「タスクバーのボタンをまとめラベルを非表示にする」を「なし」に設定します。

タスクバーアイコンに「ラベル」を表示して、アプリ名や現在アプリで開いているファイル名／Webページ名などを表示したい場合は、「設定」画面から「個人用設定」→「タスクバー」を開いて、「タスクバーの動作」をクリックして開き、「タスクバーのボタンをまとめラベルを非表示にする」のドロップダウンから「なし」を選択します。起動中のタスクバーアイコンに対してラベルが表示されるようになります。

1 「設定」画面（■+I）を開きます（Q017）。

2 「設定」画面から「個人用設定」→「タスクバー」を開いて、

3 「タスクバーの動作」をクリックして開き、

4 「タスクバーのボタンをまとめラベルを非表示にする」のドロップダウンから「なし」を選択します。

5 起動中のタスクバーアイコンに対してラベルが表示されます。

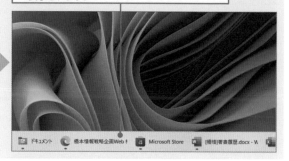

Q161 お役立ち度 ★★★ 通知領域

通知領域に表示されている機能の状態を確認するには?

A 通知アイコンをホバーします。

タスクバー右端の「通知領域」に表示されている通知アイコンは、ホバーすることにより状態を確認できます。例えば、バッテリーアイコンをホバーすればバッテリー残量、ボリュームアイコンをホバーすれば音声再生デバイス、ネットワークアイコンをクリックすればネットワーク接続先を確認できます。便利な確認方法なので覚えておくとよいでしょう。

1 「通知領域」に表示されている通知アイコンをホバーします。

2 バッテリーアイコンをホバーすれば、バッテリー状態（残量）を確認できます。

3 ネットワークアイコンをホバーすれば、接続先を確認できます。

Q162 お役立ち度 ★★★ 通知領域

通知領域に表示されていない通知アイコンにアクセスするには?

A 通知領域の左端にある「∧」をクリックします。

Windows 11では、あらかじめ必要最小限の通知アイコンのみ表示する仕様になっています。現在通知領域に表示されていない通知アイコンにアクセスするには、通知領域の左端にある「∧」をクリックします。通知領域に表示されていない通知アイコンがポップアップで確認できます。

1 通知領域の左端にある「∧」をクリックします。

2 通知領域に表示されていない通知アイコンがポップアップで確認できます。

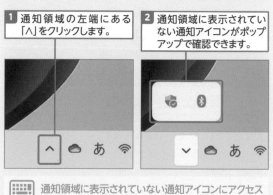

通知領域に表示されていない通知アイコンにアクセス
■ + B → Enter

Q163 お役立ち度 ★★★ 通知領域

通知領域に常に表示する通知アイコンを指定するには?

A ポップアップから通知アイコンをドラッグします。

通知領域の左端にある「∧」をクリックして、ポップアップ側にある通知アイコンをよく利用している場合は、通知アイコンをドラッグして、通知領域にドロップします。
逆に通知領域で日常的に確認する必要がない通知アイコンは、ポップアップ側にドラッグ＆ドロップして移動しておくと効率的です。
なお、一部のシステムアイコン（バッテリー、ボリューム、ネットワークなど）は移動することはできません。

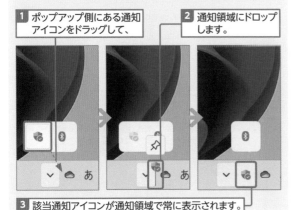

1 ポップアップ側にある通知アイコンをドラッグして、
2 通知領域にドロップします。
3 該当通知アイコンが通知領域で常に表示されます。

Q164 お役立ち度 ★★★ 通知領域

通知領域に表示する通知アイコンを一覧から指定するには?

A タスクバーの設定でカスタマイズします。

通知領域に表示する通知アイコンを一覧から指定するには、「設定」画面から「個人用設定」→「タスクバー」を開いて、「その他のシステムトレイアイコン」をクリックして開き、各通知アイコンを任意にオン／オフにします。ここで設定できる項目の一部は、機能が有効になった際に表示される仕様の通知アイコンなので、機能が有効にならない状況では表示されないものもあります。

1 「設定」画面（■+I）を開きます（Q017）。
2 「設定」画面から「個人用設定」→「タスクバー」を開いて、

3 「その他のシステムトレイアイコン」をクリックして開き、通知領域に表示するアイコンをオンにします。

Q165 お役立ち度 ★★★ 通知領域

通知領域の時計を「秒」まで表示するには?

A タスクバーの設定でカスタマイズします。

オークションの入札やWebでのチケット購入などの場面では、時刻において「秒」まで確認したいものです。
通知領域に表示されている時刻は「時:分」ですが、「秒」まで表示するには、「設定」画面から「個人用設定」→「タスクバー」を開いて、「タスクバーの動作」をクリックして開き、「システムトレイの時計に秒を表示する（電力消費が増加します）」をチェックします。

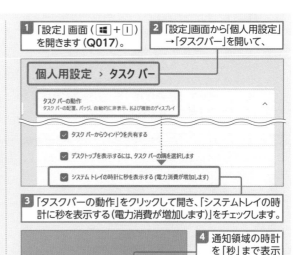

1 「設定」画面（■+I）を開きます（Q017）。
2 「設定」画面から「個人用設定」→「タスクバー」を開いて、
3 「タスクバーの動作」をクリックして開き、「システムトレイの時計に秒を表示する（電力消費が増加します）」をチェックします。
4 通知領域の時計を「秒」まで表示できます。

Q166

タスクバーの検索ボックスから検索するには?

A 検索ボックスにキーワードを入力します。

タスクバーにある「検索」では「アプリ」「ドキュメント」「ウェブ」「設定」「人」「フォルダー」「写真」など、さまざまな対象を検索できます。例えば、検索ボックスに「猫」と入力すれば、猫にまつわるWeb検索のほか、写真やドキュメントなどが検索結果に表示されます（検索結果は検索履歴や環境によって異なります）。

1 タスクバーの検索ボックスをクリックします。

2 任意の検索キーワードを入力します。

3 検索結果が表示されます。

検索結果は検索キーワードや環境・時事によって異なります。

⌨ タスクバーの検索ボックス ⊞ + S

Q167

検索ボックスの検索結果から対象を絞り込むには?

A 検索結果に対して対象を指定します。

タスクバーの検索ボックスに検索キーワードを入力すれば、検索結果が表示されますが、この中から検索結果を絞り込みたい場合は、検索ウィンドウの上段から対象を指定します。例えば、検索ボックスに「マウス」と入力すれば、マウスにまつわるさまざまな候補を表示でき、また検索ウィンドウの上段で対象を絞り込むことができます。「マウス」を検索した状態で上段の「設定」をクリックすれば、「マウス設定」の検索結果を一覧で表示できます。

1 検索ボックスにキーワードを入力します（ここでは「背景」）。

2 最もマッチする検索結果が表示されます。

3 「設定」をクリックします。

4 検索結果が「設定」に絞り込まれて表示されます。

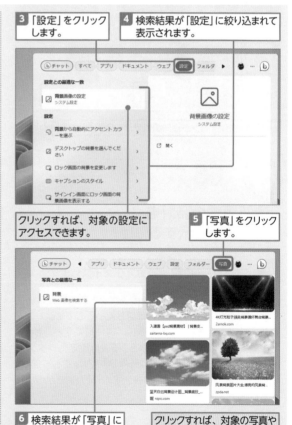

クリックすれば、対象の設定にアクセスできます。

5 「写真」をクリックします。

6 検索結果が「写真」に絞り込まれて表示されます。

クリックすれば、対象の写真や対象Webページを閲覧できます。

Q168 お役立ち度 ★★★ 検索ボックス

タスクバーの検索ボックスの表示スタイルを変更するには?

A 「設定」で表示形式変更のほか、非表示にすることも可能です。

タスクバーの「検索」は、直接検索キーワードが入力できる「検索ボックス」ですが、この表示は任意に設定変更可能です。「設定」画面から「個人用設定」→「タスクバー」を開いて、「タスクバー項目」をクリックして開き、「検索」のドロップダウンから任意に選択します。「非表示」は文字通り検索を非表示にします。「検索アイコンのみ」「検索アイコンとラベル」はともにアイコンやラベルを表示する形で、クリックすると検索にアクセスできます。

1 「設定」画面（ ⊞ + I ）を開きます（Q017）。

2 「設定」画面から「個人用設定」→「タスクバー」を開いて、

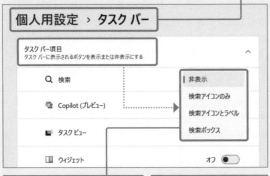

3 「タスクバー項目」をクリックして開き、「検索」のドロップダウンから任意に選択します。

4 タスクバーの検索ボックスの表示スタイルを変更できます。

おトクな情報 ショートカットキーで検索を開く

検索にはショートカットキー ⊞ + S でアクセスできるため、タスクバーの領域を確保したい場合などは非表示に設定してもよいでしょう。

非表示

検索アイコンのみ

検索アイコンとラベル

Q169 お役立ち度 ★★★ 通知センターとバナー

通知の一覧をデスクトップで確認するには?

A 通知センターを表示します。

通知の一覧を確認するには、タスクバーの通知領域にある「時計」をクリックして、通知センターを表示します。
見逃した通知や通知センター表示に指定された通知を確認できます（該当アプリや機能が「通知センターに通知を表示する」になっているもの、Q174）。
なお、通知センターはショートカットキー ⊞ + N で素早く表示できます。

1 タスクバーの通知領域にある「時計」をクリックします。

2 通知センターを表示できます。

「通知センター」を開く ⊞ + N

Q170 お役立ち度 ★★★ 通知センターとバナー

通知を確認するには?

A 通知バナーか通知センターの通知を
クリックします。

Windows 11の機能やアプリが通知を行った際、通知設
定(**Q174**)に従って通知が表示されます。通知バナーで
表示された通知を確認するには通知バナーをクリックしま
す。通知をクリックした後のアクションは、通知の種類に
よって異なります。

1 デスクトップに表示された通知バナーをクリックします。

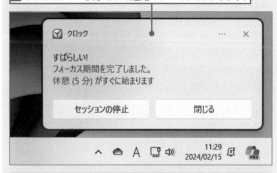

通知センターを表示して、該当通知をクリックしても同様です。

2 通知の内容に従ったアクションが行われます。

おトクな情報 通知バナーが消えた場合

通知バナーが消えてしまった場合や、通知センターのみ
に表示する通知は、通知センターを表示して(Q169)、
該当通知をクリックします。

Q171 お役立ち度 ★★★ 通知センターとバナー

通知センターの通知を消去するには?

A 通知ごとに「×」をクリックします。

通知センターに表示されている通知は、該当通知をクリッ
クして確認することにより通知センターから消去されます
が、通知を確認することなく消去したいのであれば、該当
通知をホバーして「×」をクリックします。
また、通知センターに表示されている通知のすべてを消去
するには、「すべてクリア」をクリックします。

1 通知センターの該当通知をホバーします。

2 「×」をクリックします。

すべての通知を消去するには、通知センターの「すべてクリア」をクリックします。

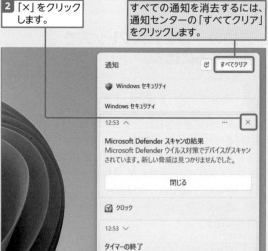

3 通知センターから消去できます。

Q172 お役立ち度 ★★★ 通知センターとバナー

通知を表示せずに一定時間作業に集中したい!

A フォーカスセッションを開始します。

通知はアラートでもあるので、即時確認するのが基本です。しかし、オンライン会議時や人にデスクトップを見せる場面では、通知を表示してほしくない場合もあります。そのような場合は、「設定」画面から「システム」→「通知」を開いて、「フォーカス」をクリックします。「セッションの継続時間」を指定して、「フォーカスセッションを開始します」をクリックすれば、その継続時間中は通知を非表示にできます（環境によっては、初回にアプリのダウンロードが必要）。なお、ショートカットキー ⊞ + N で通知センターを表示して、下部の「フォーカス」をクリックしても、フォーカスセッションを開始できます。

1 「設定」画面（⊞+I）を開きます（Q017）。 **2** 「設定」画面から「システム」→「通知」を開いて、「フォーカス」をクリックします。

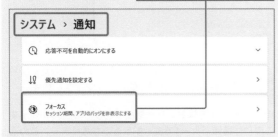

3 「セッションの継続時間」で時間を指定して、

4 「フォーカスセッションを開始します」をクリックします。 **5** 指定時間内は通知が表示されず、応答不可モードになります。

Q173 お役立ち度 ★★★ 通知センターとバナー

フォーカスセッションをすぐに終了するには?

A 「セッションの終了」をクリックします。

フォーカスセッションを開始した場合、「応答不可モード」が有効になり、優先通知とアラーム以外の通知が表示されなくなります。フォーカスセッションは指定の継続時間が経過すれば終了しますが、すぐにフォーカスセッションを終了するには、通知センターを表示して「セッションの終了」をクリックします。

1 通知センターを表示します（Q169）。

2 「セッションの終了」をクリックすると応答不可モードが解除されます。 **3** フォーカスセッションを終了できます。

Q174 お役立ち度 ★★★ 通知センターとバナー

任意のアプリの通知をオン／オフするには?

A 通知を表示するアプリを選びます。

アプリや機能からのアラートを表示する「通知」をアプリや機能ごとに任意に設定するには、「設定」画面から「システム」→「通知」を開いて、「アプリやその他の送信者からの通知」で各アプリの通知をオン／オフにします。「オフ」に設定した場合、対象アプリや機能からの通知は行われなくなります。

1 「設定」画面（⊞+I）を開きます（Q017）。 **2** 「設定」画面から「システム」→「通知」を開いて、

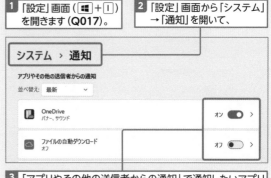

3 「アプリやその他の送信者からの通知」で通知したいアプリをオン／オフを指定します。

Q175 お役立ち度 ★★★ 通知センターとバナー

アプリごとに通知バナーや通知センターを設定するには?

1 「設定」画面（⊞+Ｉ）を開きます（Q017）。

2 「設定」画面から「システム」→「通知」を開いて、

システム > 通知

アプリやその他の送信者からの通知

並べ替え: 最新 ∨

🔵 OneDrive バナー、サウンド	オン ⬤ >
☁ ファイルの自動ダウンロード オフ	オフ ⬤ >
🕐 クロック バナー、サウンド	オン ⬤ >
✂ Snipping Tool バナー、サウンド	オン ⬤ >
⊞ アプリ バナー、サウンド	オン ⬤ >
⚙ 設定	

3 「アプリやその他の送信者からの通知」のアプリ一覧から該当アプリをクリックします。

A 通知の詳細設定を行います。

アプリや機能ごとの通知を詳細設定するには、「設定」画面から「システム」→「通知」を開いて、「アプリやその他の送信者からの通知」の該当アプリをクリックします（オン／オフ以外の部分をクリック）。「通知」をオンにしたうえで、通知バナーで表示するには「通知バナーを表示」をチェック、通知センターで表示するには「通知センターに通知を表示する」をチェックします。その他、ロック画面での通知表示や、音、通知センターでの通知優先度などを指定できます。

システム > 通知 > クロック

通知
⬤ オン

☑ 通知バナーを表示　　☑ 通知センターに通知を表示する

ロック画面で通知を受け取ったときに内容を表示しない
⬤ オン

[応答不可] がオンのときにアプリが重要な通知を送信できるようにする
⬤ オフ

通知が届いたら音を鳴らす
⬤ オン

4 該当アプリからの通知の表示方法などを設定します。

Q176 お役立ち度 ★★☆ 通知センターとバナー

通知バナーがデスクトップに表示されている時間を増やすには?

1 「設定」画面（⊞+Ｉ）を開きます（Q017）。

2 「設定」画面から「アクセシビリティ」→「視覚効果」を開いて、

アクセシビリティ > 視覚効果

↕ スクロール バーを常に表示する	オフ ⬤
☀ この時間が経過したら通知を破棄する	5 秒 7 秒 15 秒 30 秒 1 分 5 分

関連設定

🖥 ディスプレイ モニター、明るさ、夜間モード、ディスプレイ プロファイル	
🔔 通知 アプリとシステム通知	

3 「この時間が経過したら通知を破棄する」のドロップダウンから任意の時間を選択します。

A 通知を破棄する時間をカスタマイズします。

Windows 11ではアプリや機能などからの通知を表示する際に、「通知バナー」で表示するものもあります。この通知バナーは、既定では「5秒」しか表示されませんが（5秒以内に操作しないとバナーが消える）、もっと長い時間通知バナーを表示したいのであれば、「設定」画面から「アクセシビリティ」→「視覚効果」を開いて、「この時間が経過したら通知を破棄する」のドロップダウンから「7秒」「15秒」「30秒」「1分」など任意の時間を選択します。

4 通知バナーがデスクトップに表示されている時間を変更できます。

🕐 クロック　　　　⋯ ×

集中するための時間
フォーカス期間 (5 分) が今すぐ開始されます

セッションの停止　　　閉じる

∧ ☁ A 🖵 🔊　11:29
　　　　　　　　2024/02/15

第6章

ファイルの操作と OneDriveの活用

Windows 11のファイル操作に欠かせない「エクスプローラー」はタブ
で展開してコンパクトに操作することが可能なほか、ファイルを開かずに
内容を確認できるプレビューウィンドウ、写真をまとめて表示できるギャ
ラリーなど機能満載です。
また、エクスプローラーとも連携して動作する「OneDrive」は自動同期に
よりクラウドストレージをローカルストレージのように扱うことができます。

Q177 お役立ち度 ★★★ ファイルの基本操作

エクスプローラーを起動するには?

A タスクバーのエクスプローラーをクリックします。

ファイル操作で多用するエクスプローラーは、タスクバーのエクスプローラー(フォルダーアイコン)をクリックすることで起動できます。また、ショートカットキー ⊞ + E で素早く起動できるので、ファイル操作をよくする場合は覚えてしまうとよいでしょう。
エクスプローラー各部位の名称は以下のようになります。

⌨ 「エクスプローラー」の起動　⊞ + E

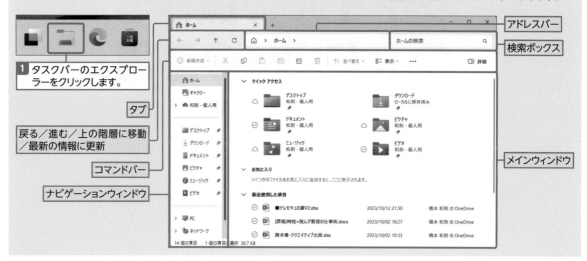

1 タスクバーのエクスプローラーをクリックします。

タブ
戻る/進む/上の階層に移動/最新の情報に更新
コマンドバー
ナビゲーションウィンドウ
アドレスバー
検索ボックス
メインウィンドウ

Q178 お役立ち度 ★★★ ファイルの基本操作

エクスプローラーでファイルの拡張子を表示するには?

A 「表示」メニューから「ファイル名拡張子」をチェックします。

Windowsはファイルの「拡張子」でファイルの種類を判別できる仕様です。ダウンロードしたファイルや取引先などの相手から渡されたファイルの種類を判別するためにも、あらかじめ拡張子を表示しておくとよいでしょう。
拡張子を表示するには、エクスプローラーのコマンドバーから「表示」→「表示」→「ファイル名拡張子」をチェックします。

● 代表的なデータファイルの拡張子

.jpg	JPEG画像ファイル
.doc / .docx	Wordデータファイル
.xls / .xlsx	Excelデータファイル
.ppt / .pptx	PowerPointデータファイル
.pdf	PDFファイル
.txt	テキストファイル
.zip	ZIP形式の圧縮ファイル

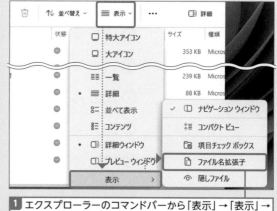

1 エクスプローラーのコマンドバーから「表示」→「表示」→「ファイル名拡張子」をチェックします。

2 ファイルの拡張子を表示できます。

Q179 お役立ち度 ★★★ ファイルの基本操作

ドキュメントやピクチャなど 主要フォルダーにアクセスするには?

A ナビゲーションウィンドウやホームの クイックアクセスから表示します。

エクスプローラーから「ドキュメント」「ピクチャ」などの データ保存フォルダーを開きたい場合は、ナビゲーション ウィンドウから目的のフォルダーをクリックします。 エクスプローラーの「ホーム」が表示されている場合は、メ インウィンドウのクイックアクセスから開くことも可能です。 なお、エクスプローラーからアクセスする方法のほか、[ス タート]メニューを設定することで、素早くフォルダーに アクセスできます(**Q111**)。

関連 Q111 [スタート]メニューにフォルダーアイコンを配置

1 ナビゲーションウィンドウから目的のフォルダーを クリックします。

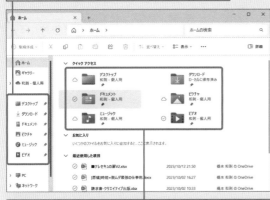

「ホーム」が表示されている場合は、メインウィンドウのクイック アクセスから目的のフォルダーをダブルクリックします。

2 「ドキュメント」などの主要フォルダーにアクセスできます。

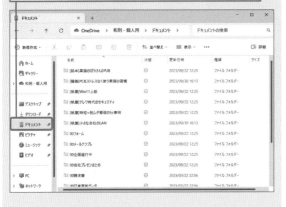

Q180 お役立ち度 ★★★ ファイルの基本操作

同じ階層でもう1つウィンドウを 開くには?

A Ctrl + N ですぐに同じフォルダーを 開けます。

フォルダーからファイルを移動したい場面などで、同階層 でフォルダーをもう1つ開いてから操作したい場合があり ます。そのようなときに活用できるのがショートカット キー Ctrl + N で、同じ階層のフォルダー(エクスプロー ラー)を素早く新しいウィンドウで表示できます。

1 ショートカット キー Ctrl + N を 入力します。	**2** 同じ階層のフォルダー(エクスプ ローラー)を素早く新しいウィンドウ で表示できます。

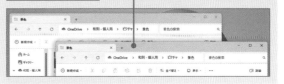

Q181 お役立ち度 ★★★ ファイルの基本操作

エクスプローラーのタブを 増やすには?

A 新しいタブの追加をクリックします。

以前のエクスプローラーでは複数のフォルダーを表示する には、新たにエクスプローラー(ウィンドウ)を表示する 必要がありましたが、現在のエクスプローラーは「タブ」 で複数のフォルダーを展開できます。エクスプローラーの タブを追加するには、タブの横にある「+」(新しいタブの 追加)をクリックします。

1 タブの横にある「+」(新しいタブの追加)をクリックします。

2 新しいタブが追加できます。

⌨ エクスプローラーの新しいタブの追加 Ctrl + T

Q182 お役立ち度 ★★★ ファイルの基本操作

任意のフォルダーを新しいタブで開くには?

A フォルダーを右クリックして「新しいタブで開く」を選択します。

エクスプローラーで任意のフォルダーを新しいタブで開きたい場合は、フォルダーを右クリックして、ショートカットメニューから「新しいタブで開く」を選択します。現在のフォルダー表示を残したまま、指定したフォルダーを新しいタブで開くことができます。

1 フォルダーを右クリックして、
2 ショートカットメニューから「新しいタブで開く」を選択します。

3 指定したフォルダーを新しいタブで開くことができます。

Q183 お役立ち度 ★★★ ファイルの基本操作

フォルダーオプションを表示するには?

A エクスプローラーの「…」をクリックして、「オプション」をクリックします。

エクスプローラーの動作の詳細をカスタマイズしたい場合は、エクスプローラーのコマンドバーから「…」→「オプション」をクリックします。フォルダーオプションでは、エクスプローラーの起動時に表示するフォルダー(**Q199**)などさまざまなカスタマイズを行えます。なお、コントロールパネル(アイコン表示)から「フォルダーオプション」をクリックしても同様です。

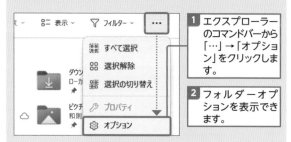

1 エクスプローラーのコマンドバーから「…」→「オプション」をクリックします。

2 フォルダーオプションを表示できます。

Q184 お役立ち度 ★★★ ファイルの基本操作

エクスプローラーのタブを閉じるには?

A タブの「×」をクリックします。マウスのホイールボタンでも可能です。

エクスプローラーで任意のタブを閉じたい場合は、タブの「×」をクリックします。操作しにくい場合は、タブを右クリックして、ショートカットメニューから「タブを閉じる」を選択します。
なお、マウスのホイールボタンがセンターボタンとして機能する場合、ホイールボタンクリックでもタブを閉じることができます。

「×」で閉じる

1 タブの「×」をクリックします。

マウスのホイールボタンで閉じる

1 マウスのホイールボタンでタブをクリックします。

右クリックメニューで閉じる

1 タブを右クリックして、
2 ショートカットメニューから「タブを閉じる」を選択します。

エクスプローラーのタブを閉じる `Ctrl` + `W`

Q185

お役立ち度 ★★★　エクスプローラーの表示

エクスプローラーでドライブの一覧を表示するには?

1 ナビゲーションウィンドウの「PC」をクリックします。

2 ドライブの一覧を表示できます。

A ナビゲーションウィンドウの「PC」で一覧を確認できます。

エクスプローラーで、PCの「ドライブの一覧」を確認するには、ナビゲーションウィンドウの「PC」をクリックします。特に外付けドライブ (USBメモリ・外付けHDD／SSD) にアクセスしたい際に活用できます。

Q186

お役立ち度 ★★★　エクスプローラーの表示

エクスプローラーのアイコンの大きさを変更するには?

1 コマンドバーから「表示」→[〜アイコン]をクリックします。

2 アイコン表示を見やすくできます。

A アイコン表示を「特大／大／中／小アイコン」で変更します。

エクスプローラーはファイルの種類に従って表示を変更する仕様ですが、アイコン表示において任意の大きさに変更するには、コマンドバーから「表示」→[〜アイコン]をクリックします。「特大アイコン」を選択すれば、画像のサムネイルを大きく表示でき、ファイルを開かずに内容を確認できます。

なお、アイコンのサイズを素早く切り替えたい場合は、ショートカットキー Ctrl + Shift + 1 〜 4 (特大アイコン／大アイコン／中アイコン／小アイコン) を入力します。

特大アイコン／大アイコン／中アイコン／小アイコン
Ctrl + Shift + 1 〜 4

Q187

お役立ち度 ★★★　エクスプローラーの表示

エクスプローラーの一覧でファイルの更新日時やサイズを確認するには?

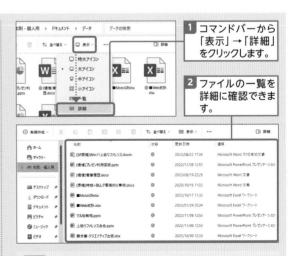

1 コマンドバーから「表示」→「詳細」をクリックします。

2 ファイルの一覧を詳細に確認できます。

A エクスプローラーの表示を「詳細」にします。

エクスプローラーにおいて、ファイルの一覧を「日付時刻」「種類」「サイズ」などを確認できる詳細表示にするには、コマンドバーから「表示」→「詳細」をクリックします。ファイル名とともに各種詳細を確認できます。

なお、詳細表示に素早く切り替えたい場合は、ショートカットキー Ctrl + Shift + 6 を入力します。

詳細表示　Ctrl + Shift + 6

Q188 ★★★ お役立ち度 エクスプローラーの表示

エクスプローラーの詳細表示で任意の列を見やすくするには?

A 境界線をドラッグするか、列のサイズを自動的に変更するようにします。

エクスプローラーの詳細表示の項目で表示しきれない部分がある場合は、該当列の境界線をドラッグすることで列のサイズを変更できます。また、列内の最大サイズ（ファイル名であればファイル名を表示しきるサイズ）にしたければ、該当列の境界線をダブルクリックします。

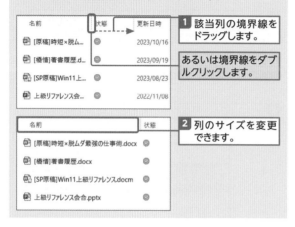

1 該当列の境界線をドラッグします。

あるいは境界線をダブルクリックします。

2 列のサイズを変更できます。

Q189 ★★★ お役立ち度 エクスプローラーの表示

ファイルの並び順を変更するには?

A 名前や更新日時などを指定して任意に並び替えます。

エクスプローラーの詳細表示では、列名をクリックすることで並び順を変更できます。例えば、「更新日時」をクリックすれば、ファイルを更新日時順に並び替えることができます。また、同じ列をもう一度クリックすることにより、昇順／降順を変更できます。

1 列の「更新日時」をクリックします。

2 ファイルを更新日時順に並び替えて表示できます。

同じ列をもう一度クリックすることにより、昇順／降順を変更できます。

Q190 ★★★ お役立ち度 エクスプローラーの表示

ファイルを開かずに内容確認するには?

A エクスプローラーに「プレビューウィンドウ」を表示します。

エクスプローラーは、データファイルを開かなくても内容を確認できる「プレビューウィンドウ」に対応しています。エクスプローラーのコマンドバーから「表示」→「プレビューウィンドウ」をクリックします。
ファイルの内容を確認したければ通常はダブルクリックしてアプリで開く必要がありますが、対応しているファイル形式であればクリックして選択するだけでプレビューウィンドウで内容を確認できます。
なお、エクスプローラーからショートカットキー Alt + P で素早くプレビューウィンドウを表示できます。

「プレビューウィンドウ」を開く Alt + P

1 コマンドバーから「表示」→「プレビューウィンドウ」をクリックします。

プレビューウィンドウが表示されない場合は、コマンドバーの「プレビュー」をクリックします。

2 「プレビューウィンドウ」が表示されます。

3 ファイルをクリックするだけで内容を確認できます。

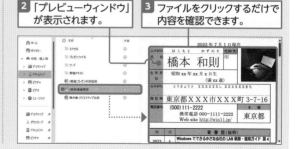

Q191

お役立ち度 ★★★　エクスプローラーの表示

プレビューウィンドウで
内容確認するには?

A 一部のファイルの種類では対応アプリの導入が必要になります。

Q190ではプレビューウィンドウの表示について解説しましたが、ファイルをプレビューウィンドウで表示するにはファイルの種類に対応したアプリの導入が必要になるものもあります。Windows 11では画像ファイルやテキストファイルなど多くのファイルの種類に標準で対応しますが、例えばWord・Excel・PowerPointのファイルをプレビューウィンドウで表示するには、あらかじめアプリの導入が必要になります。プレビューウィンドウで表示の詳細はアプリによって異なりますが、スクロールバーやタブで任意の位置やシートを表示することが可能です。

1 Wordファイルであればプレビューウィンドウの中でスクロールできます。

2 Excelファイルであればプレビューウィンドウの中でタブを切り替えられます。

Q192

お役立ち度 ★★★　エクスプローラーの表示

ファイルの各種情報を
確認するには?

A ファイルの「プロパティ」を確認します。

ファイルには「ファイルの種類」「作成日時」「更新日時」などの情報、またファイルの種類によっては「作成者」「撮影日時」「位置情報」などの情報を保持しています。これらの情報を確認するには、エクスプローラーからファイルを右クリックして、ショートカットメニューから「プロパティ」を選択します。あるいはファイルを選択してコマンドバーから「…」→「プロパティ」をクリックします。
プロパティダイアログの「全般」タブでファイルの種類・場所・作成日時など、「詳細」タブでファイルの種類に従った詳細な内容が確認できます。

1 ファイルを右クリックして、　**2** ショートカットメニューから「プロパティ」を選択します。

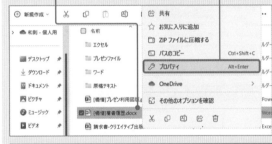

あるいは、ファイルを選択してコマンドバーから「…」→「プロパティ」をクリックします。

3 「全般」タブではファイルの「種類」「場所」「作成日時」などを確認できます。

4 「詳細」タブではファイルの種類に従った詳細な情報を確認できます。

[⌨] 「プロパティ」を表示　[Alt] + [Enter]

Q193
お役立ち度 ★★★ エクスプローラーの表示

ファイルを開かずにファイルの情報の確認やタグ付けをするには?

A エクスプローラーに「詳細ウィンドウ」を表示します。

プロパティダイアログの「詳細」タブではファイルの詳細を確認できますが、いちいちファイルごとにプロパティダイアログを開くのは面倒という場合は、エクスプローラーのコマンドバーから「表示」→「詳細ウィンドウ」をクリックします。「詳細ウィンドウ」では、ファイルの詳細をエクスプローラーで確認できます。ファイルのタグ・タイトル・評価などを編集することも可能です。

1 エクスプローラーのコマンドバーから「表示」→「詳細ウィンドウ」をチェックします。

あるいは「詳細」をクリックします。

Wordファイルの場合

写真ファイルの場合

ファイルの詳細をエクスプローラーで確認できます。

⌨ 「詳細ウィンドウ」を開く `Alt` + `Shift` + `P`

Q194
お役立ち度 ★★★ エクスプローラーの表示

ファイルに埋め込まれた個人情報を削除したい!

A 「プロパティや個人情報を削除」で個人情報を削除できます。

プロパティダイアログの「詳細」タブでは、ファイルの種類に従った詳細情報を確認できます(Q192)。例えば、Word・Excel・PowerPointのデータファイルであれば「作成者」「前回保存者」「コメント」など、写真ファイルであれば「撮影日時」「カメラのモデル」「位置情報」などを確認できますが、これらのファイルを他者に渡すなどの理由で削除したい場合は、プロパティダイアログの「詳細」タブから「プロパティや個人情報を削除」をクリックします。
「プロパティの削除」から「このファイルから次のプロパティを削除」を選択して、任意の項目をチェック、すべて削除するには「すべて選択」をクリックして、「OK」をクリックすれば削除できます。

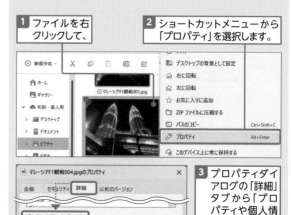

1 ファイルを右クリックして、

2 ショートカットメニューから「プロパティ」を選択します。

3 プロパティダイアログの「詳細」タブから「プロパティや個人情報を削除」をクリックします。

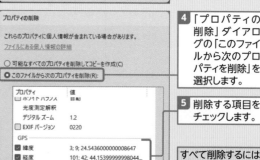

4 「プロパティの削除」ダイアログの「このファイルから次のプロパティを削除」を選択します。

5 削除する項目をチェックします。

すべて削除するには「すべて選択」をクリックします。

6 「OK」をクリックします。

Q195 お役立ち度 ★★★ エクスプローラーの表示

写真（画像）の一覧をギャラリーで見るには？

A エクスプローラーの「ギャラリー」を利用します。

現在PC内にある写真（画像）を一覧で表示したい場合は、「フォト」（**Q444**）を利用するのも手ですが、エクスプローラーのナビゲーションウィンドウから「ギャラリー」をクリックすることでも表示できます。

また、ギャラリーから写真（画像）をダブルクリックすれば「フォト」で画像表示でき、動画をダブルクリックすれば「メディアプレーヤー」で動画を閲覧できます（既定のアプリで開いた場合）。

1 エクスプローラーのナビゲーションウィンドウから「ギャラリー」をクリックします。

2 写真（画像）の一覧をギャラリーで閲覧できます。

3 手順**2**の画面で写真（画像）をダブルクリックすれば、

4 「フォト」で画像表示できます。

5 手順**2**の画面で動画をダブルクリックすれば、

6 「メディアプレーヤー」で動画再生できます。

Q196 お役立ち度 ★★★ エクスプローラーの表示

ギャラリーに任意のフォルダーを追加するには？

A 「ギャラリーの場所」でフォルダーを追加します。

ギャラリーでは写真（画像）を一覧で表示できますが、既定では「ピクチャ」フォルダーのみがギャラリーの対象フォルダーになっています。任意のフォルダーをギャラリーに追加したい場合は、エクスプローラーのナビゲーションウィンドウから「ギャラリー」をクリックし、コマンドバーから「コレクション」→「コレクションの管理」をクリックします。

「ギャラリーの場所」で「追加」をクリックし、任意のフォルダーを選択して「フォルダーを追加」をクリックすれば、ギャラリーの表示に該当フォルダーの写真（画像）を追加できます。

1 エクスプローラーのナビゲーションウィンドウから「ギャラリー」をクリックします。

2 コマンドバーから「コレクション」→「コレクションの管理」をクリックします。

3 「ギャラリーの場所」で「追加」をクリックします。

4 任意の画像フォルダーを選択して、

5 「フォルダーを追加」をクリックします。

6 「OK」をクリックします。

7 ギャラリーに該当フォルダーの写真（画像）を追加できます。

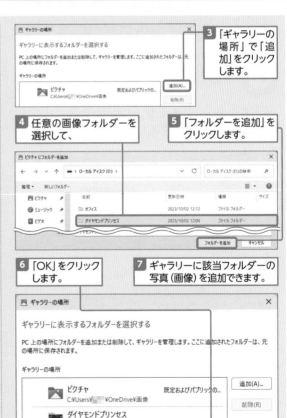

Q197 お役立ち度 ★★★ パスとショートカットアイコン

現在表示しているフォルダーの位置(フルパス)を確認するには?

A アドレスバーをクリックします。

現在表示しているフォルダーの位置(フルパス)を確認するには、アドレスバーをクリックします。現在のフォルダーの位置(パス)を確認できます。

最初に表示される「C:」などは、ドライブの名前を示し、以降がフォルダーの位置(パス)を示します。

アドレスバーに表示されたフルパスは選択状態なので、そのままコピーして活用することなども可能です。

なお、アドレスバーにはショートカットキー Alt + D で素早くアクセスできます。

アドレスバーに移動 Alt + D

1 アドレスバーをクリックします。

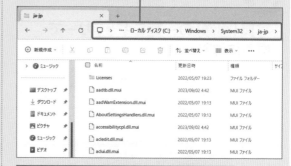

2 現在のフォルダーの位置 (パス) を確認できます。

このままショートカットキー Ctrl + C でパスをコピーできます。

Q198 お役立ち度 ★★★ パスとショートカットアイコン

ファイル/フォルダーの場所を文字列で取得するには?

A ショートカットメニューから簡単に取得できます。

ファイルやフォルダーの場所(フルパス)をテキストとして取得するには、該当のファイル/フォルダーを Shift を押しながら右クリックして、ショートカットメニューから「パスのコピー」を選択します。

クリップボードにフルパスが保存されるため、メモ帳や付箋などに Ctrl + V で貼り付けることができます。

なお、該当のファイル/フォルダーを選択して、ショートカットキー Ctrl + Shift + C でもパスをコピーできます。

1 該当のファイル/フォルダーを Shift を押しながら右クリックして、

2 ショートカットメニューから「パスのコピー」を選択します。

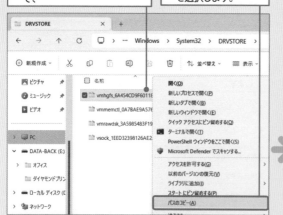

該当のファイル/フォルダーを選択して、ショートカットキー Ctrl + Shift + C でも可能です。

3 メモ帳や付箋などに Ctrl + V でフルパスを貼り付けることができます。

フルパスをテキストとして取得 Ctrl + Shift + C

Q199 お役立ち度 ★★★ パスとショートカットアイコン

エクスプローラーを起動した際にドライブの一覧を表示するには?

A フォルダーオプションで最初に開く場所として「PC」を指定します。

エクスプローラーを起動すると既定では「ホーム」が表示されますが、「ドライブの一覧」(PC) のほうが使いやすいという場合は、エクスプローラーのコマンドバーから「…」→「オプション」をクリックします。

フォルダーオプションの「全般」タブの「エクスプローラーで開く」欄のドロップダウンから「PC」を選択して、「OK」をクリックします。

1 コマンドバーから「…」→「オプション」をクリックします。

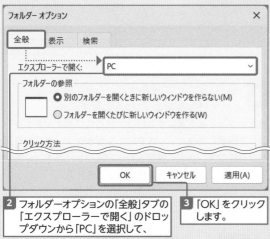

2 フォルダーオプションの「全般」タブの「エクスプローラーで開く」のドロップダウンから「PC」を選択して、

3 「OK」をクリックします。

4 エクスプローラーを起動した際に最初からドライブの一覧を表示できます。

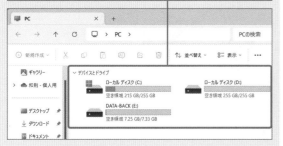

Q200 お役立ち度 ★★★ パスとショートカットアイコン

アイコンの絵柄を変更するには?

A プロパティダイアログの「アイコンの変更」で指定します。

「アイコンの絵柄」を任意に変更したい場合は、アイコンを右クリックして、ショートカットメニューから「プロパティ」を選択します。「ショートカット」タブあるいは「カスタマイズ」タブの「アイコンの変更」をクリックして、任意のアイコンを選択します。アイコンを視覚的に差別化したい場合に有効な設定です。

1 アイコンを右クリックして、

2 ショートカットメニューから「プロパティ」を選択します。

3 「ショートカット」タブあるいは「カスタマイズ」タブの「アイコンの変更」をクリックします。

「アイコンの変更」がない場合、アイコンの絵柄は変更できません。

4 任意のアイコンを選択して、

5 「OK」をクリックします。

6 プロパティダイアログでも「OK」をクリックします。

7 アイコンの絵柄を変更できます。

Q201 お役立ち度 ★★★ パスとショートカットアイコン

ファイル／フォルダーのショートカットアイコンをデスクトップに作成するには?

A エクスプローラーから右ドラッグする方法が便利です。

デスクトップによく利用するフォルダーやファイルのショートカットアイコンを配置するには、「右ドラッグ＆ドロップ」「ドラッグ＆ Alt ＋ドロップ」など複数の方法があります。

簡単に作成したい場合は、ファイル／フォルダーを右ドラッグして、デスクトップにドロップした際にショートカットメニューから「ショートカットをここに作成」を選択します。

右ドラッグ＆ドロップによる作成

1 対象ファイル／フォルダーをマウスの右ボタンを押しながらドラッグして、デスクトップにドロップします。

2 ショートカットメニューから「ショートカットをここに作成」を選択します。

対象ファイル／フォルダーをドラッグして、 Alt を押しながらドロップでも可能です。

「送る」を活用した作成

1 対象ファイル／フォルダーを Shift を押しながら右クリックして、

2 ショートカットメニューから「送る」→「デスクトップ (ショートカットを作成)」を選択します。

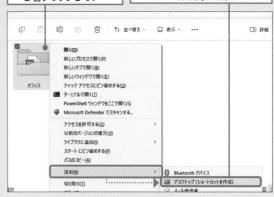

Q202 お役立ち度 ★★★ ファイルの選択

ファイルを個別に複数選択するには?

A 選択したいファイルを Ctrl を押しながらクリックします。

複数のファイルを選択するには、最初のファイルをクリックして選択した後に、 Ctrl を押しながらクリックで複数選択が可能です。なお、選択されているファイルを Ctrl を押しながらクリックすると選択を解除できます。

1 最初のファイルをクリックして選択します。

2 Ctrl を押しながらクリックで複数選択が可能です。

選択済みのファイルを Ctrl を押しながらクリックすると、選択を解除できます。

Q203 お役立ち度 ★★★ ファイルの選択

ファイルを範囲選択するには?

A 選択したい範囲をドラッグします。

ファイルを範囲選択するには、範囲の始点でドラッグを開始して、範囲の終点でドロップします。ちなみに範囲指定で選択した以外のファイルを追加するには、Ctrl を押しながらクリックで追加します。

1 範囲の始点でドラッグを開始して、

2 範囲の終点でドロップするとファイルを範囲選択できます。

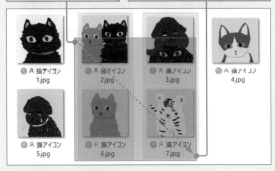

Q204 お役立ち度 ★★★ ファイルの選択

フォルダー内のファイルをすべて選択するには?

A 1つ1つ選択せずに「すべて選択」します。

フォルダー内のファイルをすべて選択するには、エクスプローラーのコマンドバーから「…」→「すべて選択」をクリックします。なお、ショートカットキー Ctrl + A であればすぐに一括選択できます。

1 コマンドバーから「…」→「すべて選択」をクリックします。

2 ファイルをすべて選択できます。

すべて選択 Ctrl + A

Q205 お役立ち度 ★★★ ファイルの選択

選択しているファイル以外を選択するには?

A 選択の切り替えを利用します。

現在選択しているファイル以外を選択するには、エクスプローラーのコマンドバーから「…」→「選択の切り替え」をクリックします。選択していたファイルが非選択になり、選択していなかったファイルが選択されます。選択していたファイル以外を削除したい、などの場面で活用できるテクニックです。

1 あらかじめファイルを選択しておきます。

2 コマンドバーから「…」→「選択の切り替え」をクリックします。

3 選択していたファイルが非選択になり、選択していなかったファイルが選択されます。

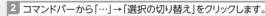

Q206
お役立ち度 ★★★　ファイルの選択

ファイルをチェックボックスで選択するには?

A 「項目チェックボックス」をオンにします。

ファイルをチェックボックスで選択する形式に変更するには、エクスプローラーのコマンドバーから「表示」→「表示」→「項目チェックボックス」をチェックします。「項目チェックボックス」を有効にすれば、フォルダーやファイルの選択をチェックボックスのチェックでできるようになります。なお、タッチ対応PCでは、既定で「項目チェックボックス」が有効になっています(一部PCを除く)。

1 コマンドバーから「表示」→「表示」→「項目チェックボックス」をチェックします。

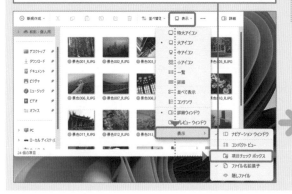

2 チェックボックスでフォルダーやファイルの選択ができます。

Q207
お役立ち度 ★★★　ファイルのコピー/移動

ファイルのコピー/移動を行うには?

A ドラッグ&ドロップでコピー/移動できますが注意があります。

ファイルをコピーするには、フォルダーを2つ開いて「コピー元からドラッグして、コピー先でドロップ」という方法でもよいのですが、Windowsでは「ドロップ先が同一ドライブの場合は移動」「ドロップ先が異なるドライブの場合はコピー」という違いがあり、ややわかりにくい仕様です。

明示的にコピーするにはコピー先で Ctrl を押しながらドロップ、また明示的に移動するには Shift を押しながらドロップします。

なお、この操作はドラッグ時に Ctrl や Shift を押してはならず、あくまでもドロップ時に Ctrl や Shift を押す必要があります。

●ドライブによるドラッグ&ドロップ操作の違い

同一ドライブ内でのドラッグ&ドロップ	移動
異なるドライブ間でのドラッグ&ドロップ	コピー

ドラッグ&ドロップによるコピー

1 コピー元からドラッグして、コピー先で Ctrl を押しながらドロップします。

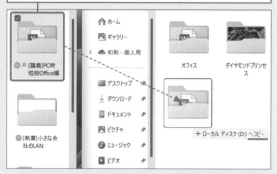

ドラッグ&ドロップによる移動

1 移動元からドラッグして、移動先で Shift を押しながらドロップします。

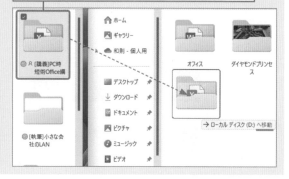

Q208 お役立ち度 ★★★ ファイルのコピー／移動

ファイルをショートカットキーで コピーするには?

A ショートカットキー Ctrl + C と Ctrl + V を活用します。

ドラッグ＆ドロップで確実にファイル／フォルダーをコ ピーするには、コピー先で Ctrl を押しながらドロップする 必要がありますが（Q207）、わかりにくいと感じる場合は ショートカットキーを活用します。 Ctrl + C でコピーし て、 Ctrl + V でペーストします。

 コピー Ctrl + C ▦ 貼り付け Ctrl + V

---

1 ファイル／フォルダーを選択して、ショートカットキー Ctrl + C を入力します。

2 コピー先フォルダーで、ショートカットキー Ctrl + V を入力 します。

Q209 お役立ち度 ★★★ ファイルのコピー／移動

ファイルをショートカットキーで 移動するには?

A ショートカットキー Ctrl + X と Ctrl + V を活用します。

ドラッグ＆ドロップで確実にファイル／フォルダーを移動 するには、コピー先で Shift を押しながらドロップする必要 がありますが、わかりにくいと感じる場合はショートカッ トキー Ctrl + X の切り取りを活用します。

1 ファイル／フォルダーを選択して、ショートカットキー Ctrl + X を入力します。

2 移動先フォルダーで、ショートカットキー Ctrl + V を入力し ます。

 切り取り Ctrl + X ▦ 貼り付け Ctrl + V

Q210 お役立ち度 ★★★ ファイルのコピー／移動

ファイルをコマンドバーで コピー／移動するには?

A エクスプローラーのコマンドバーを 活用します。

エクスプローラーはコマンドバーによるファイル操作も可 能です。ショートカットキーによる Ctrl + C ／ Ctrl + X ／ Ctrl + V などと同様で、コマンドバーのボタンでコピー／ 切り取り／貼り付けが行えます。

移動したいのであれば、コマンドバーから 「切り取り」をクリックします。

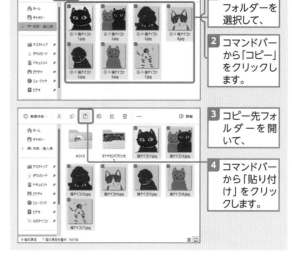

1 ファイル／ フォルダーを 選択して、

2 コマンドバー から「コピー」 をクリックし ます。

3 コピー先フォル ダーを開い て、

4 コマンドバー から「貼り付 け」をクリッ クします。

Q211

お役立ち度 ★★★★　ファイルのコピー／移動

タブ間でファイルをコピー／移動するコツは?

A ファイルをタブにドラッグした後、タブの内容が表示されてからドロップします。

エクスプローラーのタブ関連の操作については**Q181**、**Q182**、**Q184**で解説していますが、このタブ間でファイルをコピー／移動するには、対象ファイルをドラッグしてコピー／移動先のタブ上でホバーします。タブ表示が切り替わったら、該当タブのメインウィンドウ内にドロップすればコピー／移動できます。

なお、同じドラッグ＆ドロップでも、同一ドライブか否かでコピーであるか移動であるかが変化する点に注意が必要です（**Q207**）。タブを挟んだドラッグ＆ドロップによるコピー／移動操作がやりにくい場合は、ショートカットキーかコマンドバーによるコピー／切り取り／貼り付けを活用するとよいでしょう。

1 対象ファイルをドラッグしてコピー／移動先のタブ上でホバーします。

2 タブ表示が切り替わったら、

3 該当タブのメインウィンドウ内にドロップします。

4 コピー／移動できます。

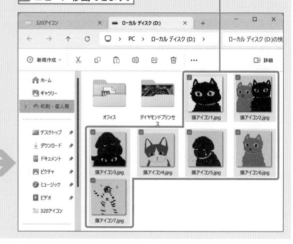

Q212

お役立ち度 ★★★★　ファイルのコピー／移動

新しいフォルダーを作成するには?

A フォルダーを作成したい場所で新規作成します。

新しいフォルダーを作成するには、エクスプローラーのコマンドバーから「新規作成」→「フォルダー」を選択して、作成された新しいフォルダーに任意の名前を入力します。また、別手順としてエクスプローラーの空白を右クリックしてショートカットメニューから「新規作成」→「フォルダー」を選択してもOKです。ショートカットキーであれば、Ctrl + Shift + N で素早く新しいフォルダーを作成できます。

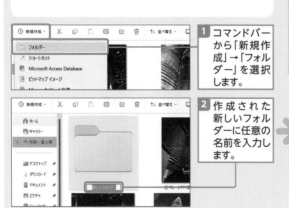

1 コマンドバーから「新規作成」→「フォルダー」を選択します。

2 作成された新しいフォルダーに任意の名前を入力します。

3 新しいフォルダーを作成できます。

新しいフォルダーを作成　Ctrl + Shift + N

Q213 お役立ち度 ★★★ ファイル名の変更

ファイル名やフォルダー名を変更するには?

A クリックでも変更できますが右クリックやショートカットキーがおすすめです。

ファイル名やフォルダー名を変更するには、選択済みの対象をクリックして、変更可能状態にしてから名前を入力できますが、操作がやりにくいことがあります。そこで、エクスプローラーであれば、ファイル/フォルダーを選択してからコマンドバーから「名前の変更」をクリックする方法が比較的スマートです。また、ファイル/フォルダーを右クリックして、ショートカットメニューから「名前の変更」をクリックする方法もおすすめですし、ショートカットキー F2 で素早く名前を変更することもできます。

コマンドバーからの「名前の変更」

1 名前を変更するファイル/フォルダーを選択します。 **2** コマンドバーから「名前の変更」をクリックします。

右クリックメニューからの「名前の変更」

1 名前を変更するファイル/フォルダーを選択します。 **2** ファイル/フォルダーを右クリックして、

3 ショートカットメニューから「名前の変更」をクリックします。

⌨ ファイル名の変更　[F2]

Q214 お役立ち度 ★★★ ファイル名の変更

ファイル名を任意名称+連番にするには?

A ファイルを複数選択してから「名前の変更」をします。

ファイル名を任意名称+連番にしたい場合は、複数のファイルを選択してから、右クリックしてショートカットメニューから「名前の変更」をクリックします。任意の名前を入力して Enter を押せば、ファイル名を「名前(連番)」という形に変更できます。

なお、この操作の連番では「1〜9」の次は「10〜99」という形で、桁揃え処理は行われません。

1 複数のファイルを選択してから右クリックして、 **2** ショートカットメニューから「名前の変更」をクリックします。

3 任意の名前を入力して Enter を押します。

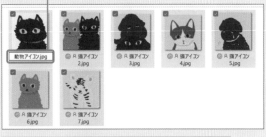

4 ファイル名を「名前(連番)」という形に変更できます。

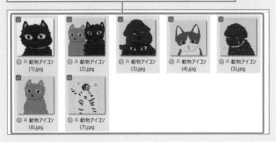

Q215 お役立ち度 ★★★ ファイルの削除／操作の取り消し

ファイルを削除するには?

A ファイルを選択して、
右クリックから削除やごみ箱にドロップします。

ファイル／フォルダーを削除する手順は、いくつか存在します。「ごみ箱にドロップする」「ショートカットメニューを利用する」「ショートカットキーを利用する」などの操作がありますが、場面に応じて使い分けることが推奨されます。

ごみ箱にドロップして削除

1 ファイル／フォルダーをごみ箱にドロップします。

2 ファイル／フォルダーを削除できます。

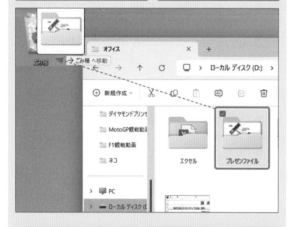

ショートカット（右クリック）メニューで削除

1 ファイル／フォルダーを右クリックして、

2 ショートカットメニューから「削除」をクリックします。

3 ファイル／フォルダーを削除できます。

ファイルを削除 `Delete`

Q216 ★★★ ファイルの削除／操作の取り消し

ファイルを大切に扱うために削除前に確認を行うようにするには?

A 削除の確認メッセージを
表示するようにします。

ファイルの削除は `Delete` などで簡単に実行できますが、ファイルを削除する前に必ず確認メッセージを表示して安全性を確保するには、デスクトップの「ごみ箱」を右クリックして、ショートカットメニューから「プロパティ」を選択します。プロパティダイアログの「削除の確認メッセージを表示する」をチェックします。

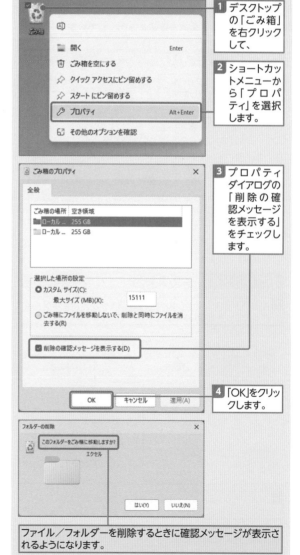

1 デスクトップの「ごみ箱」を右クリックして、

2 ショートカットメニューから「プロパティ」を選択します。

3 プロパティダイアログの「削除の確認メッセージを表示する」をチェックします。

4 「OK」をクリックします。

ファイル／フォルダーを削除するときに確認メッセージが表示されるようになります。

Q217 お役立ち度 ★★★ ファイルの削除／操作の取り消し

ごみ箱から削除したファイルを復元するには?

A 「ごみ箱」を開いて、復元したいファイルを元に戻します。

Windowsで削除したファイルは「ごみ箱」に移動する仕様です。ファイルを削除した後に、やはりファイルを復元したいという場合は、デスクトップの「ごみ箱」をダブルクリックで開き、「ごみ箱」内の元に戻したいファイルを右クリックして、ショートカットメニューから「元に戻す」を選択します。

おトクな情報 ごみ箱から復元できるファイル

「ごみ箱」からの復元は、あくまでもごみ箱に残っているファイルだけです。ネットワークドライブ、大きなファイル、古いファイル、完全削除したファイル、クリーンアップされたファイルなどは復元できないことに注意します。

1 デスクトップの「ごみ箱」をダブルクリックします。

2 「ごみ箱」内の元に戻したいファイルを右クリックして、

3 ショートカットメニューから「元に戻す」を選択します。

4 ごみ箱から削除したファイルを元の場所に復元させることができます。

Q218 お役立ち度 ★★★ ファイルの削除／操作の取り消し

ごみ箱を経由せずに完全に削除するには?

A Shift + Delete で完全削除します。

Windowsの通常手順で削除したファイルは「ごみ箱」に移動しますが、ごみ箱に移動せずに完全に削除するには、削除するファイル／フォルダーを選択して、ショートカットキー Shift + Delete を入力します。「ファイルの削除」が表示されるので、完全に削除するには「はい」をクリックします。この操作で完全削除したファイルは、ごみ箱に移動せず復元できないことに留意します。

1 任意のファイル／フォルダーを選択して、ショートカットキー Shift + Delete を入力します。

2 「ファイル／フォルダーの削除」が表示されるので、完全に削除するには「はい」をクリックします。

3 ごみ箱を経由せずに完全に削除できます。

Q219 お役立ち度 ★★★ ファイルの削除／操作の取り消し

コピー／移動／削除などの操作直後に取り消すには?

A 操作直後にアンドゥします。

ファイル操作のミスなどでやはり以前の状態に戻したいという場合は、取り消したい操作直後にショートカットキー Ctrl + Z を入力します。直前のファイル名の変更、コピー、移動、削除などを取り消すことができます。

1 ここでは、同じフォルダーに同じファイルをコピーした操作直後にショートカットキー Ctrl + Z を入力します。

2 ファイルのコピー操作を取り消すことができます。

直前の操作を取り消す Ctrl + Z

Q220 ★★★ ファイルの検索

目的のファイルを探し出したい!

A 対象フォルダーを表示して検索ボックスに検索キーワードを入力します。

目的のファイルを検索したい場合、「タスクバーの検索ボックス」(Q166)を活用するのも手ですが、対象フォルダーがわかっている(例えば「ドキュメント」内にあることがわかっている)状態であれば、エクスプローラーからの検索のほうがターゲットが明確であるため素早く目的のファイルを探し出せます。

エクスプローラーで検索対象フォルダーを表示した状態で、「検索ボックス」に任意のキーワードを入力すれば、検索結果をメインウィンドウに表示できます。

1 エクスプローラーで検索対象フォルダーを表示します。　**2** エクスプローラーの「検索ボックス」に任意のキーワードを入力します。

3 検索結果をメインウィンドウに表示できます。

ダブルクリックすれば対象を開くことができます。

⌨ エクスプローラーの検索　[Ctrl]＋[F] / [Ctrl]＋[E]

Q221 ★★★ ファイルの検索

検索結果を絞り込むには?

A 「検索オプション」で更新日や分類を指定します。

エクスプローラーのメインウィンドウに検索結果が表示されている状態で、さらに条件に合致した検索を絞り込んで表示するには、コマンドバーから「検索オプション」をクリックして、検索条件を指定します。

更新日(今日・昨日・今週など)、分類(フォルダー・ドキュメント・ピクチャなど)、サイズなどを指定することで、検索結果を絞り込んで目的のファイルを探すことができます。

1 エクスプローラーから検索を行います(Q220)。

2 コマンドバーから「検索オプション」をクリックして、　**3** 任意の検索条件を指定します。

4 検索条件に従った検索結果に絞り込むことができます。

Q222 お役立ち度 ★★★ ファイル操作の応用

よく使う特定のフォルダーに素早くアクセスするには?

1 登録したいフォルダーを右クリックして、

2 ショートカットメニューから「クイックアクセスにピン留めする」を選択します。

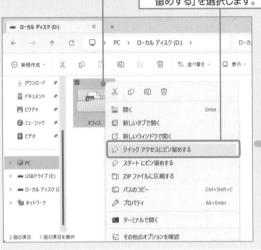

A フォルダーをクイックアクセスにピン留めします。

エクスプローラーの「ホーム」やナビゲーションウィンドウに表示される「クイックアクセス」は、クリックするだけで目的のフォルダーを表示できます。この「クイックアクセス」に任意のフォルダーを登録するには、登録したいフォルダーを右クリックして、ショートカットメニューから「クイックアクセスにピン留めする」を選択します。以後、クイックアクセスから簡単に開くことができます。

3 クイックアクセスによく使うフォルダーを表示できます。

Q223 お役立ち度 ★★★ ファイル操作の応用

エクスプローラーからWindows PowerShellを起動するには?

A 「PowerShellウィンドウをここで開く」からパスを保持して開けます。

エクスプローラーからWindows PowerShellを起動するには、フォルダーを Shift を押しながら右クリックして、ショートカットメニューから「PowerShellウィンドウをここで開く」を選択します。

また、フォルダーを右クリックして、ショートカットメニューから「ターミナルで開く」でも、Windows PowerShellを起動することができます(環境によって起動するシェルは異なる)。

1 フォルダーを Shift を押しながら右クリックして、

2 ショートカットメニューから「PowerShellウィンドウをここで開く」を選択します。

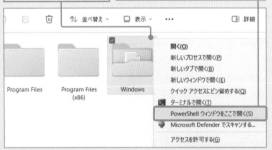

右クリックしてから「その他のオプションを確認」を選択しても、同様のメニューを表示できます。

3 エクスプローラーで開いていたフォルダーをカレントディレクトリとしてWindows PowerShellを起動できます。

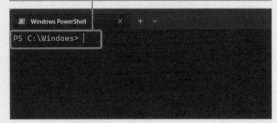

おトクな情報 エクスプローラーからの起動のポイント

単体のWindows PowerShellの起動と異なり、エクスプローラーで開いていたフォルダーをカレントディレクトリ(現在のフォルダー場所)としてWindows PowerShellを起動できるのがポイントです。

Q224

お役立ち度 ★★★　ファイル操作の応用

複数のファイルを
1つのファイルに圧縮するには?

A 「ZIPファイル」に圧縮します。

Windows 11では標準で複数のファイルやフォルダーを1つの圧縮ファイルにする機能に対応しています。圧縮ファイルを作成するには、まず圧縮したいファイル／フォルダーを選択します。右クリックして、ショートカットメニューから「ZIPファイルに圧縮する」を選択すれば、ZIP形式の圧縮ファイルを作成できます（拡張子は「.zip」）。

ZIP形式の圧縮ファイルは選択したファイル名やフォルダー名で作成されるので、必要であれば任意の名前に変更します。

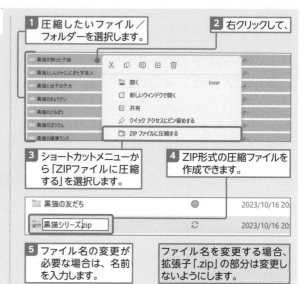

1 圧縮したいファイル／フォルダーを選択します。

2 右クリックして、

3 ショートカットメニューから「ZIPファイルに圧縮する」を選択します。

4 ZIP形式の圧縮ファイルを作成できます。

5 ファイル名の変更が必要な場合は、名前を入力します。

ファイル名を変更する場合、拡張子「.zip」の部分は変更しないようにします。

Q225

お役立ち度 ★★★　ファイル操作の応用

ZIP/7-ZIP/RARなどの
圧縮ファイルを展開するには?

A 「すべて展開」で圧縮ファイルを展開できます。

最新のWindows 11では、ZIP/7-ZIP/RAR/TAR/GZ形式の圧縮ファイルを展開できます。該当圧縮ファイルを右クリックして、ショートカットメニューから「すべて展開」を選択します。ウィザードが表示されるので、「ファイルを下のフォルダーに展開する」から任意のフォルダーを指定したうえで（基本的に標準の場所でOK）、「展開」をクリックすればファイルを展開できます。なお、ファイルを展開するには「正常な圧縮ファイル」である必要があります。

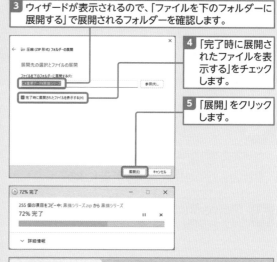

3 ウィザードが表示されるので、「ファイルを下のフォルダーに展開する」で展開されるフォルダーを確認します。

4 「完了時に展開されたファイルを表示する」をチェックします。

5 「展開」をクリックします。

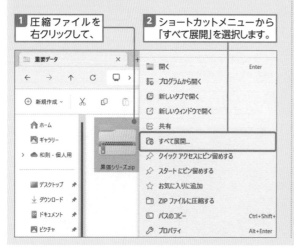

1 圧縮ファイルを右クリックして、

2 ショートカットメニューから「すべて展開」を選択します。

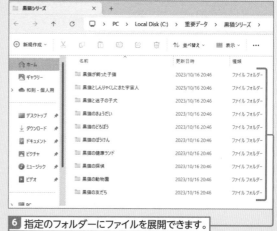

6 指定のフォルダーにファイルを展開できます。

Q226 お役立ち度 ★★★ OneDriveとクラウド

OneDriveを知りたい!

A OneDriveはクラウドストレージで
ローカルストレージと同期できるのも特徴です。

OneDriveはクラウドストレージです。インターネットの
先にあるMicrosoftのサーバーにファイルを保持する仕組
みなので、OneDriveは、いつでも・どこでも・どの媒体で
もアクセスできます(他のPCやスマートフォンからもファ
イルにアクセス可能)。

> **おトクな情報** 複数のデバイスから使える **OneDrive**
>
> PCのほかスマートフォンやタブレットなどでも、同じ
> MicrosoftアカウントでサインインすればOneDriveの
> クラウドストレージ上のファイルにアクセスすることがで
> きます。つまり、OneDriveで同期するPCのドキュメ
> ントやデスクトップ上のファイルは、スマートフォンから
> でも参照可能です。
> また、OneDriveアプリで許可すれば、スマートフォン
> のカメラで撮影した写真を自動同期してPCで参照する
> こともできます。

どの媒体でも扱えるOneDrive

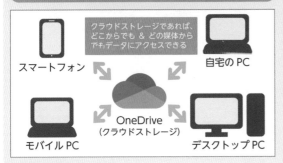

オフラインでも利用できるOneDrive

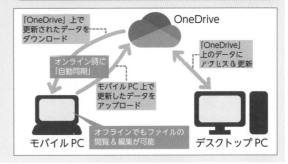

Q227 お役立ち度 ★★★ OneDriveとクラウド

エクスプローラーから
OneDriveにアクセスするには?

A ナビゲーションウィンドウからアクセスします。

エクスプローラーからOneDriveにアクセスするには、ナ
ビゲーションウィンドウの「[名前] - 個人用」をクリックし
ます(個人用OneDriveを利用している場合)。
また、OneDriveの設定において「ドキュメント」「デス
クトップ」などをバックアップ指定しているのであれば
(**Q234**)、クラウドストレージであることを意識せずに
「ドキュメント」「デスクトップ」に普通にアクセスしている
状態でも、OneDriveにアクセスしていることになります
(OneDriveのクラウドストレージと該当ローカルフォル
ダーが同期しているため)。
なお、OneDriveはクラウドストレージであるため、「Web
ブラウザー」からOneDriveにアクセスすることも可能で
す(**Q235**)。

関連 Q234 OneDrive のバックアップ指定
関連 Q235 OneDrive のオンライン表示

1 ナビゲーションウィンド
ウの「[名前]-個人用」を
クリックします。

Microsoft 365などビジネス
用のストレージを利用している
場合は表記が異なります。

2 エクスプローラーからOneDriveにアクセスできます。

Q228 お役立ち度 ★★★ OneDriveとクラウド

ファイルの同期状態を確認するには？

A 「状態」欄で確認できます。

OneDriveのクラウドストレージはローカルストレージ（PC上に実在するファイル／フォルダー）と同期する構造にありますが、ファイル／フォルダーの同期状態は、エクスプローラーのアイコン表示におけるファイル名の先頭、詳細表示における「状態」欄のアイコンで確認できます。各アイコンの意味は、右記のようになります。

[絵本]黒猫のぼうけんEPUB
実体がクラウドストレージに存在するファイル／フォルダーになります。

[既刊]カバー画像
PC上に存在してクラウドと自動同期されるファイル／フォルダーになります。

[既刊]カバー画像 - コピー

橋下.gif
PC上に存在するファイル／フォルダーになります。

港.mp4
クラウドストレージとPC上で同期中のファイル／フォルダーになります。

Q229 お役立ち度 ★★★ OneDriveとクラウド

OneDriveの設定にアクセスするには？

A 通知領域のOneDriveからアクセスします。

OneDriveの設定を開いて、OneDriveのバックアップや利用可能フォルダーなどを設定するには、通知領域の「OneDrive」アイコンをクリックします。「ヘルプと設定」（歯車アイコン）をクリックして、メニューから「設定」をクリックします。

エクスプローラーのナビゲーションウィンドウの「[名前] - 個人用」を右クリックして、ショートカットメニューから「OneDrive」→「設定」でも、OneDriveの設定にアクセス可能です。

1 通知領域の「OneDrive」アイコンをクリックします。

2 「ヘルプと設定」アイコンをクリックして、

3 メニューから「設定」をクリックします。

4 OneDriveの設定にアクセスできます。

Q230 お役立ち度 ★★★ OneDriveとクラウド

OneDriveのクラウドストレージにあるファイルをPCに保持するには?

A ファイル／フォルダーで「このデバイス上に常に保持する」を適用します。

OneDriveの既定では、クラウドストレージ上のファイルははじめて開いたときにPCにダウンロードする仕様です（ファイルオンデマンド、なお以前のバージョンから引き継いでいる場合は既定は異なる）。

OneDrive上のファイル／フォルダーを常にPC上にも保持しておきたい場合は、該当ファイル／フォルダーを右クリックして、ショートカットメニューから「このデバイス上に常に保持する」を選択します。これにより、常にPC上に保持されるようになるため、該当ファイル／フォルダーはローカルドライブにあるファイルと同じように扱うことができます（ファイルを更新した場合はインターネット接続時に自動同期される）。

1 該当ファイル／フォルダーを右クリックして、

2 ショートカットメニューから「このデバイス上に常に保持する」を選択します。

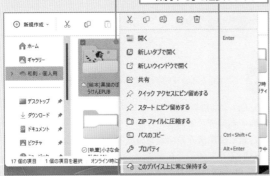

3 同期処理が行われます。

4 OneDrive上に存在するファイル／フォルダーをPC上に保持できます。

おトクな情報 すべてのファイルをPCに保持したい場合

OneDrive上のすべてのファイルをPC上で完全に保持しておきたい場合は、個別に設定するのではなくOneDriveの詳細設定から「すべてのファイルをダウンロードする」を適用します（Q232）。

Q231 お役立ち度 ★★★ OneDriveとクラウド

OneDriveの任意のファイルをクラウドストレージのみで保持するには?

A ファイル／フォルダーで「空き領域を増やす」を適用します。

すでにPCにダウンロードされているOneDriveのファイルをクラウドストレージのみで保持するには、該当ファイル／フォルダーを右クリックして、ショートカットメニューから「空き領域を増やす」を選択します。文字通りPCのストレージの空き容量を増やすことができます。

1 同期されているファイル／フォルダーを右クリックして、

2 ショートカットメニューから「空き領域を増やす」を選択します。

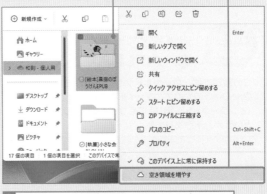

3 PCのストレージの空き容量を増やすことができます。

該当ファイル／フォルダーはOneDriveのクラウドストレージのみに保持されます。

ファイルにアクセスするにはインターネット接続が必要になります。

おトクな情報 クラウドストレージの使い方のコツ

基本的に小さなファイルに対して、この設定を適用してもストレージの空き容量を効果的に確保できるわけではないため、サイズが大きいフォルダーに対して適用するのが効果的です。また、PCのローカルストレージの空き容量に特に不足を感じていない場合は、必要のない操作になります。

Q232 お役立ち度 ★★★ OneDriveとクラウド

OneDriveのクラウドストレージにあるファイルのすべてをPCに保持するには?

A 「すべてのファイルをダウンロードする」を有効にします。

OneDriveの既定では、クラウドストレージのファイルをPC上にすべて置かない仕様ですが(利用する段階でダウンロードする)、すべてのファイルをPCと同期して利用するには、OneDriveの設定の「同期とバックアップ」から「詳細設定」をクリックします。「ファイルオンデマンド」欄から「すべてのファイルをダウンロードする」をクリックします。「すべてのファイルをダウンロードする」のメッセージを確認したうえで、「続ける」をクリックすればすべてのファイルを同期して利用できます。

おトクな情報 オフラインでもファイルを利用できる

この設定では、ローカルドライブ(PCのストレージ)にOneDriveのすべてのファイルを置くので、オフライン(インターネット未接続)でもファイルにアクセスできるというメリットがあります。

1 OneDriveの設定を開きます(**Q229**)。

2 「同期とバックアップ」から「詳細設定」をクリックします。

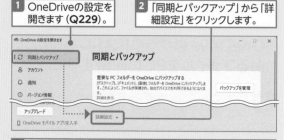

3 「ファイルオンデマンド」欄から「すべてのファイルをダウンロードする」をクリックします。

OneDriveのバージョンによって設定の詳細は異なります。

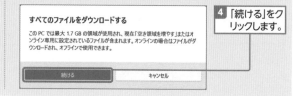

4 「続ける」をクリックします。

Q233 お役立ち度 ★★★ OneDriveとクラウド

OneDriveの全容量と使用済み容量を確認するには?

A OneDriveの設定から確認できます。

OneDriveは無料で利用できるクラウドストレージですが、無料で利用できる容量には制限があります。OneDriveの全容量と使用済みの容量を確認するには、OneDriveの設定(**Q229**)で確認できます。

なお、OneDriveは無料で利用できる容量は5GBですが(過去にキャンペーンを適用している場合は除く)、OneDriveの容量を増やしたい場合は、OneDriveの設定から「アップグレード」をクリックして、ウィザードに従います(有料プラン)。

1 OneDriveの設定を開きます(**Q229**)。

2 OneDriveの全容量と使用済み容量を確認できます。

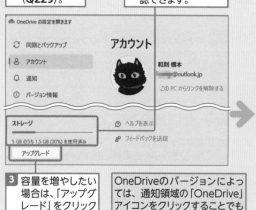

3 容量を増やしたい場合は、「アップグレード」をクリックします。

OneDriveのバージョンによっては、通知領域の「OneDrive」アイコンをクリックすることでも確認できます。

4 アップグレードにおける各有料プランのクラウドストレージ容量や料金を確認できます。

Q234 お役立ち度 ★★★ OneDriveとクラウド

OneDriveでローカルストレージと同期するフォルダーを指定するは?

A OneDriveの設定でバックアップを管理します。

OneDriveのクラウドストレージとPC上との同期において、バックアップするフォルダー(「バックアップ」と称されるが、クラウドストレージとローカルストレージ間で同期するフォルダー)を指定するには、OneDriveの設定を開いて(Q229)、「同期とバックアップ」から「バックアップを管理」をクリックします。「ドキュメント」「写真」「デスクトップ」など、任意にバックアップ(同期)したいPCのフォルダーをオンにします。

なお、OneDriveは無料で利用できる容量は5GBであるため、将来的な増量も加味してOneDriveの容量以上に同期しないように留意します(特に「写真」「ビデオ」の総容量に注意)。

1 OneDriveの設定を開きます(Q229)。 **2** 「同期とバックアップ」から「バックアップを管理」をクリックします。

3 「ドキュメント」「写真」「デスクトップ」など、任意にバックアップ(同期)したいPCのフォルダーをオンにします。

「写真(ピクチャ)」「ミュージック」「ビデオ」などをバックアップするには、総容量に応じたOneDriveの容量が必要になります。

OneDriveの機能は更新されます。詳細な設定や機能はバージョンによって異なります。

Q235 お役立ち度 ★★★ OneDriveとクラウド

OneDriveをWebブラウザーで操作するには?

A OneDriveをオンラインで表示します。

OneDriveはクラウドストレージであるため、Webブラウザーからファイルにアクセスすることが可能です。
Webブラウザーで OneDriveにアクセスするには、通知領域の「OneDrive」アイコンをクリックして、「オンラインで表示」を選択します。あるいは Webブラウザーのアドレスバーから「https://onedrive.live.com/」にアクセスしてもかまいません。「サインイン」が要求された場合は、今利用している Microsoftアカウントで認証を行うようにします。Webブラウザー上で「OneDrive」のファイルにアクセスできます。

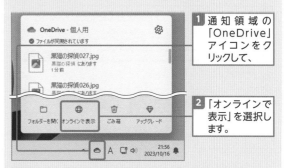

1 通知領域の「OneDrive」アイコンをクリックして、

2 「オンラインで表示」を選択します。

3 「サインイン」が要求された場合は、今利用しているMicrosoftアカウントで認証を行うようにします。

4 Webブラウザー上で「OneDrive」のファイルにアクセスできます。

Q236　お役立ち度 ★★★　OneDriveとクラウド

OneDriveのごみ箱から
ファイルを復元するには?

A オンラインで表示したOneDriveから
ごみ箱を選択します。

OneDrive上で消してしまったファイル(エクスプローラー操作でOneDrive上のファイルを消してしまった場合も含む)を復元するには、OneDriveをオンラインで表示し、「≡」をクリックして、メニューから「ごみ箱」をクリックします。OneDriveのごみ箱の内容が表示されます。任意のファイルを復元するには、ファイルを右クリックして、ショートカットメニューから「復元」を選択します。また、複数のファイルを復元するには、該当ファイルをチェックしたうえで、表示の上部にある「復元」をクリックします。

関連　Q235 OneDriveのオンライン表示

1 OneDriveをオンラインで表示します(**Q235**)。

2 「≡」をクリックします。｜ Webブラウザーの表示サイズによっては、この操作は必要ありません。

3 メニューから「ごみ箱」をクリックします。

4 ファイルを右クリックして、

5 ショートカットメニューから「復元」を選択します。

6 OneDriveのごみ箱からファイルを復元できます。

Q237　お役立ち度 ★★★　OneDriveとクラウド

ファイルを他者と共有するには?

1 エクスプローラーで共有するファイル/フォルダーを右クリックして、

2 ショートカットメニューから「OneDrive」→「リンクのコピー」を選択します。

A ファイルのリンクをコピーして
相手に教えます。

OneDriveはクラウドストレージなので、ファイル/フォルダーはインターネットの先にあるサーバーに保持されます。このファイル/フォルダーを他者と共有したいのであれば、エクスプローラーからOneDrive上のファイル/フォルダーを右クリックして、ショートカットメニューから「OneDrive」→「リンクのコピー」を選択します。表示されたリンクはクリップボードにコピーされているため、このリンクをメールやメッセージで相手に伝えます。

相手は、このリンクをクリックするだけでWebブラウザーで該当ファイル/フォルダーにアクセスできます。

リンクをクリックすると、Webブラウザーで該当ファイルにアクセスできます。

3 表示されたリンクはクリップボードにコピーされます。

4 リンクをメールやメッセージで相手に伝えます。

第7章

日本語入力を
マスターする

Windows 11を利用している限り必要になるのが日本語入力です。本章では、Microsoft IMEの入力・変換のほか、記号・住所・英単語・絵文字などを簡単に入力するテクニック、ユーザー辞書やクリップボードの履歴の活用、タッチキーボードによるタッチ入力などについて解説します。

Q238 お役立ち度 ★★★ Microsoft IMEの基本

日本語入力をオンにするには?

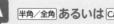

A 半角/全角 あるいは CapsLock を押します。

英数字入力と日本語入力を切り替えたい場合は、キーボードの 半角/全角 で行います。通知領域の入力インジケーターが「あ」になっていれば日本語入力、「A」の場合は英数字入力です。

ちなみに、Caps Lock でも同様の操作が可能です。キーボードのホームポジションに指を置いた際、半角/全角 よりも Caps Lock のほうが近いので、このキーを活用してもよいでしょう。

このほか、通知領域の入力インジケーターを右クリックして、直接モードを指定することもできます(**Q242**)。

1 キーボードの 半角/全角 を押します。

Caps Lock でも可能です。

2 「A」が「あ」になり、日本語入力がオンになります。

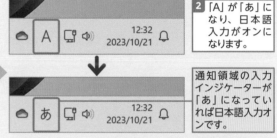

通知領域の入力インジケーターが「あ」になっていれば日本語入力オンです。

半角/全角 / Caps Lock ともに押すごとに、「日本語入力オン(「あ」)/オフ(「A」)」が切り替わります。

Q239 お役立ち度 ★★★ Microsoft IMEの基本

入力文字列をカタカナ/ひらがなに変換するには?

A ファンクションキーで変換します。

日本語入力オンの状態で「ひらがな」で入力を行った際に、対象の文字列(文節)をカタカナにするには F7 を押します。またひらがなにするには F6 を押します。

このほか、半角は F8、全角英数字は F9、半角英数字は F10 で変換できます。

1 日本語入力オンで入力して、F7 を押します。

はしもとじょうほうせんりゃくきかく

2 入力文字列をカタカナに変換できます。

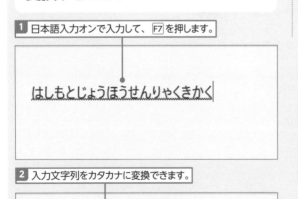

ハシモトジョウホウセンリャクキカク

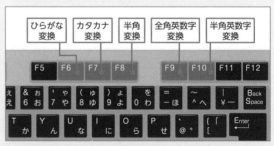

●ファンクションキーによる変換

F6	ひらがな変換
F7	カタカナ変換
F8	半角変換
F9	全角英数字変換
F10	半角英数字変換

Q240 お役立ち度 ★★★ Microsoft IMEの基本

カタカナ／ひらがな変換で
ファンクションキーを使いたくない!

A Ctrl + I などのショートカットキーで
変換します。

カタカナ／ひらがなに変換する際、F7 / F6 などのファンクションキーを利用しますが、ノートPCではキーボードの設定によって、Fn を押しながらの操作になります。
Fn の状態に限らずにカタカナ／ひらがなに変換するには、ショートカットキー Ctrl + I / Ctrl + U が便利です。
このほか、半角変換は Ctrl + O、全角英数字変換は Ctrl + P で実現できます。

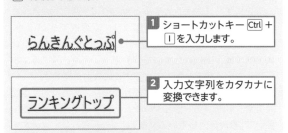

1 ショートカットキー Ctrl + I を入力します。

2 入力文字列をカタカナに変換できます。

● **ショートカットキーによる変換**

Ctrl + U （F6）	ひらがな変換
Ctrl + I （F7）	カタカナ変換
Ctrl + O （F8）	半角変換
Ctrl + P （F9）	全角英数字変換

Q242 お役立ち度 ★★★ Microsoft IMEの基本

カタカナ／全角英数字などを
直接入力するには?

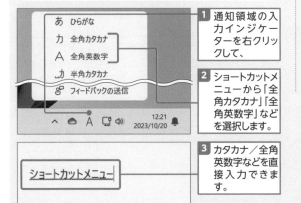

1 通知領域の入力インジケーターを右クリックして、

2 ショートカットメニューから「全角カタカナ」「全角英数字」などを選択します。

3 カタカナ／全角英数字などを直接入力できます。

Q241 お役立ち度 ★★★ Microsoft IMEの基本

日本語で入力してしまった文字列を
半角英数字に変換するには?

A Ctrl + T / F10 で変換できます。

本来半角英数字（日本語入力オフ）で入力すべき英単語を日本語入力オンのまま入力してしまった場合は、ショートカットキー Ctrl + T / F10 で半角英数字に変換できます。
また、このショートカットキーはトグル（同じ操作を繰り返して状態を切り替える機能）に対応しており、例えば「microsoft」であれば、未確定状態で Ctrl + T を押すごとに「microsoft」→「MICROSOFT」→「Microsoft」という形で変換できます。

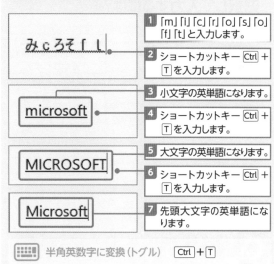

1 「m」「i」「c」「r」「o」「s」「o」「f」「t」と入力します。

2 ショートカットキー Ctrl + T を入力します。

3 小文字の英単語になります。

4 ショートカットキー Ctrl + T を入力します。

5 大文字の英単語になります。

6 ショートカットキー Ctrl + T を入力します。

7 先頭大文字の英単語になります。

半角英数字に変換（トグル） Ctrl + T

A 入力インジケーターから直接指定します。

日本語入力オンで「ひらがな」で入力した文字列をカタカナ／全角英数字などに変換する方法はQ239で解説しましたが、最初からカタカナ／全角英数字などで入力するには、通知領域の入力インジケーターを右クリックして、ショートカットメニューから「全角カタカナ」「全角英数字」などを選択してから文字入力を開始します。

> **おトクな情報** 「変換」キーのショートカットメニュー
>
> キーボードに 変換 がある場合は、日本語入力オンの状態でショートカットキー Ctrl + 変換 で素早くMicrosoft IMEショートカットメニューを表示できます。

Q243 お役立ち度 ★★★ Microsoft IMEの基本

小さな「ヵ」「ヶ」などを入力するには?

●各文字の入力例

「ぁ」	LA	「ヴ」	VU
「ヵ」	LKA	「ゐ」	WYI
「ヶ」	LKE	「ゑ」	WYE

A 入力の際に先頭に「L」(Little)を付加します。

文字を入力する際、「一ヵ所」「つつじヶ丘」などのカタカナの「カ」「ケ」を小さくしたもの、あるいは「ぁ」「ぃ」「ぅ」「ぇ」「ぉ」などは、通常のローマ字読みの前に「L」(「X」でも可)を入力するようにします。

また、「ヴァイオレット」の「ウに濁点」は「VU」、「ゐ」「ゑ」は通常のローマ字読みの前に「WY」を付けて入力します（左表参照）。

Q244 お役立ち度 ★★★ Microsoft IMEの入力・変換

予測候補機能で表示された候補を選択して入力するには?

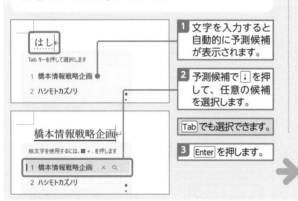

1 文字を入力すると自動的に予測候補が表示されます。

2 予測候補で↓を押して、任意の候補を選択します。

Tab でも選択できます。

3 Enter を押します。

A カーソルキーで選択するほか、Tab でも選択できます。

Windows 11のMicrosoft IMEは標準で予測入力に対応しています。文字を入力すると自動的に予測候補が表示されますが、任意の予測候補は↓↑で選択できるほか、Tab でも選択できます。ちなみに、Tab／↓を押した後に予測候補が選択されている状態では、予測候補の左に表示されている数字を押すことですぐに入力可能です。

なお、予測入力機能は非常に優れた機能である反面、画面共有やプレゼンテーション時など人に画面を見せる場面において「普段入力している文字列」が表示されてしまいますが、このような場面で予測入力機能を停止するには**Q260**の設定を適用します。

4 予測候補から文字を入力できます。

橋本情報戦略企画

Q245 お役立ち度 ★★★ Microsoft IMEの入力・変換

入力文字列を任意に変換して単語を入力するには?

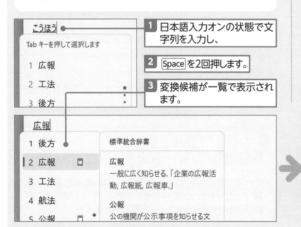

1 日本語入力オンの状態で文字列を入力し、

2 Space を2回押します。

3 変換候補が一覧で表示されます。

A 日本語入力オンの状態で文字を入力して Space で変換します。

日本語入力オンの状態で文字を入力すると、予測入力機能による「予測候補」が表示されますが、これはあくまでも予測です。任意に変換を行うには文字列を入力した後に Space を2回押せば「変換候補」を表示できます。変換候補から Space／↓で任意の単語を選択でき、Enter で入力できます。

なお、変換候補から効率的に選択するには、変換候補の左に表示されている数字を押すことで Space や↓を連打せずに素早く入力できます。

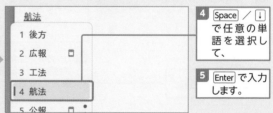

4 Space／↓で任意の単語を選択して、

5 Enter で入力します。

Q246 お役立ち度 ★★★★ Microsoft IMEの入力・変換

変換候補を拡張して一覧表示するには?

A 変換候補が表示されている状態で Tab を押します。

日本語入力オンの状態で文字列を入力して、Space を2回押すと変換候補が表示されます。この中に目的の候補が存在しない場合は、Space を連打することで次の変換候補を表示できますが、変換候補を拡張表示して一覧から選択するには Tab を押します。

目的の候補がなかなか表示されない、あるいは記号などを一覧から選択したい場合に便利な機能です。

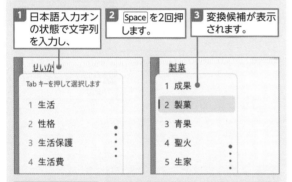

1 日本語入力オンの状態で文字列を入力し、 **2** Space を2回押します。 **3** 変換候補が表示されます。

4 Tab を押します。 **5** 変換候補を拡張して一覧表示できます。

⌨ 変換候補の一覧表示 Tab

Q248 お役立ち度 ★★★★ Microsoft IMEの入力・変換

スペルのわからない英単語を入力するには?

1 日本語入力オンのまま「カタカナ読み」で英単語を入力します。

インフラ

Q247 お役立ち度 ★★★★ Microsoft IMEの入力・変換

同音異義語の意味を確認するには?

A 変換候補一覧で同音異義語の辞書を参照します。

日本語は同音異義語が多く、場面によって漢字を使い分ける必要がありますが変換中に「どの漢字が正しい表記なのか」を迷うことがあります。このような場合は、変換候補表示状態で「辞書マーク（▯）のある単語」を選択することで、同音異義語の意味と違いを知ることができます。

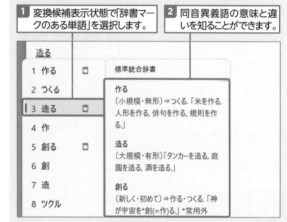

1 変換候補表示状態で「辞書マークのある単語」を選択します。 **2** 同音異義語の意味と違いを知ることができます。

A 英単語のカタカナ読みで入力して変換します。

ビジネス文書などでは英単語を入力しなければならない場面もありますが、英単語を間違えずに入力するのはなかなか大変です。このような場面で英単語のスペルを正確に入力するには、日本語入力オンのまま「カタカナ読み」で単語を入力して変換できます。「マイクロソフト」(Microsoft)「グーグル」(Google)などの有名企業名を入力できることはもちろん、ビジネス単語である「アポイントメント」(appointment)「インフラ」(Infrastructure)なども、カタカナ読みを入れて変換するだけで正確に入力ができます。

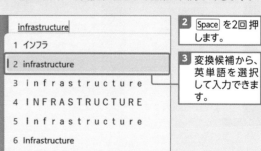

2 Space を2回押します。 **3** 変換候補から、英単語を選択して入力できます。

Q249

お役立ち度 ★★★　Microsoft IMEの入力・変換

日本語入力中に「全角スペース」「半角スペース」を入力するには?

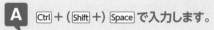

A Ctrl + (Shift +) Space で入力します。

日本語入力オンの状態で文字列を入力している際に「全角スペース」や「半角スペース」を入力したくても、Space を押すと「変換」になってしまいます。

日本語入力中の変換確定前であっても全角スペースを入力したい場合は Ctrl + Shift + Space 、半角スペースを入力したい場合は Ctrl + Space を押します。

全角スペース

はしもと|

1 Ctrl + Shift + Space を入力します。

はしもと　

2 全角スペースを入力できます。

はしもと　かずのり|

3 続けて単語を入力します。

半角スペース

はしもと|

1 Ctrl + Space を入力します。

はしもと |

2 半角スペースを入力できます。

はしもと かずのり

3 続けて単語を入力します。

Q250

お役立ち度 ★★★　Microsoft IMEの入力・変換

IMEパッドを利用するには?

A 入力インジケーターを右クリックして「IMEパッド」を選択します。

手書き入力・ソフトキーボード入力・総画数や部首で漢字を入力できる「IMEパッド」を利用するには、通知領域の入力インジケーターを右クリックして、ショートカットメニューから「IMEパッド」を選択します。ショートカットキーであれば Ctrl + 変換 → P で素早くIMEパッドを表示できます(一部PCを除く)。

「IMEパッド」を開く(一部PCを除く) Ctrl + 変換 → P

1 通知領域の入力インジケーターを右クリックして、

2 ショートカットメニューから「IMEパッド」を選択します。

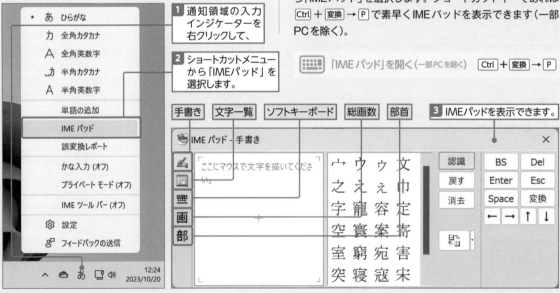

手書き　文字一覧　ソフトキーボード　総画数　部首

3 IMEパッドを表示できます。

Q251 お役立ち度 ★★★ Microsoft IMEの入力・変換

読めない漢字を入力するには?

A 「IMEパッド」の「手書き」でドラッグして描画します。

Microsoft IMEの一般的な入力方法では「ひらがな」を漢字に変換するため、いわゆる「読めない漢字」を入力するのは難しいのですが、こんなときに役立つのが「手書き」です。「IMEパッド」(**Q250**)を表示して、「手書き」をクリックします。描画欄にドラッグして漢字を手書きすると、漢字が絞り込み表示されるので、目的の漢字が見つかったらクリックして入力します。

1 「IMEパッド」(**Q250**)を表示して、「手書き」をクリックします。

2 描画欄にドラッグして漢字を手書きすると、

3 漢字が絞り込み表示されるので、目的の漢字が見つかったらクリックします。

4 読めない漢字を入力できます。

漢字の「読み」も確認できます。

おトクな情報 **旧字体の入力にも使える**

「IMEパッド」の「手書き」は、旧字体など通常の変換候補に出てこない漢字の入力にも活用できます。

Q252 お役立ち度 ★★★ Microsoft IMEの入力・変換

漢字を部首引きするには?

A 「IMEパッド」の「部首」で画数を指定します。

読めない漢字、あるいは変換候補から見つけにくい漢字は部首引きするのも手です。
「IMEパッド」(**Q250**)を表示して、「部首」をクリックします。「部首画数」ドロップダウンから「画数」を選択して、漢字に該当する部首を選び、一覧から目的の漢字をクリックすれば入力できます。

1 「IMEパッド」(**Q250**)を表示して、「部首」をクリックします。

2 「部首画数」ドロップダウンから「画数」を選択します。

3 漢字に該当する部首をクリックして、

4 一覧から目的の漢字をクリックします。

5 漢字を部首引きで入力できます。

Q253 お役立ち度★★★ Microsoft IMEの入力・変換

日本語入力中に英単語を入力するには?

A 日本語入力中の英単語の先頭で Shift +アルファベットを入力します。

日本語の文中に英単語(半角英数字)を入力したい場合、日本語入力オンにして入力→変換→確定してから、日本語入力オフにして英単語を入力、再び日本語入力オンにして入力→変換→確定……という手順は面倒です。

このような和欧混在文章入力を行う場合は、入力中に Shift を活用します。例えば「新しいWindowsの機能」であれば、「あたらしい」と入力した後、Shift + W を入力します。半角大文字の「W」が入力できるのでそのまま「indows」と入力して、Shift を押して入力を戻し、「のきのう」と入力してから変換を行います。

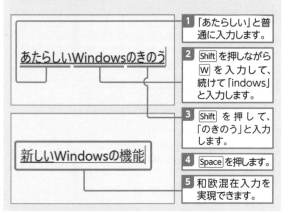

1 「あたらしい」と普通に入力します。
2 Shift を押しながら W を入力して、続けて「indows」と入力します。
3 Shift を押して、「のきのう」と入力します。
4 Space を押します。
5 和欧混在入力を実現できます。

Q254 お役立ち度★★★ Microsoft IMEの入力・変換

記号を一覧から選んで入力するには?

A 「きごう」と入力して変換します。

「◎」「※」などの記号を入力したい場合、操作に迷うものですが、一番シンプルなのが「きごう」と入力して変換する方法です。日本語入力をオンにして「きごう」と入力し、Space を2回押すと、多数の記号を候補から選択できます。Tab で候補を拡張表示すると探しやすいでしょう。なお、「絵文字パネル」を利用するのも手です。

関連 Q255 絵文字パネルの表示

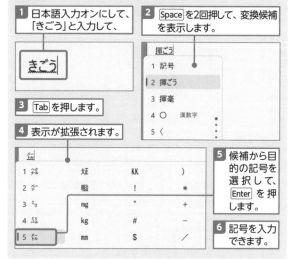

1 日本語入力オンにして、「きごう」と入力して、
2 Space を2回押して、変換候補を表示します。
3 Tab を押します。
4 表示が拡張されます。
5 候補から目的の記号を選択して、Enter を押します。
6 記号を入力できます。

Q255 お役立ち度★★★ Microsoft IMEの入力・変換

絵文字を入力するには?

A 絵文字パネルを表示します。

Windows 11では、絵文字を簡単に入力できる「絵文字パネル」をショートカットキー ■ + . で表示できます。「絵文字パネル」から任意の絵文字をクリックすれば、該当の絵文字を入力できます。また、絵文字パネル上部から「記号」(※)をクリックすれば記号の一覧を表示できるので、ここから記号を入力することもできます。

1 ショートカットキー ■ + . を入力します。
2 「絵文字パネル」から任意の絵文字をクリックします。
3 絵文字を入力できます。

「絵文字パネル」を開く ■ + .

Q256 お役立ち度 ★★★ Microsoft IMEの入力・変換

文字コード表から記号を入力するには?

A 「文字コード表」を単独起動します。

「文字コード表」では記号などの文字を一覧から選択して入力できます。[スタート]メニューの「すべてのアプリ」から「Windowsツール」を開き、「文字コード表」をダブルクリッ

クします。文字コード表の「フォント」で任意の日本語フォント(MS Pゴシックなど)を選択して、任意の記号をクリックすれば、「コピーする文字」欄に入力されるので、「コピー」をクリックしてから、アプリ上で「貼り付け」(Ctrl + V)すれば入力できます。

1 [スタート]メニューの「すべてのアプリ」から「Windowsツール」をクリックします。

2 「文字コード表」をダブルクリックします。

3 文字コード表の「フォント」から任意の日本語フォント(MS Pゴシックなど)を選択して、

4 任意の記号をダブルクリックします。

5 「コピーする文字」に記号が入力されます。

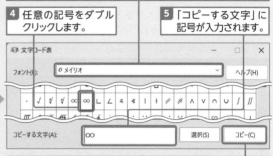

「コピー」をクリックすれば、クリップボードに文字が保存され、任意のアプリに貼り付けることができます。

Q257 お役立ち度 ★★★ Microsoft IMEの入力・変換

日本語入力で確定済みの文字を再変換するには?

A 編集できるアプリの上で再変換します。

日本語入力で確定済みの文字であっても、Microsoft IMEでは再変換が可能です。編集できるアプリ(Wordやメモ帳など)の上で再変換をしたい文字にカーソルを合わせて変換を押せば再変換できます。確定済みの文字を再変換することで、同音異義語などの漢字の間違いを修正できるほ

か、正しい漢字であれば「漢字の読みを確認する」のにも活用できます。

1 再変換をしたい漢字にカーソルを合わせて、

2 変換を押します。

3 確定済みの日本語入力を再変換できます。

単語にカーソルがある状態で、右クリックから再変換できるアプリもあります。

Q258 お役立ち度 ★★★ Microsoft IMEの入力・変換

住所を素早く正確に入力するには?

A 7桁の郵便番号を入力して変換します。

各都道府県の住所を素早く正確に入力するには、住所を手入力せずに郵便番号辞書を利用するとよいでしょう。Windows 11のMicrosoft IMEでは標準で郵便番号辞書が有効になっているので、郵便番号を「[3桁]-(ハイフン)[4桁]」という形で入力して変換すれば、該当の住所を入力できます。

1 郵便番号を「[3桁]-(ハイフン)[4桁]」という形で入力します。

2 Space を2回押します。

3 目的の住所を選択して、Enter を押します。

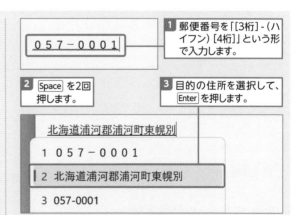

4 住所を素早く正確に入力できます。

Q259 お役立ち度 ★★★ Microsoft IMEのカスタマイズ

Microsoft IMEの設定を行うには?

A 入力インジケーターを右クリックして「設定」を選択します。

Microsoft IMEでは予測入力や入力履歴による学習を行いますが、これらの設定を行いたい場合は、通知領域の入力インジケーターを右クリックして、ショートカットメニューから「設定」を選択します。

なお、変換のあるキーボードであれば日本語入力オンの状態でショートカットキー Ctrl + 変換 → S で素早くMicrosoft IMEの設定にアクセスできます。

1 通知領域の入力インジケーターを右クリックして、
2 ショートカットメニューから「設定」を選択します。
3 Microsoft IMEの設定画面を表示できます。

Microsoft IMEの設定画面
Ctrl + 変換 → S

Q260 お役立ち度 ★★★ Microsoft IMEのカスタマイズ

「予測入力」が邪魔で利用したくない!

A 予測入力の機能を停止します。

Microsoft IMEの予測入力は、1文字入力するだけで予測入力機能による予測候補が表示される仕様で、以後入力する文字列に従って予測候補表示が自動的に更新されます。

この予測入力機能は多くの場面で文字入力の時短に役立ちますが、人前でPCを利用する場面では今までの入力した文字(チャットで使用しただけた表現など)が表示されるため不都合が起こりうることや、俗語やネットスラングを予測候補として表示することもあります。

これらの特性を考慮して、予測入力機能を停止したい場合は、Microsoft IMEの設定(Q259)から「全般」を開いて、「予測入力を表示するまでの文字数を選択」のドロップダウンから「オフ」を選択します。

関連 Q244 予測入力

1 Microsoft IMEの設定(Q259)から「全般」をクリックします。

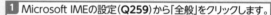

2 「予測入力を表示するまでの文字数を選択」のドロップダウンから「オフ」を選択します。

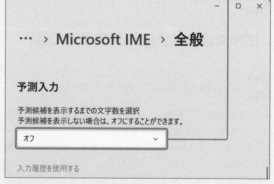

3 予測入力の機能を停止できます。

261 お役立ち度 ★★★ Microsoft IMEのカスタマイズ

候補として一時的に登録されないようにする!

A 「プライベート モード」を利用します。

Microsoft IMEはユーザーの入力情報に従って自動的に学習する仕様です。つまり、以前入力した単語などが予測入力候補や変換候補に表示される仕様なのですが、一時的に学習を停止したい(これから入力する内容を覚えさせたくない)場合は、通知領域の入力インジケーターを右クリックして、ショートカットメニューから「プライベートモード」を選択します。Microsoft IMEが「プライベートモード」になり、このモードでの入力変換は学習を行いません。

1 通知領域の入力インジケーターを右クリックして、

2 ショートカットメニューから「プライベートモード」を選択してチェックします。

3 「プライベートモード」になり、学習が行われないようになります。

262 お役立ち度 ★★★ Microsoft IMEのカスタマイズ

IMEツールバーを表示するには?

A 入力インジケーターを右クリックして設定します。

Windows 11ではデスクトップにIMEツールバーを表示しませんが、以前のWindowsのようにデスクトップにIMEツールバーを表示しておきたいという場合は、通知領域の入力インジケーターを右クリックして、ショートカットメニューから「IMEツールバー」を選択してオンにします。

● IMEツールバーの項目

あ	入力モード	ひらがな入力やカタカナ入力、英数字入力などの入力する文字種を選択できます。
IMEパッド	IMEパッド	手書き、文字一覧、総画数、部首などの特殊入力を行う際に使用します。
辞書	辞書ツール	「ユーザー辞書」「アドオン辞書」などの機能にアクセスします。
かなオフ	かな	かな入力のオン/オフを行えます。
設定	設定	IMEツールバーに表示する項目を選択、IMEの設定にアクセスできます。

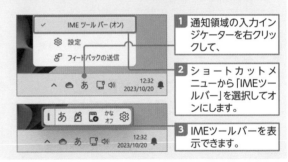

1 通知領域の入力インジケーターを右クリックして、

2 ショートカットメニューから「IMEツールバー」を選択してオンにします。

3 IMEツールバーを表示できます。

263 お役立ち度 ★★★ Microsoft IMEのカスタマイズ

ローマ字入力ではなく「かな入力」を行うには?

A 入力インジケーターから「かな入力」をオンにします。

日本語入力でローマ字入力ではなく、キーボードのキーのかな表記に従った「かな入力」を行いたい場合は、通知領域の入力インジケーターを右クリックして、ショートカットメニューから「かな入力」を選択してオンにします。

1 通知領域の入力インジケーターを右クリックして、

2 ショートカットメニューから「かな入力」を選択してオンにします。

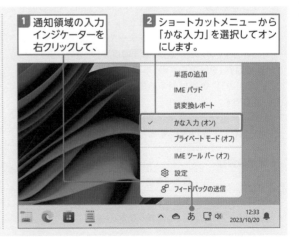

Q264

お役立ち度 ★★★　Microsoft IMEのカスタマイズ

Microsoft IMEの入力履歴を消去するには?

A 自動的に覚えた履歴を「入力履歴の消去」で消します。

Microsoft IMEはユーザーの文字入力を学習して、次回以降の自動予測候補や変換候補に入力履歴に従った候補を表示します。しかし、間違えた変換やくだけた話し言葉で登録されてしまうと、変換に困ることもあります。

自動予測候補や変換候補に表示される入力履歴を消去するには、Microsoft IMEの設定(**Q259**)から「全般」を開いて、「予測入力」欄にある「入力履歴の消去」をクリックして、「学習」欄にある「入力履歴の消去」をクリックします。

1 Microsoft IMEの設定(**Q259**)から「全般」をクリックします。

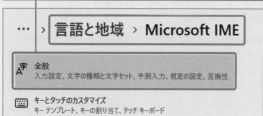

2 「予測入力」欄にある「入力履歴の消去」をクリックします。

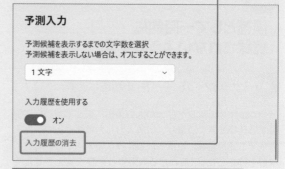

3 「学習」欄にある「入力履歴の消去」をクリックします。

4 「OK」をクリックします。

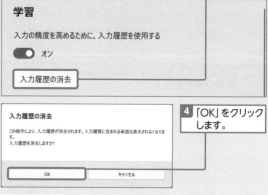

Q265

お役立ち度 ★★★　Microsoft IMEのユーザー辞書

ユーザー辞書に固有名詞などよく使う単語を登録するには?

A 「単語の追加」で単語と読みを登録します。

よく使う単語(漢字やスペルなど)はMicrosoft IMEのユーザー辞書に登録しておくと便利です。ユーザー辞書に登録するには、通知領域の入力インジケーターを右クリックして、ショートカットメニューから「単語の追加」を選択します。

「単語の登録」ダイアログの「単語」に任意の単語(変換後の文字)、「よみ」に単語に対する読みを入力して、「登録」をクリックします。

例えば、「単語」に「橋本情報戦略企画」を登録するなら、「よみ」を「はしじょう」と短くすると変換効率が上がります。

●単語の登録

単語	任意の単語
よみ	単語に対する読み(よみ)
品詞	正しい品詞を指定(任意)

1 通知領域の入力インジケーターを右クリックして、

2 ショートカットメニューから「単語の追加」を選択します。

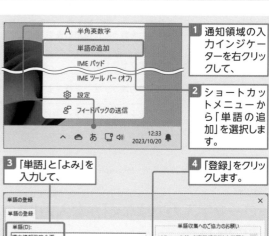

3 「単語」と「よみ」を入力して、

4 「登録」をクリックします。

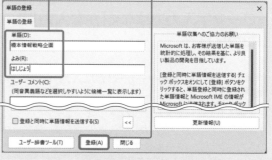

「ユーザー辞書」を開く　Ctrl + 変換 → D

Q266 お役立ち度 ★★★ Microsoft IMEのユーザー辞書

ユーザー辞書の登録内容を一覧で確認するには?

A 「ユーザー辞書ツール」で一覧表示にできます。

Microsoft IMEのユーザー辞書に登録した単語の一覧を表示するには、通知領域の入力インジケーターを右クリックして、ショートカットメニューから「単語の追加」を選択します。「単語の登録」ダイアログの「ユーザー辞書ツール」をクリックして、「Microsoft IMEユーザー辞書ツール」を開くと、登録した単語が一覧表示されます。

一覧表示された単語をダブルクリックすると登録内容を編集できるほか、メニューバーの「編集」から新規登録や削除を行うことができます。

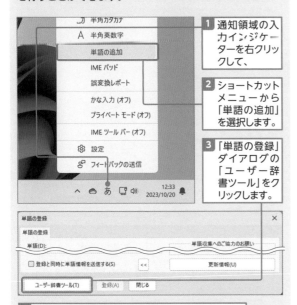

1 通知領域の入力インジケーターを右クリックして、

2 ショートカットメニューから「単語の追加」を選択します。

3 「単語の登録」ダイアログの「ユーザー辞書ツール」をクリックします。

4 「Microsoft IMEユーザー辞書ツール」を開きます。

ユーザー辞書の登録内容を一覧で確認・編集できます。

Q267 お役立ち度 ★★★ Microsoft IMEのユーザー辞書

ユーザー辞書をバックアップするには?

A 「Microsoft IME ユーザー辞書ツール」で一覧を出力します。

新しいPCにMicrosoft IMEのユーザー辞書を移行したい、あるいはビジネスシーンなどで既存のユーザー辞書を各PCで活用するには、「Microsoft IMEユーザー辞書ツール」を開いて(**Q266**)、メニューバーから「ツール」→「一覧の出力」を選択して、任意のファイル名で出力すれば、Microsoft IMEのユーザー辞書をタブ区切りのテキストファイルにエクスポートできます(インポート方法は**Q268**)。

1 「Microsoft IMEユーザー辞書ツール」を開きます(Q266)。

2 メニューバーから「ツール」→「一覧の出力」を選択します。

3 保存場所を選択して、

4 任意にファイルを命名します。

5 「保存」をクリックします。

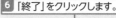

6 「終了」をクリックします。

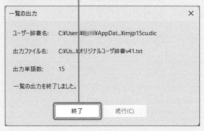

Q268 お役立ち度 ★★★ Microsoft IMEのユーザー辞書

出力した辞書ファイルを新しいPCでインポートするには?

A 新しいPCで「Microsoft IMEユーザー辞書ツール」から登録します。

Q267でエクスポートしたMicrosoft IMEのユーザー辞書のテキストファイルは、バックアップになるだけでなく、別のPCにインポートして利用できます。辞書のテキストファイルをネットワークドライブやUSBメモリなどにコピーして、新しいPCで読み込めるようにして、Q266の手順で「Microsoft IMEユーザー辞書ツール」を開きます。「Microsoft IMEユーザー辞書ツール」のメニューバーから「ツール」→「テキストファイルからの登録」で、先にエクスポートしたテキストファイルを指定すれば、Microsoft IMEのユーザー辞書に一括登録できます。

1 「Microsoft IMEユーザー辞書ツール」を開きます(Q266)。

2 メニューバーから「ツール」→「テキストファイルからの登録」を選択します。

3 先にエクスポートしたテキストファイルを指定して、「開く」をクリックします。

4 「終了」をクリックします。

5 Microsoft IMEのユーザー辞書に一括登録できます。

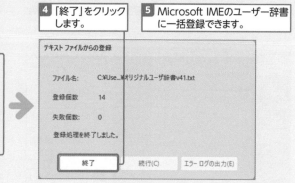

Q269 お役立ち度 ★★★ クリップボードの履歴

Web上の文字列や入力済みの文書から素早くテキストを取得するには?

A 文字列をコピーして目的のアプリで貼り付けます。

Webの情報や他の文書ファイルにあるテキストなどは、コピー&ペースト(貼り付け)で簡単に他のアプリで活用できます。例えば、Webにあるテキストを文書編集アプリで活用するには、コピーしたい文章を選択し、右クリックしてショートカットメニューから「コピー」を選択します。この後、文字編集アプリの任意の位置で右クリックしてショートカットメニューから「貼り付け」を選択します。

1 Web上の任意の文書を選択して、

2 右クリックしてショートカットメニューから「コピー」を選択します。

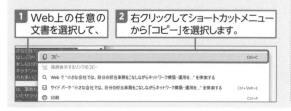

3 文書編集アプリで任意のカーソル位置に移動します。

4 右クリックしてショートカットメニューから「貼り付け」を選択します。

5 Web上の文書をアプリにコピー&ペーストできます。

ここでは文書編集アプリとして「メモ帳」を利用しています。「Word」などでもOKです。

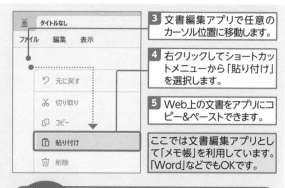

おトクな情報 コピーできるデータの種類

ここでは文書(テキスト)を例にとっていますが、書式付文字列・画像・図形などもコピー&ペーストできます(アプリが書式や画像を扱える場合)。

コピー [Ctrl]+[C]

貼り付け [Ctrl]+[V]

Q270 お役立ち度 ★★★ クリップボードの履歴

コピーした内容を
履歴的に活用するには?

A 「クリップボードの履歴」を有効にします。

コピーした内容はクリップボードで保持されます。既定で保持できるのは1つだけですが、「クリップボードの履歴」を有効にすれば、コピーした内容を複数保持することができます。「クリップボードの履歴」を有効にするには、「設定」画面から「システム」→「クリップボード」を開いて、「クリップボードの履歴」をオンにします。

以後、Ctrl + C などでコピーした内容は、クリップボードの履歴に保存されます。

1 「設定」画面（ ⊞ + I ）を開きます（**Q017**）。

2 「設定」画面から「システム」→
「クリップボード」を開いて、

3 「クリップボードの履歴」を
オンにします。

システム ＞ クリップボード

| 📋 | クリップボードの履歴
複数の項目をクリップボードに保存します — Windows ロゴ キー ⊞ + V キーを
押してクリップボードの履歴を表示し、その中から貼り付けます。 | オン ⬤ |

Q271 お役立ち度 ★★★ クリップボードの履歴

クリップボードの任意の履歴を
ペーストするには?

A 貼り付けたい場所で ⊞ + V を入力し、
一覧から選択します。

「クリップボードの履歴」を有効にすれば（**Q270**）、コピーした内容はPC内のクリップボードに履歴として保存されます。アプリでクリップボードの履歴からペーストするには、貼り付けたい場所で ⊞ + V を入力します。「クリップボードの履歴」が表示されるので、任意のコピーした履歴をクリックすれば、ペーストできます。

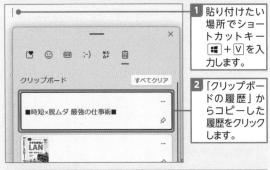

1 貼り付けたい
場所でショー
トカットキー
⊞ + V を入
力します。

2 「クリップボー
ドの履歴」か
らコピーした
履歴をクリック
します。

コピーした履歴をカーソルキーで選択して Enter を押しても貼り付けることが可能です。

3 選択したコピー内容をペーストできます。

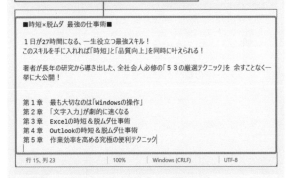

⌨ 「クリップボードの履歴」を開く ⊞ + V

Q272 お役立ち度 ★★★ クリップボードの履歴

クリップボードの履歴でよく使う内容
をいつでも使えるようにするには?

A クリップボードの履歴でピン留めします。

クリップボードの履歴は ⊞ + V で素早く呼び出して貼り付けることができますが、コピーした履歴が保持されるのはPCが起動中のときのみで、再起動やシャットダウンを行うと履歴は消去されます。よく使う文章（フレーズ）などを常にクリップボードの履歴内に保持して作業を効率化したい場合は、⊞ + V を入力して、任意のコピーした履歴の「アイテムの固定」（ピン留め）をクリックします。「アイテムの固定」を行った内容はPCを再起動しても消去されず、いつでもクリップボードの履歴から貼り付けることができます。

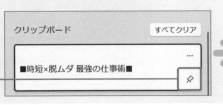

1 ショートカットキー
⊞ + V を入力して、

2 任意の項目の「アイテ
ムの固定」（ピン留め）
をクリックします。

3 内容がピン留めされます。

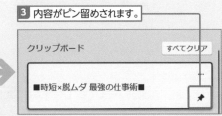

Q273 お役立ち度 ★★★ クリップボードの履歴

クリップボードの履歴を消去するには?

A 「すべてクリア」で履歴を消去できます。

「クリップボードの履歴」が有効である場合、コピーした履歴は保持されますが、この履歴をすべて消去したいのであれば、■ + V を入力して、クリップボードの履歴の「すべてクリア」をクリックします。

なお、この操作を行っても、「アイテムの固定」(ピン留め)を行った項目は消去されません。

1 ショートカットキー ■ + V を入力して、 **2** クリップボードの履歴の「すべてクリア」をクリックします。

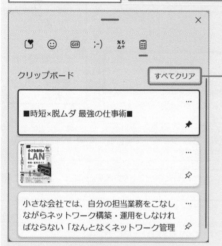

3 クリップボードの履歴を消去できます。

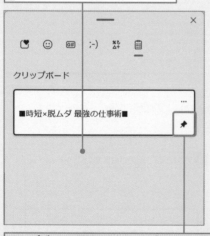

クリップボードの履歴を消去しても、「アイテムの固定」を行った内容は消去されません。

Q274 お役立ち度 ★★★ タッチキーボード

タッチキーボードを活用するには?

A タッチキーボードアイコンから、あるいは入力欄をタップでアクセスできます。

タッチキーボード(画面をタッチして入力できるキーボード)を活用したい場合、タッチ対応PCであれば(**Q554**)文字入力欄をタップするだけで自動的にタッチキーボードが表示されます(「タッチキーボードを表示する」の設定に従います、**Q275**)。

その他、タッチ非対応PCでも、通知領域の「タッチキーボード」アイコン(**Q276**)をクリックすることで、タッチキーボードを活用できます。

関連 Q554 タッチ対応 PC の確認

タッチ対応PC

1 文字入力欄をタップします。 **2** 自動的にタッチキーボードが表示されます。

タッチキーボードの自動表示は「タッチキーボードを表示する」の設定に従います(**Q275**)。

すべてのPC

1 「タッチキーボード」アイコンをクリックします。 **2** タッチキーボードが表示されます。

「タッチキーボード」アイコンの表示設定はQ276を参照します。タッチ対応PCとタッチ非対応PCでは表示や詳細な機能は異なります。

Q275 お役立ち度 ★★★ タッチキーボード

タッチ対応PCでタッチキーボードを自動表示する場面を設定するには?

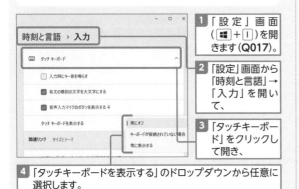

1 「設定」画面（■＋I）を開きます（Q017）。

2 「設定」画面から「時刻と言語」→「入力」を開いて、

3 「タッチキーボード」をクリックして開き、

4 「タッチキーボードを表示する」のドロップダウンから任意に選択します。

A 「タッチキーボードを表示する」で任意に設定します。

タッチ対応PCにおいて文字入力場面でタッチキーボードが自動表示される場面を設定するには、「設定」画面から「時刻と言語」→「入力」を開いて、「タッチキーボード」をクリックして開き、「タッチキーボードを表示する」のドロップダウンから任意に選択します。

関連 Q554 タッチ対応PCの確認

● 設定項目

常にオフ	文字入力欄をタップしても、タッチキーボードを表示しません。
キーボードが接続されていない場合	物理キーボードが存在しない状態（裏側に折りたたまれている状態も含む）であれば、文字入力欄のタップでタッチキーボードを表示します。
常に表示する	物理キーボードの有無に限らず、文字入力欄のタップでタッチキーボードを表示します。

Q276 お役立ち度 ★★★ タッチキーボード

「タッチキーボード」アイコンを表示するには?

1 「設定」画面（■＋I）を開きます（Q017）。

2 「設定」画面から「個人用設定」→「タスクバー」を開いて、

3 「システムトレイアイコン」をクリックして開き、「タッチキーボード」のドロップダウンから「常に表示する」を選択します。

A タッチキーボードアイコンを常に表示する設定にします。

タッチキーボードを表示するための「タッチキーボード」アイコンを通知領域に表示したい場合は、「設定」画面から「個人用設定」→「タスクバー」を開いて、「システムトレイアイコン」をクリックして開き、「タッチキーボード」のドロップダウンから「常に表示する」を選択します。以後、通知領域の「タッチキーボード」アイコンをタップ／クリックすれば、タッチキーボードを表示できます。

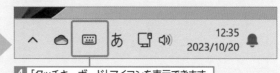

4 「タッチキーボード」アイコンを表示できます。

Q277 お役立ち度 ★★★ タッチキーボード

タッチキーボードで日本語入力をしたい!

A 入力モードを「あ」にしてローマ字入力をします。

タッチキーボードで日本語入力を行いたい場合は、タッチキーボードの入力モードをタップ（タップはマウスクリックでもOK）して「あ」にしてから、通常の日本語入力変換同様にローマ字入力をします。ちなみに入力を続けると、自動予測候補がタッチキーボードの上部に表示されるので、候補をタップすれば入力できます。

1 タッチキーボードの「A」をタップして「あ」にします。

2 通常の日本語入力同様にローマ字入力をします。

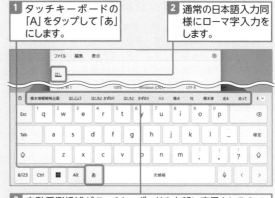

3 自動予測候補がタッチキーボードの上部に表示されるので、候補をタップすると文字を入力できます。

Q278 お役立ち度★★★ タッチキーボード

タッチキーボードで日本語入力の変換候補を一覧で表示するには?

A 変換候補の右端の「∨」をクリックします。

タッチキーボードで日本語入力を行うと、キーボードの上部に変換候補が表示されますが、この変換候補を一覧表示したい場合は、上部に表示される変換候補の右端にある「∨」をクリックします。

1 タッチキーボードで日本語入力します。

2 「∨」をクリックします。

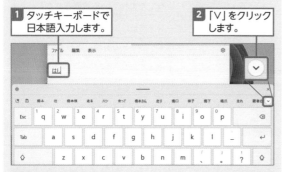

3 候補の一覧を表示できます。候補をタップすると文字を入力できます。

おトクな情報 Surface Proの画面タッチ機能

Microsoft製Surface Proでは、画面のタッチ機能（マルチタッチ）に対応し、「タッチキーボード」「デジタイザーペン」「バーチャルタッチパッド」などを活用できます。キーボード部であるタイプカバーは外すこともできれば、裏側に折りたたんでおくこともできます。

Q279 お役立ち度★★★ タッチキーボード

タッチキーボードのキーの文字サイズを変更するには?

A タッチキーボード設定の「キーの文字サイズ」で変更できます。

「設定」画面から「個人用設定」→「テキスト入力」を開いて、「タッチキーボード」をクリックして開き、「キーの文字サイズ」のドロップダウンから任意のサイズを指定できます。その他、「キーボードのサイズ」なども指定可能です。タッチキーボードの変更内容（実際の表示）を確認するには、「キーボードを開く」をクリックします。

1 「設定」画面（■+I）を開きます（**Q017**）。

2 「設定」画面から「個人用設定」→「テキスト入力」を開いて、

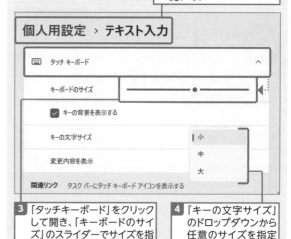

3 「タッチキーボード」をクリックして開き、「キーボードのサイズ」のスライダーでサイズを指定します。

4 「キーの文字サイズ」のドロップダウンから任意のサイズを指定します。

5 「キーボードを開く」をクリックします。

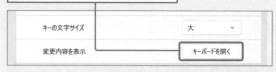

6 「文字サイズ」「キーボードのサイズ」を変更したタッチキーボードの様子を確認できます。

Q280 お役立ち度 ★★★ タッチキーボード

タッチキーボードのキー入力時の音がうるさい!

A 「入力時にキー音を鳴らす」のチェックを外します。

タッチキーボードのキー入力時の効果音がうるさく感じる場合は、「設定」画面から「時刻と言語」→「入力」を開いて、「タッチキーボード」をクリックして開き、「入力時にキー音を鳴らす」のチェックを外します。

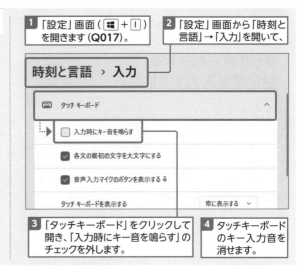

1 「設定」画面（⊞＋Ｉ）を開きます（Q017）。

2 「設定」画面から「時刻と言語」→「入力」を開いて、

時刻と言語 ＞ 入力

⌨ タッチ キーボード

☐ 入力時にキー音を鳴らす

☑ 各文の最初の文字を大文字にする

☑ 音声入力マイクのボタンを表示する ⬇

タッチ キーボードを表示する　　常に表示する ∨

3 「タッチキーボード」をクリックして開き、「入力時にキー音を鳴らす」のチェックを外します。

4 タッチキーボードのキー入力音を消せます。

Q281 お役立ち度 ★★★ タッチキーボード

タッチキーボードで数字や記号を入力するには?

A 「&123」をタップして記号表示に切り替えます。

タッチキーボードで数字や記号を入力するには、「&123」をタップして、記号表示に切り替えてから目的の数字や記号をタップします。

ちなみに ▶ をタップすればタッチキーボードに表示される記号表示を切り替えることも可能です。

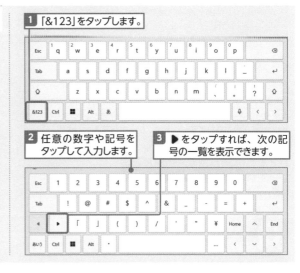

1 「&123」をタップします。

2 任意の数字や記号をタップして入力します。

3 ▶ をタップすれば、次の記号の一覧を表示できます。

Q282 お役立ち度 ★★★ タッチキーボード

タッチキーボードのフリックで数字や記号を入力するには?

A 数字やよく使う記号はフリックで入力できます。

Q281では記号や数字を入力する際に記号表示に切り替えましたが、「0〜9」や「！」「＃」「＠」などは標準キーボードのまま、該当キーをフリックする（マウスの場合はドラッグして目的の記号が表示されたらボタンを離す）ことで入力ができます。

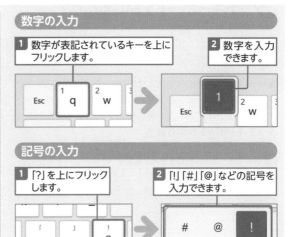

数字の入力

1 数字が表記されているキーを上にフリックします。

2 数字を入力できます。

記号の入力

1 「?」を上にフリックします。

2 「!」「#」「@」などの記号を入力できます。

Q283 お役立ち度 ★★★ タッチキーボード

タッチキーボードで絵文字を入力するには?

A タッチキーボードの「絵文字」をタップします。

タッチキーボードで絵文字を入力するには、タッチキーボード左上にある「絵文字」をタップします。タッチキーボードに、絵文字の一覧が表示されます。絵文字のほかにGIFや記号などを入力できます。

1 タッチキーボード左上にある「絵文字」をタップします。

2 タッチキーボードに、絵文字の一覧が表示されます。　**3** 任意の絵文字をタップして入力します。

Q284 お役立ち度 ★★★ タッチキーボード

タッチキーボードでShiftロックするには?

A Shift を2回タップします。

通常のキーボードで Shift を押しながら文字を入力する操作をタッチキーボードで実現したい場合は、Shift をタップしてから任意の文字をタップします。また、タッチキーボードを「Shiftロック」したままの状態にしたい場合は、Shift を2回タップします。

1 Shift を2回タップします。

2 「Shiftロック」ができます。

Q285 お役立ち度 ★★★ タッチキーボード

タッチキーボードを閉じるには?

A タッチキーボードの「×」をタップします。

タッチキーボードを閉じるには、右上にある「×」をタップします。なお、タッチ対応PCでかつ物理キーボードが無効な環境では、文字入力欄以外をタップすると自動的にタッチキーボードが閉じます。

1 タッチキーボード右端にある「×」をタップします。　**2** タッチキーボードを閉じることができます。

Q286 お役立ち度 ★★★ タッチキーボード

タッチキーボードのレイアウトを変更するには?

A 「キーボードレイアウト」で任意のレイアウトを指定します。

タッチキーボードは任意にレイアウト変更可能で、自分の使いやすいレイアウトにできます。
レイアウトを変更するには、タッチキーボード左上の「設定⚙」をタップして、「キーボードレイアウト」から任意のレイアウトをタップします。

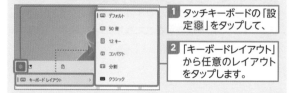

1 タッチキーボードの「設定⚙」をタップして、

2 「キーボードレイアウト」から任意のレイアウトをタップします。

第**8**章

Windows 11のアプリを マスターする

Windows 11の標準アプリはかなり高機能です。ペイントは背景の切り抜き、カメラはバーコードリーダー、電卓は通貨換算などが可能です。本章ではこれらのアプリの活用のほか、アプリの管理やダブルクリックした際に開くアプリの指定などについて解説します。

Q287 お役立ち度 ★★★ アプリの導入と管理

Windows 11の標準的なアプリを知りたい!

関連 **Q292** 導入済みアプリの確認

関連 **Q289** Microsoft Store でのアプリ検索

関連 **Q290** Microsoft Store でのアプリ導入

A いろいろ使えるアプリが標準搭載されています。

Windows 11には本格的に活用できるアプリが満載です。以前のWindowsではフリーウェアなどを導入しないと用途を満たせないことがありましたが、現在の標準アプリは機能が優れているほか、セキュリティアップデートが随時行われるため安全に利用できます。

Windows 11の標準アプリには、下表のようなものがあります。

なお、プレインストールされているアプリはWindowsのバージョンやメーカー出荷状態によって異なります。

● Windows 11の主な標準アプリ

アプリ		説明	アプリ		説明
Clipchamp (Microsoft Clipchamp)		動画編集が行えるアプリです。切り取りや動画の結合のほか、キャプションの追加などができる多機能なアプリです。	フォト (Microsoftフォト)		写真の表示やビデオ再生を行えるほか、ギャラリー機能や写真の編集などが行えるアプリです。
クロック (Windows アラーム&クロック)		現在時刻の確認のほか、各国の時計、タイマー、アラーム、ストップウォッチなどが可能なアプリです。	カメラ		PC内蔵カメラやPCに接続したWebカメラを利用して、静止画や動画の撮影ができるアプリです。
Microsoft Store		Microsoft公式のストアになります。さまざまなアプリを検索して任意に導入できます。Web上からのアプリ導入よりも安全性が高いのがポイントです。	ペイント		絵を描いたり、色を塗ったりできるアプリです。既存の画像ファイルを読み込んで編集することもできます。
サウンドレコーダー (ボイスレコーダー)		PCのマイクを利用して周囲の音や自分の声を録音してファイルに保存できるアプリです。	電卓		四則演算・関数電卓・日付の計算・通貨変換などができるアプリです。
Microsoft Edge		Windows 11標準のWebブラウザーアプリです。各種機能が充実しているほか、Internet Explorerモードなども備えます。	Solitaire & Casual Games (Microsoft Solitaire Collection)		トランプや麻雀(上海)などのゲームなどを楽しめるアプリです。
メディアプレーヤー (Windowsメディアプレーヤー)		動画をスムーズに再生できるアプリです。再生速度調整などもできます(同一名称の「Windows Media Player Legacy」は別のアプリ)。	Snipping Tool (切り取り領域とスケッチ)		Windowsのデスクトップ画面をスクリーンショットすることや、スクリーンショットした画像を任意に編集できるアプリです。
ニュース (Microsoft ニュース)		スポーツやエンタメなどさまざまなニュースを参照できるアプリです。	メモ帳		テキストファイルを作成・編集できるアプリです。複数のファイルを1つのウィンドウでタブ展開できます。
付箋 (Microsoft Sticky Notes)		デスクトップで付箋を管理できるアプリです。任意に付箋を増やすことやPC間で同期することも可能です。	天気 (MSN天気)		地域の天気を確認できるアプリです。月次予測や1時間ごとの予報などを確認することもできます。

アプリの名称やアイコンは更新により変更されることがあります。

Q288

お役立ち度 ★★★★　アプリの導入と管理

アプリを導入するには?

A Microsoft Store からの導入が
おすすめです。

Windows は Web 上から任意にアプリ（フリーウェアなど）
をダウンロードして導入できますが、Web 上のアプリには
ウイルスの危険性があります（**Q641**）。
比較的安全にアプリをダウンロードして導入できるのが
Microsoft の公式ストアである「Microsoft Store」です。
Microsoft Store の起動は、タスクバーから「Microsoft
Store」をクリックするか、[スタート] メニューの「すべて
のアプリ」から「Microsoft Store」をクリックします。

関連 Q642 アプリの導入場所の制限

1 タスクバーから「Microsoft Store」をクリックします。

あるいは [スタート] メニューの「すべ
てのアプリ」から「Microsoft Store」
をクリックします。

2 Microsoft Store
を起動できます。

Q289

お役立ち度 ★★★★　アプリの導入と管理

Microsoft Store で
アプリを探すには?

A 任意のキーワードで検索します。

Microsoft Store でアプリを探すには、Microsoft Store
の上部にある「検索ボックス」に任意のキーワードを入力
します。
検索キーワードを入力するとサジェスト（提案）が表示さ
れるので、該当アプリをクリックすればアプリの入手・購
入画面に移行できます。また、検索キーワードを入力して
Enter を押せば検索結果を一覧で表示できます。

おトクな情報　アプリの導入について

Microsoft Store では比較的安全性が高いアプリが公
開されています。ただし絶対的に安全とは限らないた
め、あくまでも利用目的にあった必要最低限のアプリを
導入するのがよいでしょう。

1 Microsoft Store を起動します（**Q288**）。

2 「検索ボックス」に任意のキー
ワードあるいはアプリ名の一
部を入力します。

3 Enter を押します。

4 検索結果を一覧で表示
できます。

5 目的のアプリがあれば
クリックします。

他のカテゴリが表示される場合は「アプリ」をクリックします。

Q290

お役立ち度 ★★★　アプリの導入と管理

Microsoft Storeから
アプリをインストールするには?

A アプリを確認して「入手」をクリックすれば
インストールできます。

検索やカテゴリから目的のアプリを見つけたら、「入手」あるいは「インストール」をクリックすればPCにアプリを導入できます。アプリに「値段」の表記があるものは有料アプリになり、支払い(事前のクレジットカードやプリペイドカードの登録)が必要になります。

なお、無料入手できるアプリの中でも、すべての機能を活用するには別途有料オプションが必要なものもあります。

1 Microsoft Storeで目的のアプリを表示します(**Q289**)。 **2** 「入手」あるいは「インストール」をクリックします。

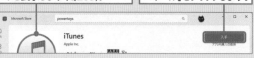

3 支払いが必要なアプリでは、ボタンに価格が表示されます。購入の意思がある場合のみクリックします。

Microsoftアカウントに紐づけられた支払い方法で料金を支払うとインストールできます。

Q291

お役立ち度 ★★★　アプリの導入と管理

Microsoft Storeで管理される
アプリを更新するには?

A ライブラリで更新プログラムを取得します。

アプリ管理では、新機能の追加や脆弱性対策などのためのアップデートが大切です。

Microsoft Storeで導入したアプリは、「ライブラリ」をクリックすることで、「更新とダウンロード」を表示できます。「更新プログラムを取得する」をクリックすることで、アプリを最新のバージョンにアップデートできます。

1 Microsoft Storeを起動します(**Q288**)。 **2** 「ライブラリ」をクリックします。

3 「更新プログラムを取得する」をクリックします。

あるいは「すべて更新」をクリックします。 **4** アプリを最新のバージョンにアップデートできます。

Q292

お役立ち度 ★★★　アプリの導入と管理

PCに導入済みのアプリの一覧を
確認するには?

1 「設定」画面(■+I)を開きます(**Q017**)。 **2** 「設定」画面から「アプリ」→「インストールされているアプリ」を開いて、

3 導入済みのアプリの一覧を確認します。 **4** グリッドビューをクリックします。

A インストールされているアプリで
確認できます。

現在すでにPCに導入されているアプリを一覧で確認するには、「設定」画面から「アプリ」→「インストールされているアプリ」を開きます。アプリの一覧は任意にビューを変更して見やすくできるほか、検索ボックスから導入済みのアプリを探し出すこともできます。

5 アプリの一覧表示を変更できます。

Q293

お役立ち度 ★★★★☆　アプリの導入と管理

最近インストールしたアプリを確認するには?

A 「並べ替え」で「インストール日付」を指定します。

最近導入したアプリを確認するには、「設定」画面から「アプリ」→「インストールされているアプリ」を開いて、「並べ替え」のドロップダウンから「インストール日付」を選択します。PCが不安定になった、Windowsやアプリが以前と動作が異なるなどの事象は最近導入されたアプリが原因であることもあるので、最近インストールしたアプリを確認することは役立ちます。また、ストレージの空き容量が少ない場合は、「並べ替え」のドロップダウンから「サイズ（大から小）」を選択して、アンインストールを検討してもよいでしょう。

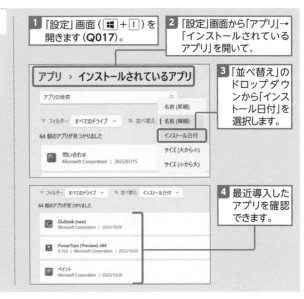

1 「設定」画面（■+I）を開きます（**Q017**）。

2 「設定」画面から「アプリ」→「インストールされているアプリ」を開いて、

3 「並べ替え」のドロップダウンから「インストール日付」を選択します。

4 最近導入したアプリを確認できます。

Q294

お役立ち度 ★★★★☆　アプリの導入と管理

アプリの一覧からアンインストールするには?

A 「インストールされているアプリ」の一覧からアンインストールします。

アプリを一覧で確認してアンインストールするには、「設定」画面から「アプリ」→「インストールされているアプリ」を開きます。不要なアプリの「…」をクリックして、メニューから「アンインストール」をクリックします。なお、一部のWindows 11標準アプリはアンインストールできない仕様になっています。

1 「設定」画面（■+I）を開きます（**Q017**）。

2 「設定」画面から「アプリ」→「インストールされているアプリ」を開きます。

3 不要なアプリの「…」をクリックして、

4 メニューから「アンインストール」をクリックします。

5 「アンインストール」をクリックします。

6 該当アプリをアンインストールできます。

Q295

お役立ち度 ★★★★☆　アプリの導入と管理

アプリを[スタート]メニューからアンインストールするには?

A [スタート]メニュー内のアプリを右クリックします。

アプリのアンインストールは[スタート]メニューから行うことも可能です。[スタート]メニューの「すべてのアプリ」から不要なアプリを右クリックして、ショートカットメニューから「アンインストール」を選択します。

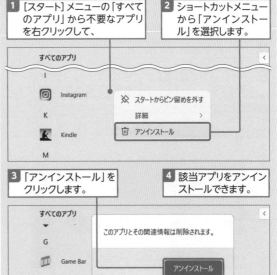

1 [スタート]メニューの「すべてのアプリ」から不要なアプリを右クリックして、

2 ショートカットメニューから「アンインストール」を選択します。

3 「アンインストール」をクリックします。

4 該当アプリをアンインストールできます。

Q296 お役立ち度 ★★★★ 標準アプリ

絵を描きたい場合には?

A 「ペイント」を活用します。

フリーハンドで絵を描きたい場合や、画像に何かを書き込みたい、画像を回転・反転・サイズ変更などをするには、[スタート]メニューの「すべてのアプリ」から「ペイント」をクリックします。あるいは、■ を押して[スタート]メニューを開き、検索ボックスに「paint」と入力して、検索結果の「ペイント」をクリックしてもOKです。
コマンドバーの「ツール」グループから「鉛筆」を選択して、任意の色を指定することで書き込むことや、「塗りつぶし」でエリアを塗りつぶすことなどができます。

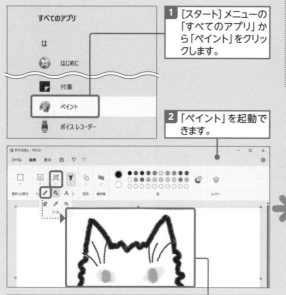

1 [スタート]メニューの「すべてのアプリ」から「ペイント」をクリックします。

2 「ペイント」を起動できます。

3 コマンドバーの「ツール」グループから「鉛筆」をクリックして、任意に描画します。

4 コマンドバーの「ツール」グループから「塗りつぶし」をクリックして、

5 空白部分をクリックして、エリアを色で塗りつぶすこともできます。

Q297 お役立ち度 ★★★★ 標準アプリ

写真の背景を削除したい!

A 「ペイント」で背景の削除ができます。

写真の背景を削除するには、「ペイント」の「背景の削除」を利用します。「ペイント」で写真を開いた後、コマンドバーの「イメージ」グループから「背景の削除」をクリックすれば、背景を削除できます。「ペイント」はレイヤーにも対応にしているため、レイヤーを増やして背景を置けば、写真を別の背景にすることなども可能です。

1 「ペイント」を起動します（Q296）。

2 「ペイント」で写真を開きます。

3 コマンドバーの「イメージ」グループから「背景の削除」をクリックします。

4 背景を削除できます。

170

Q298

お役立ち度 ★★★☆ 標準アプリ

四則計算をしたい!

A 「電卓」を起動します。

いわゆる卓上で利用する電卓同様の機能をデスクトップ上で実現するには、[スタート]メニューの「すべてのアプリ」から「電卓」をクリックします。あるいは、▤ を押して[スタート]メニューを開き、検索ボックスに「den」と入力して、検索結果の「電卓」をクリックしてもOKです。

「電卓」の数字入力などはマウスでクリックするほか、キーボードからの入力も可能です。また、計算結果は未選択状態で Ctrl + C でコピーでき、計算結果をテキストとして利用するには、編集するアプリなどに Ctrl + V で貼り付ければOKです。

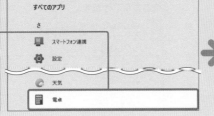

1 [スタート]メニューの「すべてのアプリ」から「電卓」をクリックします。

▤ を押して「den」と入力して、検索結果の「電卓」をクリックしても起動できます。

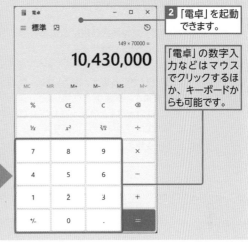

2 「電卓」を起動できます。

「電卓」の数字入力などはマウスでクリックするほか、キーボードからも可能です。

Q299

お役立ち度 ★★★☆ 標準アプリ

通貨(ドル・円)や日付などの計算をしたい!

A 「電卓」を「通貨」や「日付の計算」に切り替えます。

「電卓」(アプリ)は「≡」をクリックすることにより、任意の電卓に切り替えられます。例えば「日付の計算」であれば、開始年月日と終了年月日を指定することにより差が何日あるかを算出できます。「長さ」であればインチとセンチメートルなどの換算、「重量と質量」であればポンドとキログラムなどの換算ができます。また、ドル・円など通貨を換算するには、「通貨」を選択します。

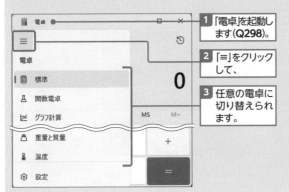

1 「電卓」を起動します(Q298)。

2 「≡」をクリックして、

3 任意の電卓に切り替えられます。

4 「日付の計算」では、開始年月日と終了年月日を指定することにより差が何日あるかを算出できます。

5 「長さ」では、インチとセンチメートルなどに換算できます。

6 「通貨」では、ドル・円などに換算できます。

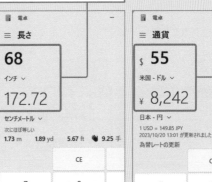

Q300

お役立ち度 ★★★

標準アプリ

タイマーやアラームを活用したい!

A 「クロック」を起動します。

タイマーを仕掛けて一定時間経過後に通知を表示して音を鳴らしたい、あるいは曜日や時間を指定してアラームを鳴らしたい場合は、[スタート]メニューの「すべてのアプリ」から「クロック」をクリックします。あるいは、⊞を押して[スタート]メニューを開き、検索ボックスに「clock」と入力して、検索結果の「クロック」をクリックしてもOKです。「≡」をクリックすれば、「タイマー」「アラーム」「ストップウォッチ」などに切り替えることができます。

1 [スタート]メニューの「すべてのアプリ」から「クロック」をクリックします。

2 「クロック」を起動できます。

3 「≡」をクリックします。

4 「タイマー」「アラーム」「ストップウォッチ」など任意に切り替えることができます。

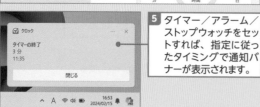

5 タイマー／アラーム／ストップウォッチをセットすれば、指定に従ったタイミングで通知バナーが表示されます。

Q301

お役立ち度 ★★★

標準アプリ

最新のニュースを確認するには?

A 「ニュース」を起動します。

話題のニュースやニュースビデオなどを確認するには、[スタート]メニューの「すべてのアプリ」から「ニュース」をクリックします。あるいは、⊞を押して[スタート]メニューを開き、検索ボックスに「news」と入力して、検索結果の「ニュース」をクリックしてもOKです。
ニュースは上部のカテゴリをクリックすることで切り替えることができます。

1 [スタート]メニューの「すべてのアプリ」から「ニュース」をクリックします。

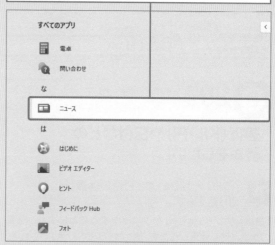

2 「ニュース」を起動できます。

3 上部のカテゴリをクリックすることで、ニュースカテゴリを切り替えることができます。

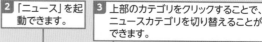

Q302 お役立ち度 ★★★☆ 標準アプリ

天気予報や温度・湿度を確認するには?

A 「天気」で確認できます。

天気予報や雨雲レーダーなど、天気全般の情報を確認するには、[スタート]メニューの「すべてのアプリ」から「天気」をクリックします。あるいは、■■を押して[スタート]メニューを開き、「wea」と入力して、検索結果の「天気」をクリックしてもOKです。「天気」で表示できる各情報は、「≡」をクリックして切り替えることができます。

なお、位置情報を利用するには設定で「位置情報サービス」をオンにしたうえで、「天気」(アプリ)にアクセス許可する必要があります(Q618)。

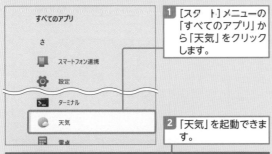

1 [スタート]メニューの「すべてのアプリ」から「天気」をクリックします。

2 「天気」を起動できます。

3 「≡」をクリックします。

4 「天気」の情報を切り替えることができます。

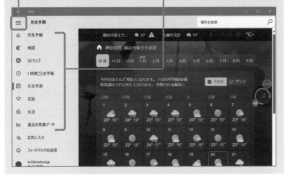

Q303 お役立ち度 ★★★☆ 標準アプリ

トランプゲームを楽しむには?

A 「Solitaire & Casual Games」を起動します。

ゲームを楽しみたい場合は、[スタート]メニューの「すべてのアプリ」から「Solitaire & Casual Games」(ソリティア&カジュアルゲーム)をクリックします。「ソリティア&カジュアルゲーム」が起動したら、「Spider」「FreeCell」などをクリックすれば、目的のゲームを楽しむことができます。

1 [スタート]メニューの「すべてのアプリ」から「Solitaire & Casual Games」(ソリティア&カジュアルゲーム)をクリックします。

2 「Spider」「FreeCell」などの目的のゲームをクリックします。

3 選択したゲームを楽しむことができます。

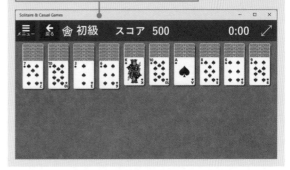

Q304

お役立ち度 ★★★ 標準アプリ

音声を録音して保存しておきたい!

A 「サウンドレコーダー」で録音できます。

PCのマイクで音声や会議などを録音するには、[スタート]メニューの「すべてのアプリ」から「サウンドレコーダー」(バージョンによっては「ボイスレコーダー」)をクリックします。サウンドレコーダーが起動したら、「録音の開始」をクリックすれば録音が開始できます。

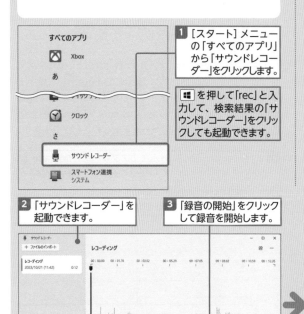

1 [スタート] メニューの「すべてのアプリ」から「サウンドレコーダー」をクリックします。

⊞ を押して「rec」と入力して、検索結果の「サウンドレコーダー」をクリックしても起動できます。

おトクな情報 マイクの切り替え

PCに複数のマイクが存在する場合は、左下のマイクをクリックして一覧から選択することで任意のマイクに切り替えることができます。

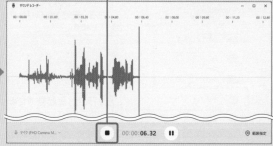

2 「サウンドレコーダー」を起動できます。

3 「録音の開始」をクリックして録音を開始します。

4 「録音の停止」をクリックして録音を終了します。

音声ファイルは自動保存されます(**Q306**)。

Q305

お役立ち度 ★★★ 標準アプリ

サウンドレコーダーの録音(ファイル)形式を変更するには?

A 「設定」でMP3形式などに変更できます。

「サウンドレコーダー」の録音形式を変更するには、「…」→「設定」をクリックします。「レコーディング」欄でファイル形式、「音質」欄で音声の品質を任意に変更できます。

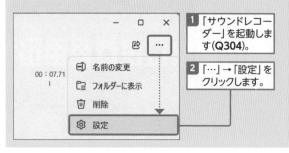

1 「サウンドレコーダー」を起動します(**Q304**)。

2 「…」→「設定」をクリックします。

3 「レコーディング形式」をクリックして開きます。

4 任意の録音形式を選択します。

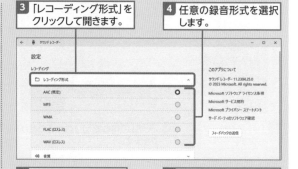

5 「音質」をクリックして開きます。

6 任意の音声品質を選択します。

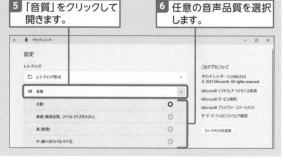

Q306

お役立ち度 ★★★★　標準アプリ

サウンドレコーダーの音声ファイルにアクセスするには?

A 既定では「サウンドレコーディング」フォルダーに音声が保存されます。

「サウンドレコーダー」で録音した音声ファイルにアクセスするには、エクスプローラーから「ドキュメント」→「サウンドレコーディング」を開きます。ちなみに、サウンドレコーダーの右上にある「…」→「フォルダーに表示」をクリックすれば、素早く音声ファイルが保存されたフォルダーにアクセスできます。

1 「サウンドレコーダー」を起動します(Q304)。

2 「…」→「フォルダーに表示」をクリックします。

3 音声ファイルが保存されたフォルダーにアクセスできます。

音声ファイルをダブルクリックすれば、音声を再生できます。

Q307

お役立ち度 ★★★★　標準アプリ

文書を入力してテキストファイルを作成するには?

テキストファイルを作成する

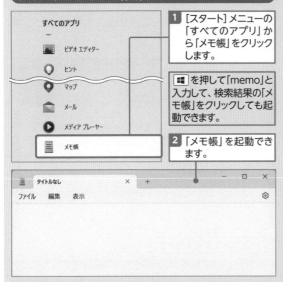

1 [スタート]メニューの「すべてのアプリ」から「メモ帳」をクリックします。

■ を押して「memo」と入力して、検索結果の「メモ帳」をクリックしても起動できます。

2 「メモ帳」を起動できます。

3 文書を入力することで、テキストファイルを作成できます。

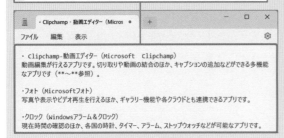

A 「メモ帳」を活用します。

テキストファイル(書式などを持たないプレーンテキスト)を閲覧・編集するには、[スタート]メニューの「すべてのアプリ」から「メモ帳」をクリックします。新規起動したメモ帳に文書を入力してテキストファイルを作成できます。またタブの「+」をクリックして新しいタブを作成すれば、素早く閲覧・編集対象の切り替えも可能です。

テキストファイルをメモ帳にドロップして開くことが可能なほか、ファイルを保存する際には「エンコード」を指定することなどもできます。

新しいタブを作成する

1 タブの「+」をクリックします。

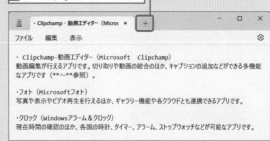

2 新しいタブを作成できます。

Q308

デスクトップでメモを取りたい!

A 「付箋」を活用すれば保存操作なしで
メモを取れます。

仕事などでPCを操作している場面では「メモ」を取りたいことがあります。そんなときに便利なのが「付箋」です。付箋であればデスクトップ上でメモを記述するだけで自動保存されるほか、Microsoftアカウントにサインインしていれば、自動的にOneDrive（クラウド）に保存されます。「付箋」を利用したい場合は、[スタート] メニューの「すべてのアプリ」から「付箋」をクリックします。

1 [スタート] メニューの「すべてのアプリ」から「付箋」をクリックします。

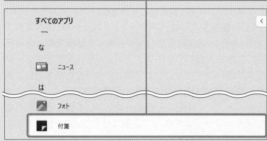

2 現在使用しているMicrosoftアカウントで同期する場合は「開始」、別アカウントで使いたい場合は「別のアカウントを使用する」をクリックします。

初回のみの設定になります。

3 付箋を起動できます。

Q309

付箋の色を変更するには?

A 付箋の「…」（メニュー）から色を選びます。

「付箋」の色（付箋の背景色）を変更するには、色を変えたい付箋上部の「…」（メニュー）をクリックして、任意の色をクリックします。

1 色を変えたい付箋上部の「…」（メニュー）をクリックします。

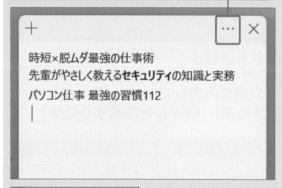

2 任意の色をクリックします。

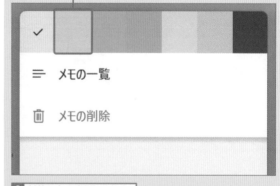

3 付箋の色を変更できます。

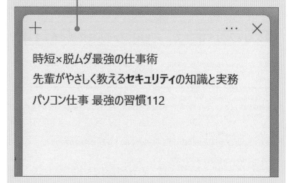

Q310

お役立ち度 ★★★　標準アプリ

付箋を増やす（追加する）には？

A 付箋の「+」（新しいメモ）をクリックします。

「付箋」を増やしたい（追加したい）場合は、付箋上部の「+」（新しいメモ）をクリックします。
すぐに新しい付箋をデスクトップに追加できます。

1 付箋上部の「+」（新しいメモ）をクリックします。

2 新しい付箋をデスクトップに追加できます。

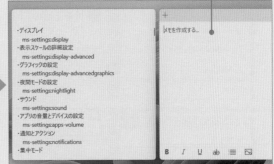

Q311

お役立ち度 ★★★　標準アプリ

付箋の「メモの一覧」を表示して管理するには？

A 「メモの一覧」で追加や検索が行えます。

「付箋」は複数のメモを利用できます。メモすべてを確認するには、付箋上部の「…」（メニュー）をクリックして、「メモの一覧」をクリックして「メモの一覧」を表示します。「メモの一覧」ではすべての付箋を一覧で確認できるほか、付箋の追加・削除・検索を行うことができます。

「メモの一覧」を表示

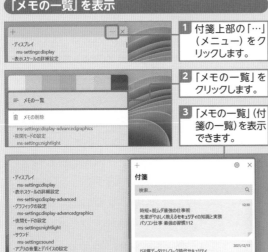

1 付箋上部の「…」（メニュー）をクリックします。

2 「メモの一覧」をクリックします。

3 「メモの一覧」（付箋の一覧）を表示できます。

「メモの一覧」から付箋を検索する

1 メモの一覧の検索ボックスにキーワードを入力します。

2 キーワードに該当する付箋が表示されます。

3 付箋をダブルクリックします。

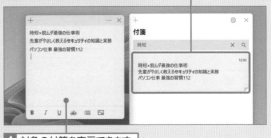

4 対象の付箋を表示できます。

Q312

お役立ち度 ★★★★ 標準アプリ

付箋を削除するには?

A 「メモの削除」を実行します。

「付箋」を削除するには、付箋上部の「…」(メニュー) をクリックして、「メモの削除」をクリックします。このほか、「メモの一覧」(Q311) から削除できます。

対象の付箋を削除する

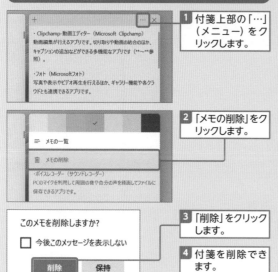

1 付箋上部の「…」(メニュー) をクリックします。

2 「メモの削除」をクリックします。

3 「削除」をクリックします。

4 付箋を削除できます。

メモの一覧からメモを削除する

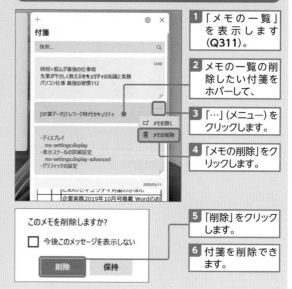

1 「メモの一覧」を表示します (Q311)。

2 メモの一覧の削除したい付箋をホバーして、

3 「…」(メニュー) をクリックします。

4 「メモの削除」をクリックします。

5 「削除」をクリックします。

6 付箋を削除できます。

Q313

お役立ち度 ★★★★ 標準アプリ

PC内蔵カメラ・Webカメラで撮影するには?

A 「カメラ」(アプリ) で静止画や動画を撮影します。

PC内蔵カメラやUSB接続したWebカメラで写真を撮影するには、[スタート]メニューの「すべてのアプリ」から「カメラ」をクリックします。写真を撮影するには、右欄が「写真を撮影」になっていることを確認して、カメラアイコンをクリックすれば写真 (静止画) を撮影できます。

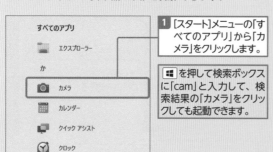

1 [スタート]メニューの「すべてのアプリ」から「カメラ」をクリックします。

■ を押して検索ボックスに「cam」と入力して、検索結果の「カメラ」をクリックしても起動できます。

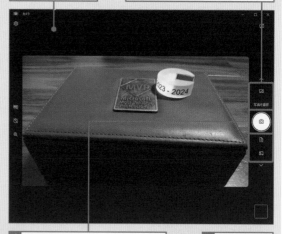

2 「カメラ」を起動できます。

3 右欄が「写真を撮影」になっていることを確認します。

4 被写体を写して、カメラアイコンをクリックします。

5 写真を撮影できます。

ビデオ (動画) を撮影するには、「ビデオを撮影」クリックして、モードを切り替えてからビデオアイコンをクリックします。

Q314 お役立ち度 ★★★★ 標準アプリ

「カメラ」で複数のカメラを切り替えるには?

A カメラアイコンをクリックします。

複数の物理カメラが搭載されているPCにおいて、「カメラ」（アプリ）で撮影するカメラを切り替えたい場合は、上部のカメラアイコン（カメラの変更）をクリックします。例えば、フロントカメラとメインカメラがあるPCであれば、クリックするごとに撮影対象カメラを切り替えることができます。

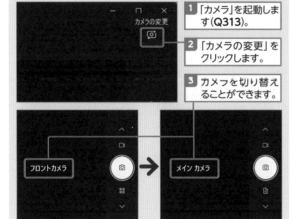

1 「カメラ」を起動します（Q313）。

2 「カメラの変更」をクリックします。

3 カメラを切り替えることができます。

Q315 お役立ち度 ★★★★ 標準アプリ

QRコードを読み込むには?

A 「バーコードをスキャン」でバーコード（QRコード）を読み取れます。

最近ではパンフレットや雑誌紙面などでもバーコード（QRコード）画像が存在しますが、このバーコードをスキャンしたい場合は「カメラ」を利用します。「カメラ」で「バーコードをスキャン」をクリックして切り替えた後、カメラをバーコードに向けるとURLが表示されるので、該当URLをクリックすればMicrosoft Edgeで該当Webサイトにアクセスできます（一部カメラを除く）。

1 「カメラ」を起動します（Q313）。

2 「バーコードをスキャン」をクリックします。

3 カメラでバーコードを写します。

4 URLが表示されるので該当URLをクリックします。

5 該当のWebサイトにアクセスできます。

Q316 お役立ち度 ★★★★ 標準アプリ

カメラの撮影における画質を指定するには?

1 「カメラ」を起動します（Q313）。

2 「設定」をクリックします。

3 「写真の設定」をクリックして開きます。

4 写真の画質などを変更できます。

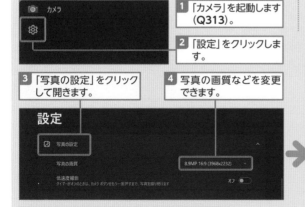

写真の画質の設定範囲はカメラによって異なります。

A 設定で任意の画質に変更できます。

「カメラ」（アプリ）では写真やビデオの撮影を行うことができますが、各撮影の画質（画素数）を任意に設定するには「設定」をクリックします。「写真の設定」や「ビデオの設定」を開いて、「写真の画質」や「ビデオの画質」をドロップダウンから任意に選択します。なお、内蔵カメラやWebカメラの性能によって、設定できる範囲や詳細は異なります。

5 「ビデオの設定」をクリックして開きます。

6 ビデオの画質などを変更できます。

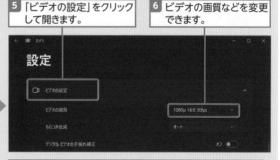

「ビデオの設定」のオプションや詳細はカメラによって異なります。

Q317

お役立ち度 ★★★　ファイルとアプリの関連

ファイルを適合するアプリで
開くには?

A ファイルをダブルクリックすれば
既定で割り当てられたアプリが起動します。

Windowsは「ファイルの拡張子」でファイルの種別を判別する仕様です。ファイルを開く際には、ファイルの拡張子に紐づけられたアプリが起動します。一般的なファイルの種類であれば、ファイルをダブルクリックするだけで自動的に適合するアプリで開くことができます。

例えば、拡張子が「.jpg」のファイルをダブルクリックすれば、限定の設定では自動的に「フォト」で画像ファイルが開かれます。

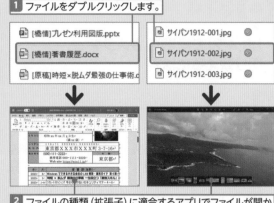

1 ファイルをダブルクリックします。

2 ファイルの種類（拡張子）に適合するアプリでファイルが開かれます。

関連 **Q320** 既定のアプリの変更
関連 **Q178** ファイル名拡張子の表示

Q318

お役立ち度 ★★★　ファイルとアプリの関連

ファイルを任意のアプリ（既定の
アプリ以外）で開くには?

A 「プログラムから開く」で任意のアプリを
指定します。

ファイルをダブルクリックすれば、適合するアプリで開くことができますが、既定のアプリ以外で開きたいという場面では、ファイルを右クリックして、ショートカットメニューから「プログラムから開く」→[任意のアプリ]を選択します。

例えば、拡張子が「.jpg」のファイルを右クリックして、ショートカットメニューから「プログラムから開く」→「ペイント」と選択すれば、「ペイント」でファイルを開くことができます。

1 ファイルを右クリックして、

2 ショートカットメニューから「プログラムから開く」→[任意のアプリ]を選択します。

3 ファイルを選択したアプリ（既定のアプリ以外）で開くことができます。

Q319

お役立ち度 ★★★　ファイルとアプリの関連

特定アプリで最近開いたファイルを
確認するには?

A [スタート]メニューのアプリアイコンからの
確認が便利です。

特定アプリで最近開いたファイルを確認するには、[スタート]メニューからの確認が便利です。例えば、「フォト」で最近開いたファイルを確認するには、[スタート]メニューの「すべてのアプリ」から「フォト」を右クリックします。「最近〜」の欄で表示されるファイルをクリックすれば、選択したファイルを開くこともできます。

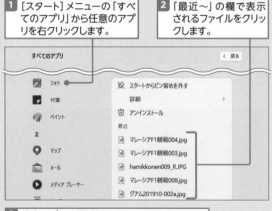

1 [スタート]メニューの「すべてのアプリ」から任意のアプリを右クリックします。

2 「最近〜」の欄で表示されるファイルをクリックします。

3 特定アプリで最近開いたファイルを開けます。

Q320

お役立ち度 ★★★　ファイルとアプリの関連

ファイルを開く既定のアプリを
変更するには?

A 「設定」で「既定のアプリ」を変更します。

ファイルをダブルクリックしたときに開く「既定のアプリ」を変更するには、「設定」画面から「アプリ」→「既定のアプリ」を開いて、「ファイルの種類またはリンクの種類の既定値を設定する」の「検索ボックス」に拡張子を入力します。

1 「設定」画面（⊞＋Ⅰ）を開きます（Q017）。

2 「設定」画面から「アプリ」→「既定のアプリ」を開きます。

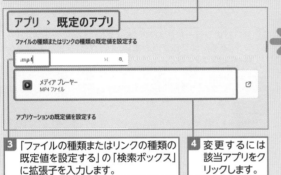

3 「ファイルの種類またはリンクの種類の既定値を設定する」の「検索ボックス」に拡張子を入力します。

4 変更するには該当アプリをクリックします。

例えば、MP4動画ファイルを開く既定のアプリを変更するには、「.mp4」と入力することで、既定のアプリが表示されるので、変更するには該当アプリをクリックして、「ファイルの既定のアプリを選択する」から任意のアプリを選択して、「既定値を設定する」をクリックします。

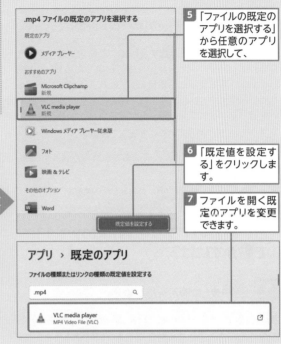

5 「ファイルの既定のアプリを選択する」から任意のアプリを選択して、

6 「既定値を設定する」をクリックします。

7 ファイルを開く既定のアプリを変更できます。

Q321

お役立ち度 ★★★　ファイルとアプリの関連

ファイルを開く既定のアプリを
右クリックから変更するには?

A 「別のプログラムを選択」でアプリを指定します。

ファイルを開く既定のアプリは「設定」画面から指定する方法（**Q320**）のほか、右クリックから変更することもできます。既定のアプリを変更したいファイル（該当拡張子のファイル）を右クリックして、ショートカットメニューから「プログラムから開く」→「別のプログラムを選択」を選択します。「アプリを選択して〜ファイルを開く」から任意のアプリを選択して、「常に使う」をクリックします。

関連 Q178 ファイル名拡張子の表示

1 既定のアプリを変更したいファイル（該当拡張子のファイル）を右クリックして、

2 ショートカットメニューから「プログラムから開く」→「別のプログラムを選択」を選択します。

3 「アプリを選択して〜ファイルを開く」から任意のアプリを選択して、

4 「常に使う」をクリックします。

5 ファイルを開く既定のアプリが変更されます。

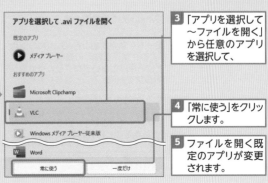

Q322 お役立ち度 ★★★ ファイルとアプリの関連

アプリで最近開いたファイルを確認するには?

A エクスプローラーの「ホーム」で確認できます。

最近開いたファイルを確認するには、エクスプローラーを起動して(**Q177**)、「ホーム」の「最近使用した項目」で確認できます。「最近使用した項目」の任意のファイルをダブルクリックすれば、既定のアプリで開くことも可能です。そのほか、タスクバーアイコンのジャンプリストから個々のアプリの最近開いたファイルを確認できます。

関連 Q152 ジャンプリストの履歴

> **1** エクスプローラーを起動して(**Q177**)、
>
> **2** 「ホーム」の「最近使用した項目」で確認できます。

Q323 お役立ち度 ★★★ ファイルとアプリの関連

古い設計のアプリをWindows 11で動かすには?

A 「互換性」の設定を行います。

古い設計のアプリ(以前のWindows用のアプリ)をWindows 11上で正常に動作させるためには、「互換性」の設定が必要なことがあります。「互換性」は、アプリのショートカットアイコン(あるいはプログラム本体)を右クリックして、ショートカットメニューから「プロパティ」を選択します。プロパティダイアログの「互換性」タブにて、下表に従って設定します。

なお、「互換性」を設定しても必ずしも動作するとは限らないほか、システムに食い込むセキュリティ系や仮想系のアプリはこの設定でも動作させることはできません。また、脆弱性などのセキュリティの側面を踏まえた場合、古い設計のアプリの利用には危険性があることにも留意します。

● 互換性の設定

互換モードでこのプログラムを実行する	項目をチェックすることで、ドロップダウンから古いWindowsを設定できます。
設定	「カラーモードを制限する」「640x480の解像度で実行する」「全画面表示の最適化を無効にする」などは、よほど古いプログラムではない限り、この設定を利用することはありません。
	「管理者としてこのプログラムを実行する」は、管理者権限でプログラムを実行でき、アプリ操作中に「～できない」というメッセージが表示される場合などに有効です。
	「高DPI設定の変更」は、アプリの一部の表示が崩れる場合は適用します。

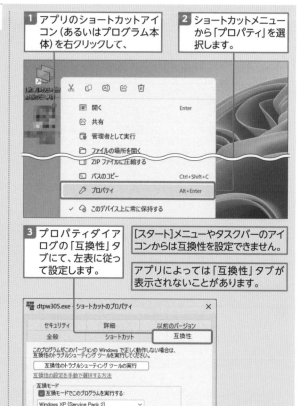

> **1** アプリのショートカットアイコン(あるいはプログラム本体)を右クリックして、
>
> **2** ショートカットメニューから「プロパティ」を選択します。
>
> **3** プロパティダイアログの「互換性」タブにて、左表に従って設定します。
>
> [スタート]メニューやタスクバーのアイコンからは互換性を設定できません。
>
> アプリによっては「互換性」タブが表示されないことがあります。
>
> **4** 「OK」をクリックします。

第 9 章

Webブラウザーで
インターネットやAIを活用しよう

Windows 11の標準WebブラウザーであるMicrosoft Edgeは、Webページを表示するだけではなく、QRコードの作成、翻訳、音声読み上げ、AIによるWeb概要生成などさまざまなことが可能です。
本章では、Microsoft Edgeを便利に活用するためのテクニックのほか、カスタマイズなどについても解説します。

Q324

お役立ち度 ★★★　Microsoft Edgeの基本

Webサイトを表示&閲覧したい!

A Microsoft Edgeを起動します。

Webサイト（Webページ）を確認するには、タスクバーから「Microsoft Edge」をクリックして起動します。
WebサイトはURL指定で開くことができるほか（**Q325**）、Web検索して開くことや（**Q335**）、お気に入りから開くことができます（**Q364**）。

> 1 タスクバーから「Microsoft Edge」をクリックします。

> 2 Microsoft Edgeを起動できます。

タブ　　アドレスバー　　ツールバー

お気に入りバー　　サイドバー

Q325

お役立ち度 ★★★　Microsoft Edgeの基本

Microsoft EdgeでURLを指定してWebページを参照するには?

A アドレスバーにURLを入力します。

Webサイトを参照するには、アドレスバーに指定のURLを入力します。なお、URL先頭部分の「https://」は省略可能です。例えば、「https://win11.jp」であれば、アドレスバーに「win11.jp」と入力して Enter を押せばWebサイトを表示できます。

> 1 アドレスバーに指定のURLを入力し、Enter を押します。

> 2 Webサイトを表示できます。

> URL先頭部分の「https://」は省略可能です。

おトクな情報

アドレスバーの鍵マーク 🔒

Webサイトにアクセスした際、アドレスバーの左端に「鍵マーク」が表示されますが、これはWebサイトの通信が暗号化されているという意味です。安全なサイト（悪意のないサイト）という意味ではありません。

⌨ アドレスバー　Alt + D ／ F4

Q326

お役立ち度 ★★★　Microsoft Edgeの基本

Microsoft Edgeで直前に見ていたWebページに戻るには?

A 「戻る」をクリックします。

Microsoft Edgeで、直前に表示していたWebページ（リンクをクリックする前のWebページ）にアクセスするには、「戻る」（←）をクリックします。また、「戻る」をクリックした後に、戻る前のページを表示するには「進む」（→）をクリックします。ちなみに「戻る」はショートカットキー Alt + ←、「進む」は Alt + → で素早く実現できます。

> 1 「戻る」（←）をクリックします。

> 2 直前に見ていたWebページに戻ることができます。

⌨ 戻る／進む　Alt + ← ／ Alt + →

Q327 お役立ち度 ★★★ Microsoft Edgeの便利な機能

Microsoft EdgeでWebページを日本語に翻訳して表示するには?

A Webページの余白を右クリックして日本語に翻訳します。

Microsoft EdgeではWebページを翻訳できます。日本語以外のWebページを表示した状態で、余白部分（文字や画像のない部分）を右クリックして、ショートカットメニューから「日本語に翻訳」を選択します。Webページ全体が日本語に翻訳されて表示されます。

また、アドレスバー内に「翻訳」が表示されていたら、それをクリックして、翻訳のターゲット言語が「日本語」なのを確認して、「翻訳」をクリックしても同様です。

右クリックから翻訳する

1 余白部分（文字や画像のない部分）を右クリックして、

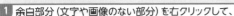

2 ショートカットメニューから「日本語に翻訳」を選択します。

3 Webページ全体が日本語に翻訳されて表示されます。

アドレスバーから翻訳する

1 アドレスバー内の「翻訳」をクリックします。

2 ドロップダウンから「日本語」を選択して、

3 「翻訳」をクリックします。

Q328 お役立ち度 ★★★ Microsoft Edgeの便利な機能

Microsoft Edgeで現在のWebページのQRコードを作成するには?

A Webページの余白を右クリックしてQRコードを作成します。

Microsoft Edgeで現在のWebページのQRコードを作成するには、Webページの余白部分（文字や画像がない部分）を右クリックして、ショートカットメニューから「このページのQRコードを作成」を選択します。

「QRコードをスキャン」が表示されます。「コピー」でQRコードの画像をクリップボードにコピー、「ダウンロード」で画像ファイルとしてダウンロードできます。相手にWebページのURLを渡したい際などに、SNSやメールなどに貼り付けて送信すると便利です。

関連 Q315 QRコードの読み取り

1 Webページの余白部分（文字や画像がない部分）を右クリックして、

2 ショートカットメニューから「このページのQRコードを作成」を選択します。

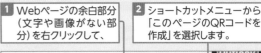

3 「QRコードをスキャン」が表示されます。

「コピー」をクリックすれば、QRコードの画像をクリップボードに転送できます。

「ダウンロード」をクリックすれば、画像ファイルとしてダウンロードできます。

Q329 お役立ち度 ★★★ Microsoft Edgeの便利な機能

Microsoft EdgeでWebページ内の文字列をコピーするには?

A ドラッグや Alt +ドラッグで文字列を選択してコピーします。

Webページ内の任意の文字列をコピーするには、ドラッグして文字列を選択して、ショートカットキー Ctrl + C でコピーできます。

ちなみに、「リンク」はマウスでクリックするとジャンプしてしまうためドラッグできませんが、Alt を押しながらドラッグすればジャンプせずに範囲選択が可能です。

通常文字列をコピー

1 ドラッグして文字列を選択して、

2 ショートカットキー Ctrl + C でコピーできます。

橋本情報戦略企画
橋本和則 (Kazunori Hashimoto)

作家。著書は80冊以上、ランキングトップ書籍多数。著書「パソコン仕事 最強の習慣112」は様々なメディアで採り上げられており、特に「上級シリーズ」は累計50万部を超えるベストセラーである。

話すことも得意で、登壇・セミナー・オンライン講義なども好評を得ている。

主にWindowsの実践的な解説が多く、時短術・Office・ハードウェア・カスタマイズ・ネットワーク・テレワーク・セキュリティなどの著書執筆や講義を行う。

リンクの文字列をコピー

- 執筆&登壇&講義&インタビューなどの依頼→ 執筆依頼&インタビューして
- Microsoft MVP 橋本和則→ Microsoft MVPサイト内「橋本和則」
- Windows Insider MVP 橋本直美→ Insider MVPサイト内「橋本直美」
- Win11情報運営サイト→ Win11jp (New!!! ドメイン取得)

リンク

↓

- 執筆&登壇&講義&インタビューなどの依頼→ 執筆依頼&インタビューして
- Microsoft MVP 橋本和則→ Microsoft MVPサイト内「橋本和則」
- Windows Insider MVP 橋本直美→ Insider MVPサイト内「橋本直美」
- Win11情報運営サイト→ Win11jp (New!!! ドメイン取得)

1 Alt を押しながらドラッグで文字列を選択して、

2 ショートカットキー Ctrl + C でコピーできます。

コピーした文字列やオブジェクトは任意のアプリで Ctrl + V で貼り付けることができます。

Q330 お役立ち度 ★★★ Microsoft Edgeの便利な機能

Microsoft EdgeでWebページを音声で読み上げるには?

A Webページの余白を右クリックして音声読み上げを実行します。

Microsoft Edgeでは、Webページのテキスト内容を機械的に音声で読み上げさせることができます。Webページの余白部分(文字や画像がない部分)を右クリックして、ショートカットメニューから「音声で読み上げる」を選択します。あるいは、ショートカットキー Ctrl + Shift + U を入力します。音声読み上げが開始されます。音声読み上げは一時停止できるほか、「音声オプション」をクリックすれば、スピード調整や音声の選択を行うことができます。

1 Webページの余白部分(文字や画像がない部分)を右クリックして、

2 ショートカットメニューから「音声で読み上げる」を選択します。

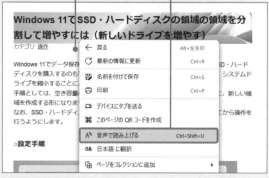

3 音声読み上げが開始されます。再生／停止などができます。

4 「音声オプション」をクリックして、

5 スピードや音声の選択を行います。

音声で読み上げる Ctrl + Shift + U

Q331 お役立ち度 ★★★ Microsoft Edgeの便利な機能

Microsoft Edgeで特定のタブの音声を消したい!

A タブのサウンドアイコンをクリックします。

Microsoft Edgeでは特定のタブの音声のみをミュートすることができます。音声が再生されているタブに表示されるサウンドアイコン（◁）をクリックすればミュートできます。また、ミュート状態のアイコン（◁×）を再びクリックすれば、音声を再生できます。なお、現在表示しているタブのミュート／ミュート解除はショートカットキー Ctrl ＋ M で素早く行えます。

関連 Q035 アプリごとのボリューム調整

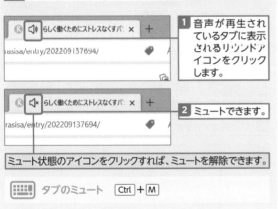

1 音声が再生されているタブに表示されるサウンドアイコンをクリックします。

2 ミュートできます。

ミュート状態のアイコンをクリックすれば、ミュートを解除できます。

⌨ タブのミュート Ctrl ＋ M

Q333 お役立ち度 ★★★ Microsoft Edgeの便利な機能

Microsoft EdgeでInternet Explorer向けのWebページを互換モードで開くには?

A Internet Explorerモードで再読み込みします。

Internet Explorerでなければ正常に表示や動作しないWebページをMicrosoft Edgeで開きたい場合は、「Internet Explorerの互換モード」を利用します。「Internet Explorerモードでサイトの再読み込みを許可」をあらかじめ設定したうえで、Microsoft Edgeで該当Webサイトを開き、ツールバーから「…」→「Internet Explorerモードで再読み込みする」をクリックします。なお、Internet Explorerでなければ開けないWebサイトは設計が古いことを意味するため、セキュリティ的には安全ではない可能性があることに留意します。

関連 Q386 Internet Explorer 互換モードの設定

Q332 お役立ち度 ★★★ Microsoft Edgeの便利な機能

Microsoft EdgeでWebページを並べて参照するには?

A 分割画面で並べて表示できます。

あるWebページを参照しながら異なるWebページの情報を確認するには、分割画面が便利です。分割画面は、Microsoft Edgeのツールバーから「画面を分割する」（中）をクリックします。新しいスプリット画面（右側の画面）でWebページのサムネイルをクリック、あるいはWeb検索することでWebページを並べて表示できます。

1 ツールバーから「画面を分割する」をクリックします。

2 一覧からWebページをクリックします。

あるいはWeb検索を行います。

3 Webページを並べて表示できます。

1 Microsoft Edgeで該当Webサイトを開きます。

2 ツールバーから「…」→「Internet Explorerモードで再読み込みする」をクリックします。

3 Internet Explorer向けのWebページを互換モードで開くことができます。

「Internet Explorerモードで再読み込みする」が表示されない場合は、互換モードを有効にします（**Q386**）。

Q334 お役立ち度 ★★★ MicrosoftEdgeの便利な機能

Microsoft EdgeでプライバシーをⅣ重視してWebページを見るには?

A InPrivateウィンドウでWebページを閲覧します。

Microsoft Edgeでは、各Webページなどを参照した際、同じ要素のあるWebページを素早く表示したり、フォームに入力した履歴やパスワード入力のアシストなどを実現するために、閲覧履歴・Cookie・キャッシュ・フォームデータなどの情報が保存されます。この各種情報が保存されることを好まない場面では、Microsoft Edgeのツールバーから「…」→「新しいInPrivateウィンドウ」をクリックします。InPrivateウィンドウで開かれたMicrosoft Edge上での操作では、プライバシーを確保できます。

1 ツールバーから「…」→「新しいInPrivateウィンドウ」をクリックします。

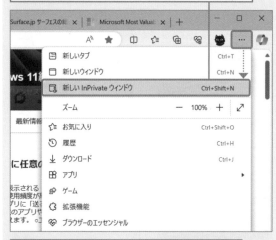

2 プライバシーを重視してWebを見ることができます。

InPrivateウィンドウで開かれたMicrosoft Edge上での操作は、終了時に各種情報が削除されます。

⌨ 「InPrivateウィンドウ」を開く Ctrl + Shift + N

Q335 お役立ち度 ★★★ Microsoft Edgeの検索

Microsoft EdgeでⅣ素早くWeb検索を行うには?

A アドレスバーに検索キーワードを入力します。

Microsoft Edgeでは「アドレスバー」に直接検索キーワードを入力して、Enterを押せばWeb検索できます。
また、アドレスバーで検索キーワードを入力し始めると予測される検索キーワード(サジェスト)が下部に自動表示されるので、これを選択しても素早く検索が可能です。

1 「アドレスバー」に直接検索キーワードを入力して、 **2** Enterを押します。

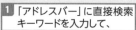

3 Web検索できます。

 おトクな情報 検索エンジンの確認と変更

ショートカットキー Ctrl + E を入力すれば、利用する検索エンジンを確認してから、Web検索を行えます。アドレスバーからの検索は標準では「Bing」ですが、「Google」などに変更することもできます(Q336)。

⌨ アドレスバーで検索 Ctrl + E

Q336 お役立ち度 ★★★ Microsoft Edgeの検索

アドレスバーから検索する際にBing 以外の検索エンジンを指定するには?

A 検索エンジンでGoogleや Yahoo! JAPANを指定します。

アドレスバーから検索を行った際、標準のWeb検索エンジンは「Bing」ですが、これを「Google」や「Yahoo! JAPAN」などの検索エンジンに変更するには、Microsoft Edgeのツールバーから「…」→「設定」をクリックします。「設定」メニューから「プライバシー、検索、サービス」を選択して、「サービス」欄にある「アドレスバーと検索」をクリックします。「アドレスバーで使用する検索エンジン」のドロップダウンから任意の検索エンジンを指定します。

1 ツールバーから「…」→「設定」をクリックします。

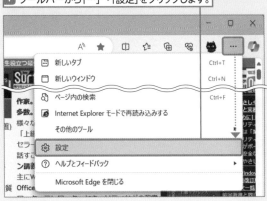

2 「設定」メニューから「プライバシー、検索、サービス」を クリックします。

3 「サービス」欄にある「アドレスバーと検索」をクリックします。

4 「アドレスバーで使用する検索エンジン」のドロップダウンから任意の検索エンジンを指定します。

5 アドレスバーからの検索に、指定の検索エンジンを利用できます。

Q337 お役立ち度 ★★★ Microsoft Edgeの検索

Webページにある文字列を検索キーワードにしてWeb検索するには?

1 Webページ上の該当文字列をドラッグで選択してから右クリックして、

2 ショートカットメニューから「Webで［該当文字列］を検索する」を選択します。

A 検索キーワードを自分で入力せず、 Webページ内の文字列を利用して検索します。

Webページを参照している際に、Web検索をしたい単語があった場合は、Webページ上の該当文字列をマウスでドラッグして選択します。右クリックして、ショートカットメニューから「Webで［該当文字列］を検索する」を選択します。該当文字列でのWeb検索結果を新しいタブで表示できます。ちょっと特殊な方法ですが、素早く検索するには、Webページ内の該当文字列を選択して、ショートカットキー Ctrl + C を入力して、続けて Ctrl + Shift + L を入力でも検索ができます。

3 該当文字列でのWeb検索結果を新しいタブで表示できます。

Q338 お役立ち度 ★★★ Microsoft Edgeの検索

現在のWebページを表示したままWebページにある文字列で検索するには?

A Webページ内の文字列を利用して、サイドバーで検索結果を表示します。

Q337のWebページの内の文字列でWeb検索をする方法では「新しいタブ」に検索結果が表示されますが、Webページを参照したままWebページ内の文字列を検索キーワードとして検索するには、Webページ上の該当文字列を選択してから右クリックして、ショートカットメニューから「サイドバーで[該当文字列]を検索する」を選択します。

この方法であれば、現在見ているWebページを表示したまま、知りたい単語などを検索できるので便利です。

1 Webページ上の該当文字列をマウスドラッグで選択してから右クリックして、

2 ショートカットメニューから「サイドバーで[該当文字列]を検索する」を選択します。

あるいは、Webページ内の文字列を選択して、ショートカットキー Ctrl + Shift + E を入力します。

3 現在見ているWebページを表示したまま、知りたい単語などを検索できます。

⌨ Webページ内の文字列をサイドバーで検索
Ctrl + Shift + E

Q339 お役立ち度 ★★★ Microsoft Edgeの検索

Webページ内に含まれる文字列を探して閲覧するには?

A ページ内検索を行って、マーカー位置にジャンプします。

Webページ内の文字列を探して、表示をジャンプしたい場合は、Microsoft Edgeのツールバーから「…」→「ページ内の検索」をクリックします。アドレスバーの下に表示される検索ボックスに任意のキーワードを入力すれば該当キーワードがマーカーされ、検索ボックスの「∨」をクリックすれば該当位置に順にジャンプできます。

1 ツールバーから「…」→「ページ内の検索」をクリックします。

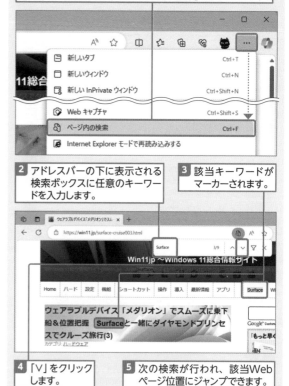

2 アドレスバーの下に表示される検索ボックスに任意のキーワードを入力します。

3 該当キーワードがマーカーされます。

4 「∨」をクリックします。

5 次の検索が行われ、該当Webページ位置にジャンプできます。

おトクな情報 ページ内検索は目的のキーワードに素早くアクセスできる

多くの文章が記載されているWebページにおいて、該当キーワードの位置を次々表示したい場合に便利です。

⌨ Webページ内に含まれる文字列を検索
Ctrl + F / Ctrl + G

Q340 お役立ち度 ★★★ Microsoft Edgeの検索

最近検索したキーワードや表示したWebページの一覧からアクセスするには?

A 「履歴」で最近表示したWebページなどを一覧で確認できます。

Microsoft Edgeで「最近検索したキーワード」「表示していたWebページ」などを確認するには、ツールバーから「…」→「履歴」をクリックします。あるいはショートカットキー Ctrl + H を入力します。「履歴」が表示されるので、検索履歴(「~検索」)やWebページのタイトルをクリックすれば該当Webページにアクセスできます。「履歴」では、上部の検索ボックスで履歴を検索することも可能です。

1 ツールバーから「…」→「履歴」をクリックします。

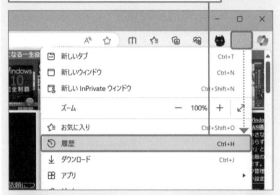

2 「履歴」が表示されます。

3 目的の履歴項目をクリックすると、該当Webページにアクセスできます。

⌨ 「履歴」を開く Ctrl + H

Q341 お役立ち度 ★★★ Microsoft Edgeのサイドバー

Microsoft EdgeでCopilotにアクセスするには?

A ツールバーから「Copilot」をクリックします。

Microsoft Edgeにも「Copilot」が搭載されており、対話型AIで質問に答えてもらうことや操作を行うことができます。Windows 11のCopilot in Windows(**Q008**)とほぼ同様の機能になりますが、操作指示などの対象は基本的にMicrosoft Edgeになります。例えば「ダークモードにしてください」とCopilot in Windowsに入力した場合はWindowsがダークモードになりますが、Microsoft EdgeのCopilotに入力した場合はMicrosoft Edgeがダークモードになります。

1 ツールバーから「Copilot」をクリックします。

2 Copilotにアクセスできます。

3 「ダークモードにしてください」と入力して、Enter を押します。

4 Microsoft Edgeがダークモードになります。

CopilotはAIであるため、質問に対するリアクションは異なる場合があります。

⌨ Copilotを開く Ctrl + Shift + .

Q342 お役立ち度 ★★★ Microsoft Edgeのサイドバー

AIでWebページの概要を
生成するには?

A Microsoft EdgeのCopilotで
ページの概要を生成します。

Webページを概要を生成したい場合は、該当WebページをMicrosoft Edgeで表示している状態で、ツールバーから「Copilot」をクリックして、「ページの概要を生成する」と指示します。

長めの文章で解説が行われているWebページでも、AIで生成した概要により内容を簡潔に理解できます。

1 Microsoft Edgeで
Webページを表示
します。

2 ツールバーから「Copilot」を
クリックします。

3 「ページの概要を生成する」と入力して、Enter を押します。

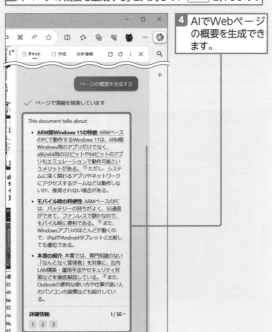

4 AIでWebページ
の概要を生成でき
ます。

Q343 お役立ち度 ★★★ Microsoft Edgeのサイドバー

Microsoft Edgeのサイドバーを
非表示にするには?

A 「サイドバーを自動的に非表示にする」を
クリックします。

Microsoft Edgeでサイドバーを常に表示しておく必要がないという場合は、サイドバーの下部にある「サイドバーを自動的に非表示にする」をクリックします。この設定で非表示にしても、ツールバーから「Copilot」をクリックすれば、サイドバーを表示できます。また、「サイドバーを常に表示する」をクリックすれば、表示したままの状態に戻すことができます。

サイドバーを非表示にする

1 サイドバーの「サイドバー
を自動的に非表示にする」
をクリックします。

2 サイドバーを非表示にでき
ます。

サイドバーを常に表示する

1 ツールバーの
「Copilot」をク
リックして、

2 「サイドバーを常
に表示する」をク
リックします。

3 サイドバーを常に
表示できます。

バージョンによって
操作が異なることが
あります。

Q344 お役立ち度 ★★★ Microsoft Edgeのサイドバー

Microsoft Edgeで計算や翻訳を行いたい!

A サイドバーの「ツール」で実現できます。

サクッと四則演算を行いたい場合や、単位変換、翻訳などを行いたいときに便利なのがサイドバーです。Microsoft Edgeのサイドバーから「ツール」をクリックすれば、電卓、単位変換、翻訳、辞書などのよく使うツールにアクセスできます。なお、サイドバーで「ツール」を表示した状態で、サイドバー上部の「設定を開く」をクリックすれば、ツールにおける表示項目の設定も行えます。

ツールにアクセスする

1 サイドバーから「ツール」をクリックします。

2 電卓、単位変換、翻訳、辞書などのツールにアクセスできます。

ツールの表示項目を設定する

1 サイドバーに「ツール」を表示した状態で、

2 サイドバー上部のツールの上の「設定を開く」をクリックします。

3 表示するツールをオンにします。

Q345 お役立ち度 ★★★ Microsoft Edgeのサイドバー

サイドバーに任意のWebページを追加するには?

A Webページを表示してからサイドバーの「+」をクリックします。

Microsoft Edgeのサイドバーに任意のWebページを追加したい場合は、Microsoft EdgeでWebページを開いた状態で、サイドバーの「+」(カスタマイズ)をクリックして、「サイドバーで開く」をクリックします。サイドバーでWebページが開きます。サイドバーに表示される該当Webページのアイコン(ファビコン)を右クリックして、ショートカットメニューから「サイドバーにピン留め」を選択すれば、以後クリックするだけで登録したWebページを簡単に開くことができます。

1 Microsoft Edgeで登録したいWebページを表示します。

2 サイドバーの「+」(カスタマイズ)をクリックします。

3 「サイドバーで開く」をクリックします

バージョンによって操作が異なることがあります。

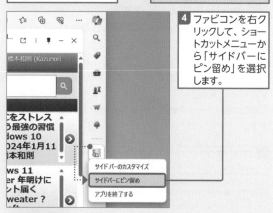

4 ファビコンを右クリックして、ショートカットメニューから「サイドバーにピン留め」を選択します。

おトクな情報 Webページの表示

Webページによっては横幅で表示を最適化するサイトも存在するため、サイドバーで開くと様子が異なるサイトもあります(スマホ用サイトが表示されるなど)。

Q346 お役立ち度 ★★★ Microsoft Edgeのサイドバー

サイドバーで開いたWebページを通常表示にするには?

A サイドバーの表示から新しいタブでリンクを開きます。

サイドバーに表示されているWebサイト（Webページ）を通常表示にするには、サイドバー上部の「新しいタブでリンクを開く」をクリックします。新しいタブで、サイドバーに表示していたWebサイトを表示できます。

1 サイドバー上部の「新しいタブでリンクを開く」をクリックします。

2 新しいタブで、サイドバーに表示していたWebサイトを表示できます。

Q347 お役立ち度 ★★★ Microsoft Edgeの表示

Microsoft EdgeでWebページを最新の状態に更新するには?

A Webページを再読み込みするために「更新」をクリックします。

現在表示しているWebページの情報は最新ではない場合があります。これは、Microsoft Edgeは以前表示したWebページを「キャッシュ」に保持して高速表示や通信量軽減を行っているためですが、最新のWebページを表示するには、「更新」をクリックします。キャッシュを無視して強制的にページが更新されるので最新の状態を確認できます。

1 「更新」をクリックします。

2 Webページを強制的に最新の状態にできます。

⌨ 更新 F5 / Ctrl + F5 / Ctrl + R

Q348 お役立ち度 ★★★ Microsoft Edgeの表示

Webページ表示を拡大して見やすくするには?

A ズームで倍率を指定します。

Webページが小さくて見にくい場合は、拡大表示を行うとよいでしょう。Microsoft Edgeのツールバーから「…」→「ズーム」にある「＋」をクリックすれば、Webページを拡大表示できます。逆に縮小表示は「ズーム」にある「－」をクリックします。

1 Microsoft Edgeのツールバーから「…」→「ズーム」にある「＋」をクリックします。

2 Webページ表示を拡大できます。

おトクな情報 Webページ表示の拡大／縮小

Ctrl を押しながらマウスホイール回転でも、Webページ表示の拡大／縮小が行えます。

Ctrl を押しながらマウスホイールを回転

⌨ 拡大 Ctrl + +　　　⌨ 縮小 Ctrl + －

⌨ 倍率リセット Ctrl + 0

Q349 お役立ち度 ★★★ Microsoft Edgeの表示

Microsoft EdgeでなるべくWebページ情報の多くを表示するには?

A 「全画面表示」を行います。

Microsoft Edgeの上部には「タブ」「アドレスバー」などが表示されていますが、これらの表示をなくしてなるべくWebページ表示領域を増やすには、Microsoft Edgeのツールバーから「…」→「ズーム」の横にある「全画面表示」(↗)をクリックします。全画面表示状態で任意の操作を行いたい場合は、マウスポインターをデスクトップ上部に移動すればMicrosoft Edgeのタブやアドレスバーを表示できます。

1 Microsoft Edgeのツールバーから「…」→「ズーム」の横にある「全画面表示」をクリックします。

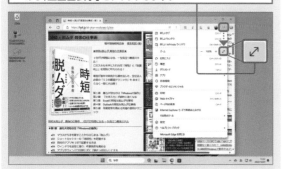

2 タイトルバーやアドレスバーがない全画面表示にできます。

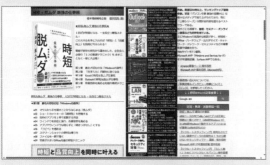

3 マウスポインターをデスクトップ上部に移動すると、Microsoft Edgeの上部を表示できます。

タイトルバーの「全画面表示の終了」(⤢)をクリック、あるいは F11 で元に戻せます。

⌨ 全画面表示 [F11]

Q350 お役立ち度 ★★★ Microsoft Edgeの表示

リンクを新しいウィンドウで開くには?

A 「リンクを新しいウィンドウで開く」を選択します。

Web検索などで検索結果が一覧表示されている、ないしはWebサイトのトップページで記事一覧がある状態などで、リンク先を新しいMicrosoft Edge(新しいウィンドウ)で開きたい場合は、該当リンクを右クリックして、ショートカットメニューから「リンクを新しいウィンドウで開く」を選択します。

関連 Q354 新しいタブでリンクを開く

1 該当リンクを右クリックして、 **2** ショートカットメニューから「リンクを新しいウィンドウで開く」を選択します。

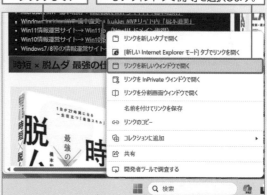

リンクを直接 Shift を押しながらクリックしても同様の操作になります。

3 リンクを新しいMicrosoft Edgeで開くことができます。

⌨ リンクを新しいMicrosoft Edgeで開く
Shift を押しながらリンクをクリック

Q351 お役立ち度 ★★★ Microsoft Edgeのタブ

Microsoft Edgeで新しいタブを作るには?

A タブの右横にある「+」をクリックします。

Microsoft Edgeでは複数のWebページをタブで切り替えて表示できます。新しいタブを増やすには、タブの右横にある「+」(新しいタブ)をクリックします。

1 タブの右横にある「+」(新しいタブ)をクリックします。　**2** 新しいタブを作成できます。

新しいタブを作る　Ctrl + T

Q352 お役立ち度 ★★★ Microsoft Edgeのタブ

Microsoft Edgeのタブを閉じるには?

A タブの「×」をクリックしてもよいですが、Ctrl + W が素早いです。

Microsoft Edgeのタブを閉じたい場合は、タブの「×」をクリックします。ちなみに、ショートカットキー Ctrl + W で今開いているタブを素早く閉じることができます。

1 タブの「×」をクリックします。

2 タブを閉じることができます。

タブを閉じる　Ctrl + W

Q353 お役立ち度 ★★★ Microsoft Edgeのタブ

Microsoft Edgeでタブを切り替えるには?

A タブをクリックするかショートカットキーを活用します。

Microsoft Edgeで目的のタブをクリックすれば、該当タブの表示に切り替えることができますが、ショートカットキー Ctrl + 数字 では左から順番のタブに素早く切り替えられて便利です。

1 目的のタブをクリックします。　あるいは Ctrl + 2 を入力します。

2 素早く該当タブの表示に切り替えることができます。

 おトクな情報 隣のタブに素早く切り替える

右側のタブを表示するにはショートカットキー Ctrl + Tab 、左側のタブは Shift + Ctrl + Tab で切り替えることができます。

Q354 お役立ち度 ★★★ Microsoft Edgeのタブ

リンクを新しいタブで開くには?

A リンクを右クリックして
「リンクを新しいタブで開く」を選択します。

Webページに複数のリンクが表示されている状態で、リンク先を新しいタブで開きたい場合は、リンクを右クリックして、ショートカットメニューから「リンクを新しいタブで開く」を選択します。また、複数のリンクを次々と新しいタブで開きたい場合は、各リンクを Ctrl を押しながらクリックすると便利です。

1 リンクを右クリックして、　**2** ショートカットメニューから「リンクを新しいタブで開く」を選択します。

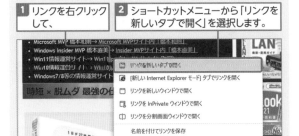

3 リンクを新しいタブで開くことができます。

Win11jp ～Windows 11総合情報サイト

おトクな情報 リンクを新しいタブで開く

マウスがセンターボタン対応である場合は（マウスホイールをボタンとしても扱えるマウス）、リンクをマウスのホイールボタン（センターボタン）でクリックしても新しいタブで開くことができます。

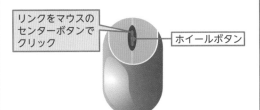

リンクをマウスの
センターボタンで
クリック

ホイールボタン

⌨ リンクを新しいタブで開く
Ctrl を押しながらクリック

Q355 お役立ち度 ★★★ Microsoft Edgeのタブ

Microsoft Edgeで特定の
タブ以外を一括で閉じるには?

A 残したいタブを右クリックして
「他のタブを閉じる」を選択します。

Microsoft Edgeで特定のタブ以外を閉じたい場合は、残したいタブを右クリックして、ショートカットメニューから「他のタブを閉じる」を選択します。なお、現在のタブから右側のタブをすべて閉じたい場合は、同様の操作で「右側のタブを閉じる」を選択します。

1 残したいタブを
右クリックして、　**2** ショートカットメニューから「他のタブを閉じる」を選択します。

3 該当タブ以外を一括で閉じることができます。

Q356 お役立ち度 ★★★ Microsoft Edgeのタブ

タブの表示を新しいウィンドウで
表示するには?

A タブをデスクトップに
ドラッグ＆ドロップします。

Microsoft Edgeで複数のタブが展開されている状態で、既存のタブを新しいMicrosoft Edge（新しいウィンドウ）で表示するには、タブを右クリックして、ショートカットメニューから「タブを新しいウィンドウに移動」を選択します。また、タブ自体をデスクトップにドラッグ＆ドロップしても新しいウィンドウで表示できます。

1 目的のタブを右
クリックして、　**2** ショートカットメニューから「タブを新しいウィンドウに移動」を選択します。

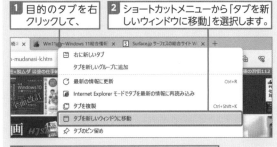

3 既存のタブを新しいウィンドウで表示できます。

Q357 お役立ち度 ★★★ Microsoft Edgeのタブ

Microsoft Edgeで
複数のタブを検索するには?

A 「タブの検索」を表示して
キーワードで検索します。

Microsoft Edgeで複数のタブを展開すると「どのタブにどのWebページが表示されているか」の視認が難しくなります。このような場合、タブを検索して表示するのも手です。「タブ操作メニュー」をクリックして、メニューから「タブを検索する」をクリックします。あるいはショートカットキー Ctrl + Shift + A でもOKです。「タブの検索」が表示されるので、任意の検索キーワードを入力して Enter を押せば、検索結果に適合したタブが表示されるのでクリックします。なお、「タブの検索」では「最近閉じた項目」も検索できます。

1 「タブ操作メニュー」をクリックして、	**2** メニューから「タブを検索する」をクリックします。

3 「タブの検索」が表示されるので、任意の検索キーワードを入力します。	**4** 検索結果に適合したタブが表示されるので目的のタブをクリックします。

検索結果には検索キーワードにマッチする最近閉じた項目も表示されます。	**5** 目的のタブに切り替えられます。

⌨ タブを検索　Ctrl + Shift + A

Q358 お役立ち度 ★★★ Microsoft Edgeのタブ

最近閉じたタブを
一覧から復元するには?

A 「タブ操作メニュー」で「最近閉じたタブ」にアクセスします。

最近閉じたタブを一覧で表示して、任意のWebページを復元するには、「タブ操作メニュー」をクリックして、メニューから「最近閉じたタブ」をクリックします。履歴として最近閉じた項目が表示されるので、任意のWebページタイトルをクリックすれば復元できます。

1 「タブ操作メニュー」をクリックして、	**2** メニューから「最近閉じたタブ」をクリックします。

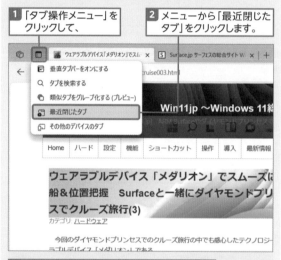

3 履歴として最近閉じた項目が表示されるので、

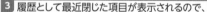

4 任意のWebページタイトルをクリックします。	**5** 最近閉じたタブを復元できます。

Q359 お役立ち度 ★★★ Microsoft Edgeのタブ

直前に閉じてしまったタブを復元するには?

A 「閉じたタブを再度開く」で復元できます。

Microsoft Edgeで誤って閉じてしまったタブを再表示するには、タブを右クリックして、ショートカットメニューから「閉じたタブを再度開く」を選択します。ショートカットキー Ctrl + Shift + T でも復元できるので、この操作は覚えておくと便利です。

1 タブを右クリックして、

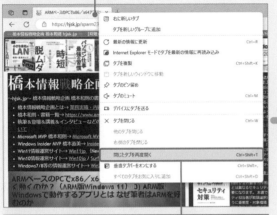

2 ショートカットメニューから「閉じたタブを再度開く」を選択します。

3 直前に閉じたタブを復元できます。

⌨ 直前に閉じたタブを復元 Ctrl + Shift + T

Q360 お役立ち度 ★★★ Microsoft Edgeの垂直タブ

タブのWebページのタイトルを見やすくしたい!

A 「垂直タブバー」を活用します。

多くのWebページ名(タイトル)は「任意の見出し＋Webサイト名」などの形で、比較的長い文字列のタイトルになっており、Microsoft Edgeのタブでは完全に表示できません。現在閲覧しているWebページの完全なタイトルを表示したい、あるいはタブの幅を確保して各タイトルを見やすくしたい場合は、「タブ操作メニュー」をクリックして、メニューから「垂直タブバーをオンにする」をクリックします(バージョンによっては「垂直」をクリック)。

Microsoft Edgeの表示が「垂直タブバー」になり、垂直タブで各タブのタイトルが見やすくなるほか、選択タブのタイトルがタイトルバーに表示されるようになります。

関連 Q362 水平タブへの切り替え

⌨ 垂直タブ／水平タブ切り替え
Ctrl + Shift + .

1 「タブ操作メニュー」をクリックして、

2 メニューから「垂直タブバーをオンにする」をクリックします。

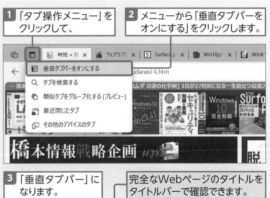

3 「垂直タブバー」になります。

完全なWebページのタイトルをタイトルバーで確認できます。

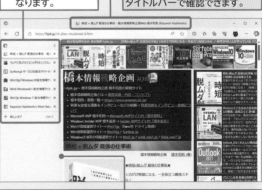

垂直タブバーは境界線をドラッグすることにより、任意の表示サイズに変更できます。

Q361 お役立ち度 ★★★ Microsoft Edgeの垂直タブ

垂直タブ表示を狭く利用するには?

A 「垂直タブバー」のウィンドウを折りたたみます。

Microsoft Edgeの「垂直タブバー」はドラッグにより任意にサイズ変更可能です。また垂直タブバーを折りたたんで表示するには、「<」(ウィンドウを折りたたむ)をクリックすればアイコン表示のみにすることが可能です。なお、折りたたんだ状態でも、垂直タブバーをホバーすれば展開表示できます。

また、垂直タブバーを展開した状態に戻すには、📌(ウィンドウの固定)をクリックします。

関連 Q360 垂直タブへの切り替え

1 「<」(ウィンドウを折りたたむ)をクリックします。

2 アイコン表示のみにすることが可能です。

3 垂直タブバーをホバーすると、

4 展開表示できます。

5 垂直タブバーを展開した状態に戻すには、📌(ウィンドウの固定)をクリックします。

Q362 お役立ち度 ★★★ Microsoft Edgeの垂直タブ

垂直タブバーをやめて水平タブに戻すには?

A 「タブ操作メニュー」から垂直タブバーをオフにします。

Microsoft Edgeの「垂直タブバー」は使いやすい場面もあれば使いにくい場面もあります。「垂直タブバー」から水平タブ(通常の表示)に戻すには、「タブ操作メニュー」をクリックして、メニューから「垂直タブバーをオフにする」をクリックします(バージョンによっては「水平」をクリック)。

1 「タブ操作メニュー」をクリックして、

2 メニューから「垂直タブバーをオフにする」をクリックします。

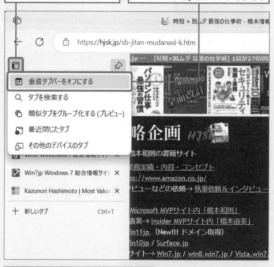

3 水平タブに戻すことができます。

おトクな情報 垂直タブ／水平タブを素早く切り替え

場面によって垂直タブ／水平タブを使い分けたい場合は、ショートカットキー Ctrl + Shift + , ですぐに切り替えられます。

Q363 お役立ち度 ★★★ Microsoft Edgeのお気に入り

Webページを「お気に入り」に登録するには?

A アドレスバー右端の「☆」をクリックします。

Microsoft Edgeの「お気に入り」によくアクセスするWebページを登録しておけば、いつでもそのページにアクセスできます。登録したいWebページを表示している状態で、アドレスバーの「☆」(このページをお気に入りに追加)をクリックします。あるいはショートカットキー Ctrl + D でも同様です。名前とフォルダー (お気に入りのフォルダー、**Q367**)の指定をして、「完了」をクリックすれば登録ができます。

関連 Q367 お気に入りのフォルダー

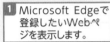

1 Microsoft Edgeで登録したいWebページを表示します。

2 アドレスバーの「☆」(このページをお気に入りに追加)をクリックします。

3 名前とフォルダーを確認して、

4 「完了」をクリックします。

5 Webページを「お気に入り」に登録できます。

⌨ 「お気に入り」に登録 Ctrl + D

Q365 お役立ち度 ★★★ Microsoft Edgeのお気に入り

「お気に入り」に登録したリンクを削除するには?

Q364 お役立ち度 ★★★ Microsoft Edgeのお気に入り

「お気に入り」に登録したWebページにアクセスするには?

A ツールバーの「お気に入り」をクリックします。

Microsoft Edgeの「お気に入り」に登録したWebページにアクセスするには、ツールバーから「お気に入り」(⭐)をクリックします。お気に入りの一覧が表示されるので、お気に入り項目 (リンク)をクリックすれば、該当Webページを表示できます。

関連 Q368 お気に入りの整理

1 ツールバーから「お気に入り」をクリックします。

2 お気に入り項目 (リンク)をクリックします。

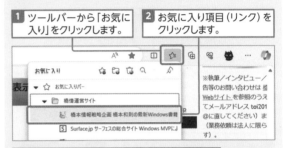

※執筆／インタビュー／告等のお問い合わせは植 Webサイト を参照のうえてメールアドレス toi201 @に直してください) ま (業務依頼は法人に限ら

3 お気に入りのWebページにアクセスできます。

⌨ お気に入りにアクセス Ctrl + Shift + O

A お気に入り内でリンクを右クリックして削除します。

Microsoft Edgeの「お気に入り」に登録済みのお気に入り項目 (リンク)を削除するには、ツールバーから「お気に入り」(⭐)をクリックして、お気に入りの一覧を表示します。削除したいお気に入り項目 (リンク)を右クリックして、ショートカットメニューから「削除」を選択します。

1 ツールバーから「お気に入り」をクリックします。

2 お気に入り項目 (リンク)を右クリックして、

3 ショートカットメニューから「削除」を選択します。

4 お気に入り項目 (リンク)を削除できます。

Q366 お役立ち度 ★★★ Microsoft Edgeのお気に入り

「お気に入り」内の重複するリンクを削除するには?

A 「お気に入り」で重複するリンクは自動削除できます。

Microsoft Edgeの「お気に入り」で同じページを重複して登録することがあります。重複するリンクを削除するには、ツールバーから「お気に入り」(☆)をクリックして、「…」(その他のオプション)→「重複するお気に入りを削除する」をクリックします。メッセージをよく読んでから、「削除」をクリックします。

1 ツールバーから「お気に入り」をクリックします。

2 「…」(その他のオプション)→「重複するお気に入りを削除する」をクリックします。

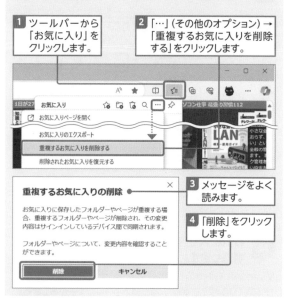

3 メッセージをよく読みます。

4 「削除」をクリックします。

Q367 お役立ち度 ★★★ Microsoft Edgeのお気に入り

「お気に入り」を仕分けるには?

A 「お気に入り」でフォルダーを追加して分類します。

Microsoft Edgeの「お気に入り」ではフォルダーを作成して、その中にお気に入り項目(リンク)を入れることができます。「お気に入り」内にフォルダーを作成するには、ツールバーから「お気に入り」(☆)をクリックして、「お気に入り」の上段にある「フォルダーの追加」をクリックして、新しいフォルダーに任意の名称を入力します。

1 ツールバーから「お気に入り」をクリックして、

2 「お気に入り」の上段にある「フォルダーの追加」をクリックします。

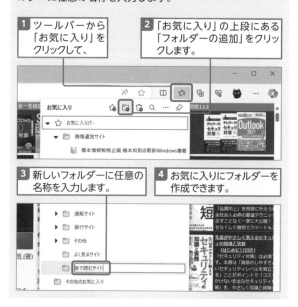

3 新しいフォルダーに任意の名称を入力します。

4 お気に入りにフォルダーを作成できます。

Q368 お役立ち度 ★★★ Microsoft Edgeのお気に入り

「お気に入り」に登録したリンクを整理するには?

A ドラッグ&ドロップで順序変更やフォルダー移動ができます。

Microsoft Edgeの「お気に入り」は、お気に入り項目(リンク)の表示順序を移動したり、フォルダー内に移動したりすることなどが可能です。Microsoft Edgeのツールバーから「お気に入り」(☆)をクリックして、順序を変更したいお気に入り項目(リンク)をドラッグして、目的の位置にドロップすれば完了です。

1 ツールバーから「お気に入り」をクリックして、

2 お気に入り項目(リンク)をドラッグします。

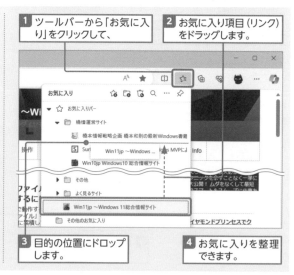

3 目的の位置にドロップします。

4 お気に入りを整理できます。

Q369 お役立ち度 ★★★ Microsoft Edgeのお気に入り

「お気に入り」の一覧をページ表示するには?

A 「お気に入りページを開く」を選択します。

Microsoft Edgeのツールバーから「お気に入り」をクリックして、フォルダーの作成やお気に入り項目(リンク)の移動・削除などを行うことができますが、やや面倒であることは否めません。

もっとお気に入りをスマートに編集するには、ツールバーから「お気に入り」(☆)をクリックして、「…」(その他のオプション)→「お気に入りページを開く」をクリックします。「お気に入り」をタブでページ表示でき、フォルダーの一覧も表示されるため、比較的簡単に順序変更やフォルダー移動を実現できます。

1 ツールバーから「お気に入り」をクリックします。

2 「…」(その他のオプション)→「お気に入りページを開く」をクリックします。

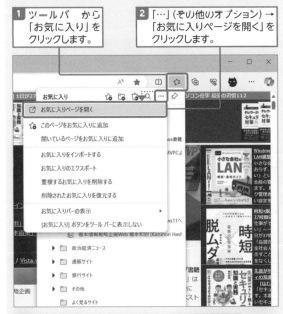

3 「お気に入り」の一覧をタブでページ表示できます。

Q370 お役立ち度 ★★★ Microsoft Edgeのお気に入り

「お気に入り」をサイドバーとして表示しておくには?

A 「お気に入り」をピン留めします。

「お気に入り」はリンクをクリックすると閉じてしまう仕様ですが、Microsoft Edgeに「お気に入り」を表示したい場合は、ツールバーから「お気に入り」(☆)をクリックして、「お気に入りをピン留めする」(📌)をクリックします。適用後、Microsoft Edgeの左側のサイドバーにお気に入りの一覧が表示されます。

なお、通常の表示に戻すには、「お気に入りのピン留めを外す」(📌)をクリックします。

1 ツールバーから「お気に入り」をクリックして、

2 「お気に入りをピン留めする」をクリックします。

3 サイドバーにお気に入りの一覧が表示されます。

通常の表示に戻すには、「お気に入りのピン留めを外す」をクリックします。

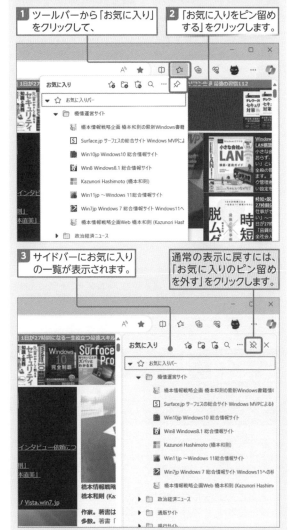

Q371 お役立ち度 ★★★ Microsoft Edgeのお気に入り

「お気に入り」のフォルダー内に登録したWebページを一気に開くには?

A フォルダーにまとめたリンクを一気に開くことができます。

フォルダーにまとめたお気に入り項目（リンク）は一気にタブで開くことができます。Microsoft Edgeのツールバーから「お気に入り」（☆）をクリックして、お気に入りの一覧から任意のフォルダーを右クリックします。ショートカットメニューから「すべて開く」を選択すれば、該当フォルダー内のお気に入り項目（リンク）を一気に開くことができます。

1 ツールバーから「お気に入り」をクリックします。

2 任意のお気に入りフォルダーを右クリックして、

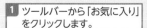
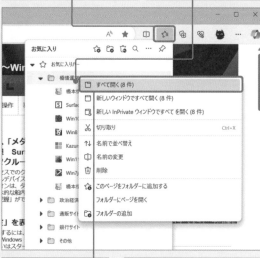

3 ショートカットメニューから「すべて開く」を選択します。

4 該当フォルダーのお気に入り項目（リンク）を一気に開くことができます。

おトクな情報 マウスのホイールボタンで一気に開く

お気に入りフォルダーをマウスのホイールボタン（センターボタン）でクリックして、一気に開くこともできます。

Q372 お役立ち度 ★★★ Webページのキャプチャ・保存・印刷

Webページにある画像をファイルとして保存するには?

A ドラッグ&ドロップのほか右クリックで保存できます。

Webページにある画像を保存しておきたい場合、一番簡単な方法は画像をドラッグしてデスクトップにドロップする方法です。また、任意のフォルダーにファイルとして保存するには、画像を右クリックして、ショートカットメニューから「名前を付けて画像を保存」を選択します。

なお、コンテンツが保護されているサイトでは、この操作は行えません。

ドラッグ&ドロップで保存する

1 Webページにある画像をドラッグしてデスクトップにドロップします。

右クリックで保存する

1 画像を右クリックして、

2 ショートカットメニューから「名前を付けて画像を保存」を選択します。

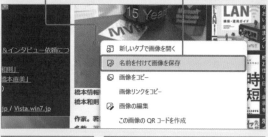

3 「保存」をクリックします。

4 Webページにある画像をファイルとして保存できます。

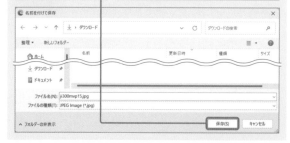

Q373

お役立ち度 ★★★　Webページのキャプチャ・保存・印刷

縦に長いWebページ全体の
スクリーンショットを保存するには?

A Webキャプチャで
ページ全体をキャプチャします。

Snipping Tool（**Q071**）のスクリーンショットでは、デスクトップに表示されている範囲内のみ画像化が可能ですが、Microsoft EdgeのWebキャプチャであれば、縦に長くスクロールが必要なWebページ全体を1つの画像にして保存することも可能です。ショートカットキー Ctrl + Shift + S を入力して、「ページ全体をキャプチャ」をクリックします。「Webキャプチャ」で「保存」をクリックすれば、ダウンロードフォルダーに画像ファイルが保存できます。

1 ショートカットキー Ctrl + Shift + S を入力して、

2 「ページ全体をキャプチャ」をクリックします。

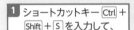
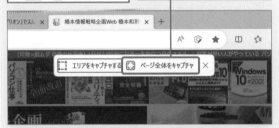

3 「Webキャプチャ」で「保存」をクリックします。

4 ダウンロードフォルダーにWebページ全体の画像ファイルが保存できます。

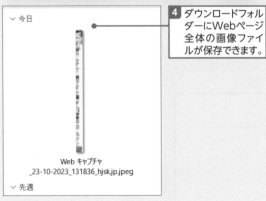

Webキャプチャ　Ctrl + Shift + S

Q374

お役立ち度 ★★★　Webページのキャプチャ・保存・印刷

Webページをファイルとして
保存するには?

A Webページの余白を右クリックして
「名前を付けて保存」を選択します。

Webページ全体をファイルとして保存しておきたい場合は、Webページの余白部分（文字や画像がない部分）を右クリックして、ショートカットメニューから「名前を付けて保存」を選択します。「名前を付けて保存」ダイアログでファイルの種類を選択し、「保存」をクリックします。

1 Webページの余白部分（文字や画像がない部分）を右クリックして、

2 ショートカットメニューから「名前を付けて保存」を選択します。

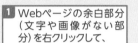

3 「名前を付けて保存」ダイアログで、ファイルの種類を選択します。

4 「保存」をクリックします。

5 Webページをファイルとして保存できます。

保存するときの
ファイルの種類について

ファイルの種類が「Webページ、すべて」の場合はWebページの要素ごとにファイルが保存され、「Webページ、単一ファイル」の場合は、1つのファイル（拡張子「.mhtml」）として保存されます。

名前を付けて保存　Ctrl + S

Q375 ★★★ お役立ち度 Webページのキャプチャ・保存・印刷

Webページを印刷する前に
印刷状態を確認するには?

A 「印刷プレビュー」でプリンターやレイアウトを指定できます。

Microsoft EdgeでWebページを印刷するには、ツールバーから「…」→「印刷」をクリックします。よく利用する場合はショートカットキー Ctrl + P で素早くアクセスできます。「印刷」が表示され、印刷のプレビューが確認できます。また、印刷プレビューは Ctrl +マウスホイール回転で拡大／縮小ができます。縮小すれば余白など全体の様子を確認できます。

> **1** ツールバーから「…」→「印刷」をクリックします。

> **2** 「印刷」が表示され、印刷のプレビューが確認できます。

> **3** Ctrl +マウスホイール回転で拡大／縮小ができます。

▦ 印刷 Ctrl + P

Q376 ★★★ お役立ち度 Webページのキャプチャ・保存・印刷

Microsoft Edgeで印刷する際に
用紙やレイアウトを変更するには?

A 「その他の設定」で詳細な設定を行えます。

Microsoft EdgeでWebページを印刷する際は、プリンターやレイアウトの縦／横が指定できます。Webページのレイアウトによっては「横」にしたほうが収まりが良い場合もあります。また、「その他の設定」をクリックすれば「用紙サイズ」や「拡大／縮小」「余白」などの指定が可能なので、任意に指定して全体が整ったら印刷を行います。

> **1** 印刷のプレビューを表示します (Q375)。
> **2** レイアウトの縦／横を任意に選択します。

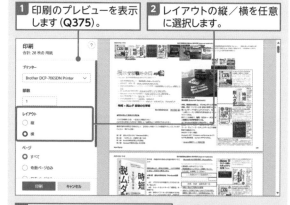

> **3** 「その他の設定」をクリックします。

> **4** 「用紙サイズ」や「拡大／縮小」「余白」などを指定できます。

Q377 お役立ち度 ★★★ Webページのキャプチャ・保存・印刷

Webページを PDF として保存するには?

A 印刷で「プリンター」から「Microsoft Print to PDF」を指定します。

Webページ全体を画像ファイルとして保存する方法は**Q373**で解説しましたが、Webページを「PDFファイル」として保存するには「印刷」から実行します。ツールバーから「…」→「印刷」をクリックします。「プリンター」のドロップダウンから「Microsoft Print to PDF」を選択して「印刷」をクリックします。「印刷結果を名前を付けて保存」ダイアログが表示されるので、任意にファイル名を入力して「保存」をクリックします。

1 ツールバーから「…」→「印刷」をクリックします（**Q375**）。

2 「プリンター」から「Microsoft Print to PDF」を選択して、

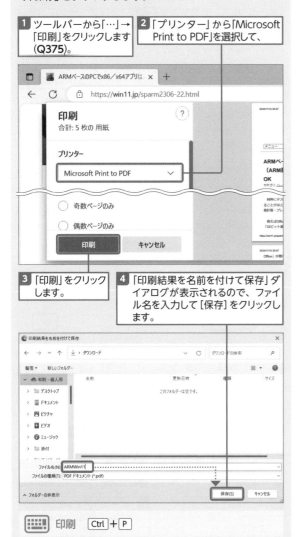

3 「印刷」をクリックします。

4 「印刷結果を名前を付けて保存」ダイアログが表示されるので、ファイル名を入力して [保存] をクリックします。

印刷　Ctrl + P

Q378 お役立ち度 ★★★ Microsoft Edgeの設定

Microsoft Edge の「設定」メニューを表示するには?

A ツールバーから「…」→「設定」をクリックします。

Microsoft Edgeのプライバシーや外観、起動時に表示されるWebページなどを設定できる「設定」メニューにアクセスするには、ツールバーから「…」→「設定」をクリックします。なお、「設定」メニューはMicrosoft Edgeの横幅によって表示が異なり、横幅が狭い場合は左上の「≡」をクリックして、設定項目を切り替える必要があります。

1 ツールバーから「…」→「設定」をクリックします。

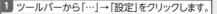
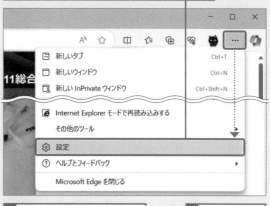

2 Microsoft Edgeの「設定」にアクセスできます。

3 「≡」をクリックします。

4 「設定」メニューを表示できます。

Microsoft Edgeの横幅が広い場合は「≡」をクリックしなくても「設定」メニューは表示されます。

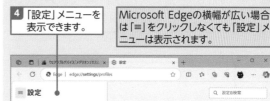

「…」(設定など)を開く　Alt + F

Q379 ★★★ Microsoft Edgeの設定

Microsoft Edge起動時に最初に開くWebページを設定するには？

A Microsoft Edgeの起動時のページを指定します。

Microsoft Edgeを起動した際に「最初に表示されるWebページ」を指定するには、該当Webページを開いた状態で、Microsoft Edgeのツールバーから「…」→「設定」をクリックします。「設定」メニューから「スタート、ホーム、および新規タブ」を選択して、「Microsoft Edgeの起動時」欄にある「これらのページを開く」を選択して、「開いているすべてのタブを使用」をクリックします。この方法なら、最初に起動するページは複数のWebページ（タブ）を指定することが可能です。

1 最初に表示したいWebページをあらかじめ開いておきます。

2 Microsoft Edgeの「設定」メニューを表示します（**Q378**）。

3 「スタート、ホーム、および新規タブ」をクリックします。

4 「Microsoft Edgeの起動時」欄にある「これらのページを開く」を選択します。

5 「開いているすべてのタブを使用」をクリックします。

6 起動時に最初に開くWebページを設定できます。

Q380 ★★★ Microsoft Edgeの設定

Microsoft Edgeに「ホーム」ボタンを追加するには？

A 「ツールバーに［ホーム］ボタンを表示」をオンにします。

以前のWebブラウザーでは「ホーム」ボタンが存在して、「ホーム」ボタンを押すだけで特定のWebページを表示できました。Microsoft Edgeでこの「ホーム」ボタンを表示するには、ツールバーから「…」→「設定」をクリックします。「設定」メニューから「スタート、ホーム、および新規タブ」を選択して、「［ホーム］ボタン」欄にある「ツールバーに［ホーム］ボタンを表示」をオンにします。URL欄に任意のWebページのURLを指定して「保存」をクリックすれば、「ホーム」ボタンをクリックするだけで指定ページにジャンプできます。

1 Microsoft Edgeの「設定」メニューを表示します（**Q378**）。

2 「スタート、ホーム、および新規タブ」をクリックします。

3 「［ホーム］ボタン」欄にある「ツールバーに［ホーム］ボタンを表示」をオンにします。

4 URL欄を選択して、任意のWebページのURLを指定します。

5 「保存」をクリックします。

6 Microsoft Edgeに「ホーム」ボタンを追加できます。

7 「ホーム」ボタンをクリックすれば、指定ページにジャンプできます。

Q381

お役立ち度 ★★★ Microsoft Edgeの設定

Microsoft Edgeの外観（テーマ）を変更するには？

A 「設定」メニューで外観を変更します。

Microsoft Edgeの外観（全体的な色）を変更する場合は、ツールバーから「…」→「設定」をクリックします。「設定」メニューから「外観」を選択して、「テーマ」欄から任意のテーマを選択します。デスクトップでいろいろなアプリを開いて操作している環境で、Microsoft Edgeを色で識別したいなどの場面で便利な設定です。

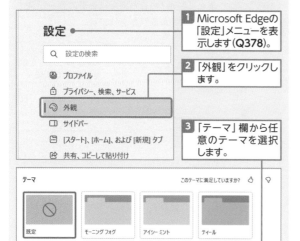

1 Microsoft Edgeの「設定」メニューを表示します（**Q378**）。

2 「外観」をクリックします。

3 「テーマ」欄から任意のテーマを選択します。

4 Microsoft Edgeの外観（テーマ）を変更できます。

Q382

お役立ち度 ★★★ Microsoft Edgeの設定

Webページの「文字サイズ」のみを大きくするには？

A 「設定」メニューでフォントサイズを変更します。

Microsoft Edgeで「Webページを拡大表示する方法」は**Q348**で解説しましたが、Webページ全体ではなく文字のみを大きく表示するには、ツールバーから「…」→「設定」をクリックします。「設定」メニューから「外観」を選択して、「フォント」欄にある「フォントサイズ」のドロップダウンから任意のサイズを選択します。

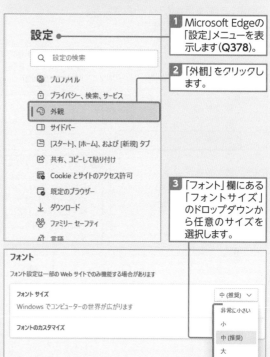

1 Microsoft Edgeの「設定」メニューを表示します（**Q378**）。

2 「外観」をクリックします。

3 「フォント」欄にある「フォントサイズ」のドロップダウンから任意のサイズを選択します。

4 Web表示の「文字サイズ」のみを大きくできます。

Q383 お役立ち度 ★★★ Microsoft Edgeの設定

Microsoft Edgeで「お気に入りバー」を常に表示するには?

A 表示する場面を「常に表示」に設定します。

Microsoft Edgeの「お気に入りバー」に登録した項目は、アドレスバーの下部に表示されます。既定では「新しいタブ」のみに表示されます。このアドレスバーの下部に表示される「お気に入りバー」を常に表示しておきたい場合は、ツールバーから「…」→「設定」をクリックします。「設定」メニューから「外観」を選択して、「ツールバーのカスタマイズ」欄にある「お気に入りバーの表示」のドロップダウンから、「常に表示」を選択します。

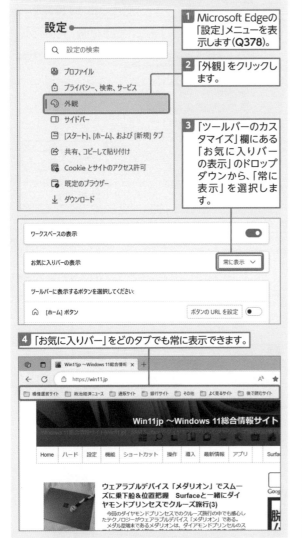

1 Microsoft Edgeの「設定」メニューを表示します(Q378)。

2 「外観」をクリックします。

3 「ツールバーのカスタマイズ」欄にある「お気に入りバーの表示」のドロップダウンから、「常に表示」を選択します。

4 「お気に入りバー」をどのタブでも常に表示できます。

Q384 お役立ち度 ★★★ Microsoft Edgeの設定

Microsoft EdgeでWebページのユーザー情報の収集を制限するには?

A 「追跡防止」をオンにします。

多くのWebページではユーザー情報を収集したうえでサービスを提供しています。これらの情報収集を制限するには、ツールバーから「…」→「設定」をクリックします。「設定」メニュー→「プライバシー、検索、サービス」を開いて、「トラッキングの防止」欄にある「追跡防止」をオンにして、3段階から任意に選択します。一般的には「基本」あるいは「バランス」でよく、「厳重」にした場合は一部のサービスで機能が正常に動作しない可能性があります。

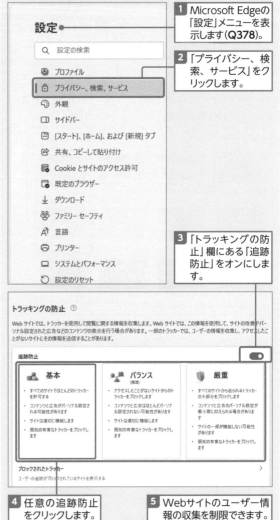

1 Microsoft Edgeの「設定」メニューを表示します(Q378)。

2 「プライバシー、検索、サービス」をクリックします。

3 「トラッキングの防止」欄にある「追跡防止」をオンにします。

4 任意の追跡防止をクリックします。

5 Webサイトのユーザー情報の収集を制限できます。

Q385 ★★★ お役立ち度 Microsoft Edgeの設定

Microsoft Edgeで閲覧履歴やキャッシュを消去するには?

A 「閲覧データをクリア」で実行できます。

Microsoft Edgeでは今まで閲覧したWebページの履歴・キャッシュ・Cookieなどの情報を保存しています。これらの情報を削除したい場合は、ツールバーから「…」→「設定」をクリックします。「設定」メニューから「プライバシー、検索、サービス」を選択して、「閲覧データをクリア」欄にある「クリアするデータの選択」をクリックして、任意の項目をチェックして「今すぐクリア」をクリックします。なお、Cookieはサイトのサインイン（ログイン情報）を保持しているため、消去するとサインインが必要なWebサイトでは再度情報が必要になる点に留意します。

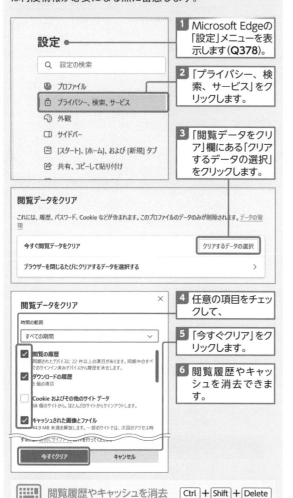

1 Microsoft Edgeの「設定」メニューを表示します（Q378）。

2 「プライバシー、検索、サービス」をクリックします。

3 「閲覧データをクリア」欄にある「クリアするデータの選択」をクリックします。

4 任意の項目をチェックして、

5 「今すぐクリア」をクリックします。

6 閲覧履歴やキャッシュを消去できます。

閲覧履歴やキャッシュを消去 Ctrl + Shift + Delete

Q386 ★★★ お役立ち度 Microsoft Edgeの設定

Microsoft EdgeでInternet Explorer互換モードを有効にするには?

A Internet Explorerモードでサイトの再読み込みを許可します。

以前のWindowsで標準Webブラウザーだった「Internet Explorer」のサポートはすでに終了しています。しかし、Internet Explorerでしか正常に表示や動作しないWebページを開きたい場合は、「Internet Explorer互換モード」を利用します。Microsoft Edgeのツールバーから「…」→「設定」をクリックします。「設定」メニューから「既定のブラウザー」を選択して、「Internet Explorerモードでサイトの再読み込みを許可」のドロップダウンから「許可」を選択して、「再起動」をクリックします。

関連 Q333 古い設計のWebサイトを見る

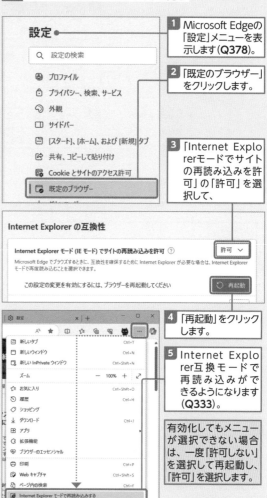

1 Microsoft Edgeの「設定」メニューを表示します（Q378）。

2 「既定のブラウザー」をクリックします。

3 「Internet Explorerモードでサイトの再読み込みを許可」の「許可」を選択して、

4 「再起動」をクリックします。

5 Internet Explorer互換モードで再読み込みができるようになります（Q333）。

有効化してもメニューが選択できない場合は、一度「許可しない」を選択して再起動し、「許可」を選択します。

Q387 ★★★ お役立ち度 Microsoft Edgeの設定

アドレスバーから検索する際に検索候補を自動的に表示しないようにするには?

A Microsoft Edgeでサジェストしないように設定します。

アドレスバーから検索する際、検索キーワードを入力し始めると予測される検索キーワード（サジェスト）が下部に自動表示されます。これが煩わしいという場合は、Microsoft Edgeのツールバーから「…」→「設定」をクリックします。「設定」メニューから「プライバシー、検索、サービス」を選択して、「サービス」欄にある「アドレスバーと検索」をクリックします。「検索候補とフィルター」をクリックして「入力した文字を使用して、検索とサイトの候補を表示する」をオフにします。

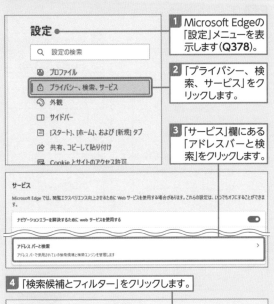

1 Microsoft Edgeの「設定」メニューを表示します（Q378）。

2 「プライバシー、検索、サービス」をクリックします。

3 「サービス」欄にある「アドレスバーと検索」をクリックします。

4 「検索候補とフィルター」をクリックします。

5 「入力した文字を使用して、検索とサイトの候補を表示する」をオフにします。

Q388 ★★★ お役立ち度 Microsoft Edgeの設定

Microsoft Edgeをリセットするには?

A お気に入りや保存されたパスワードを残してリセットします。

Microsoft Edgeを「設定」メニューなどで各所カスタマイズしたものの、やはり初期の状態に復元したいという場合は、「設定のリセット」を行います。ツールバーから「…」→「設定」をクリックします。「設定」メニューから「設定のリセット」を選択して、「設定を復元して規定値に戻します」をクリックします。メッセージが表示されるので、消去される内容を確認したうえで「リセット」をクリックします。

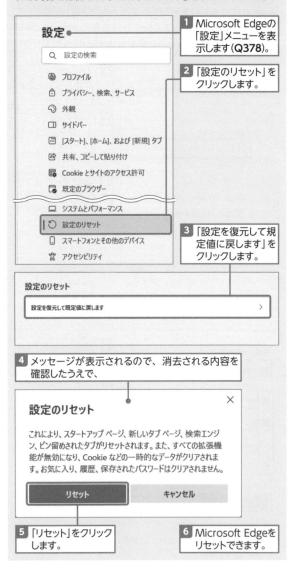

1 Microsoft Edgeの「設定」メニューを表示します（Q378）。

2 「設定のリセット」をクリックします。

3 「設定を復元して規定値に戻します」をクリックします。

4 メッセージが表示されるので、消去される内容を確認したうえで、

5 「リセット」をクリックします。

6 Microsoft Edgeをリセットできます。

メールを使いこなす

Windows 11では「Outlook for Windows」でメール・予定表・連絡先を管理するのが基本です。本章では、メールの作成や署名・検索・整理などについて解説するほか、イベントの作成や管理、連絡先の編集、Outlookのカスタマイズなどについて解説します。なお、ここで解説するOutlookはWindows 11標準の「Outlook for Windows」のことであり、Web版のOutlookやOffice 2021のOutlook 2021などとは異なります。

Q389 お役立ち度 ★★★ Outlookの基本

Windows 11で
メールを管理するには?

A 「Outlook」を利用します。

以前のWindows 11では「メール」(アプリ)でメールの管理を行いましたが、最新版のWindows 11は「Outlook for Windows」(Outlook)でのメール管理が基本になります。Outlookを起動するには、[スタート]メニューのピン留め済みから「Outlook」をクリックします。あるいは、[スタート]メニューの「すべてのアプリ」から「Outlook」をクリックします。素早く起動したい場合は ⊞ を押して[スタート]メニューを開き、検索ボックスに「out」と入力して、検索結果の「Outlook」をクリックしてもOKです。なお、「Outlook」が見当たらない場合は**Q393**を参照してください。

関連 Q393 Outlookの導入

ピン留め済みからの起動

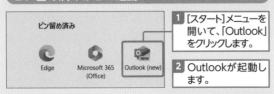

1 [スタート]メニューを開いて、「Outlook」をクリックします。

2 Outlookが起動します。

「すべてのアプリ」からの起動

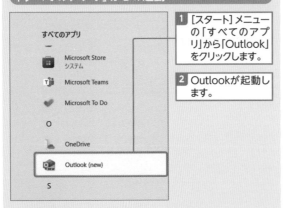

1 [スタート]メニューの「すべてのアプリ」から「Outlook」をクリックします。

2 Outlookが起動します。

> **おトクな情報** Windows 11標準の Outlookアプリ
>
> 本章で解説するOutlookはWindows 11標準の「Outlook for Windows」の解説になり、場面によって「新しいOutlook」や「Outlook(new)」などと表記されます。

Q390 お役立ち度 ★★★ Outlookの基本

メールアカウントとOutlookの
設定を知りたい!

A 初回起動時にMicrosoftアカウントを
設定します。

Outlookの初回の起動時に、「おすすめのアカウント」にMicrosoftアカウントが表示されたら、メールアドレスが正しいことを確認して、「続行」をクリックします。
なお、「メール」(旧メールアプリ)から切り替える場合は**Q393**を参照してください。
また、Outlookの設定はタイトルバーの「設定」をクリックして「設定」画面で行います。

起動時にMicrosoftアカウントを設定

1 利用するMicrosoftアカウントを確認して「続行」をクリックします。

Outlookの設定

1 タイトルバーの「設定」をクリックします。

2 「設定」画面が開きます。

設定を変更した際は保存が必要です。

> **おトクな情報** クラウドとの設定の同期
>
> Outlookの設定はクラウドで同期される仕様であるため、以前のPCで利用した場合や他のPCで設定したものがすでに反映されていることもあります(既定の設定は環境によって異なる)。

Q391

お役立ち度 ★★★　Outlookの基本

Outlookの画面構成を知りたい!

関連　Q394 ナビゲーションウィンドウの表示
関連　Q395 閲覧ウィンドウのレイアウト変更

A 標準では3つのウィンドウで構成されています。

Outlookの画面構成は以下のようになります。ナビゲーションウィンドウの表示（**Q394**）や閲覧ウィンドウのレイアウト（**Q395**）は任意に設定できるため、カスタマイズしている場合は表示が異なります。

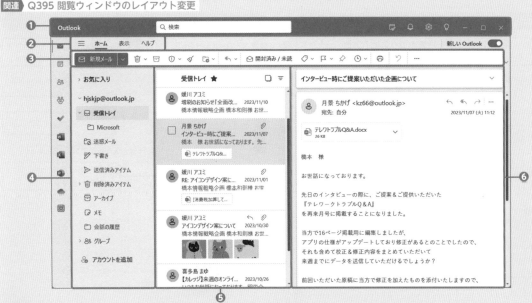

①	タイトルバー	検索を行うことや設定にアクセスできます。
②	タブ	リボンを切り替えることができます。
③	リボン	Outlookを操作するためのリボンコマンド群です。Outlookの各種操作を実現できます。
④	ナビゲーションウィンドウ（フォルダーウィンドウ）	フォルダー一覧が表示されます。フォルダーをクリックすれば、ビューを該当フォルダーの内容に切り替えることができます。
⑤	ビュー	ナビゲーションウィンドウのフォルダーに従った、メールの一覧が表示されます。
⑥	閲覧ウィンドウ	「ビュー」で選択しているメールの内容が表示されます。

Q392

お役立ち度 ★★★　Outlookの基本

広告を表示しないようにするには?

A 有料プランが必要になります。

Outlookでは、メールの受信トレイには広告が表示されることがありますが、広告を非表示にするにはサブスクリプションで有料プランを契約する必要があります。ビューの広告の「…」をクリックして、メニューから「広告を表示しない」をクリックします。Webブラウザーで有料プランの内容が表示されるので、必要であれば手続きを行います。

1 広告の「…」→「広告を表示しない」をクリックします。

2 Webブラウザーで有料プランへの案内が表示されます。

プランのバリエーションや価格は変更される可能性があります。

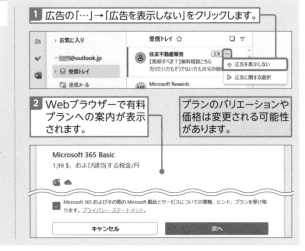

Q393 お役立ち度 ★★★ Outlookの基本

新しいOutlookを利用するには?

A 別途ダウンロードが必要な場合があります。

Outlookは最新版のWindows 11には標準で搭載されていますが、一部の環境にはまだ導入されていない場合があります。Outlookを導入するには、Microsoft Storeからダウンロードする方法と、「メール」(旧メールアプリ)から切り替える方法があります。

Microsoft Storeからのダウンロード

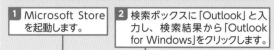

1 Microsoft Storeを起動します。

2 検索ボックスに「Outlook」と入力し、検索結果から「Outlook for Windows」をクリックします。

3 「入手」をクリックします。

「インストール済み」と表記されている場合は、導入済みです。

Microsoft系のアプリは「アプリ名」や「アプリのアイコン」が変更されることがあります。

メールを「新しいOutlook」に切り替える

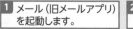

1 メール(旧メールアプリ)を起動します。

2 メールの「新しいOutlookを試してみる」をオンにします。

新しいOutlookを試してみる

3 新しいOutlookに切り替わります。

Q394 お役立ち度 ★★★ Outlookの基本

ナビゲーションウィンドウを表示／非表示にするには?

A 「≡」をクリックするか、表示タブの「レイアウト」から表示／非表示を設定します。

Outlookは、「ナビゲーションウィンドウ」(フォルダーウィンドウ)から、任意のフォルダーをクリックすることで、フォルダーに素早くアクセスできます。しかし、Outlookは3ウィンドウ構成であるため、Outlookの操作が窮屈に感じる場合は、「≡」をクリックしてナビゲーションウィンドウを表示しない設定にするとよいでしょう。これで閲覧ウィンドウなどの幅を広く表示できます。

1 「≡」をクリックします。

「表示」タブから「レイアウト」→「フォルダーウィンドウ」→「非表示にする」のチェックのオン／オフでも表示／非表示ができます。

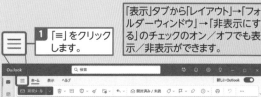

2 ナビゲーションウィンドウを非表示にできます。

再表示したい場合は、「≡」をクリックします。

Q395 お役立ち度 ★★★ Outlookの基本

閲覧ウィンドウの位置を変更するには?

A 表示タブのレイアウトで指定できます。

Outlookを操作するうえで一番利用するのが「ビュー」と「閲覧ウィンドウ」です。「ビュー」ではメールの差出人・件名、受信日時などを確認、「閲覧ウィンドウ」ではメールの内容を確認できますが、この表示の対比を変更したい場合は境界線をドラッグします。また、ビューの下に閲覧ウィンドウを表示して双方の横幅を確保したい場合は、「表示」タブから「レイアウト」→「閲覧ウィンドウ」→「下に表示」をクリックして、チェックします。環境に合わせて表示サイズや位置を最適化することにより、Outlookをより使いやすくできます。

関連 Q394 ナビゲーションウィンドウの表示

1 「表示」タブから「レイアウト」→「閲覧ウィンドウ」→「下に表示」をクリックして、チェックします。

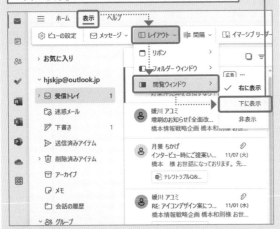

2 閲覧ウィンドウがビューの下に表示されるようになります。

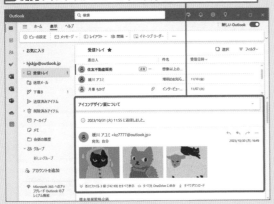

Q396 お役立ち度 ★★★ Outlookの基本

ビューでメッセージのプレビューを非表示にするには?

A 「プレビューテキストを表示しない」をチェックします。

Outlookのビューでは差出人・件名、受信日時の他に、メッセージのプレビュー(メール本文の一部)を表示していますが、このメッセージのプレビューをビューで非表示にしたい場合は、「表示」タブから「メッセージ」→「メッセージのプレビュー」→「プレビューテキストを表示しない」をチェックします。

1 「表示」タブから「メッセージ」→「メッセージのプレビュー」→「プレビューテキストを表示しない」をチェックします。

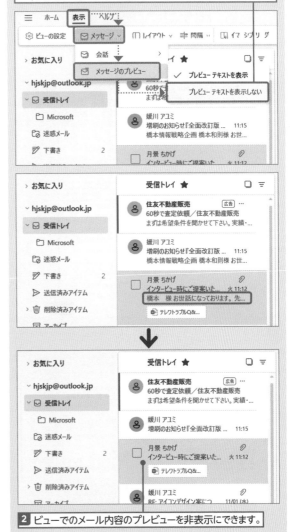

2 ビューでのメール内容のプレビューを非表示にできます。

Q397 お役立ち度 ★★★ Outlookの基本

ビューでの添付ファイルを
非表示にするには?

A インライン添付ファイルのプレビューを
表示しない設定にします。

Outlookでは、メールに添付ファイルがある場合はビューにも添付ファイルを表示する仕様です。添付ファイルの表示は閲覧ウィンドウのみでよく、ビューでの表示は必要ないという場合は、「表示」タブから「ビューの設定」をクリックして、「インライン添付ファイルのプレビュー」から、「添付ファイルをメッセージ一覧に表示しない」を選択して、「保存」をクリックします。

1 「表示」タブから「ビューの設定」をクリックします。

2 「インライン添付ファイルのプレビュー」から、「添付ファイルをメッセージ一覧に表示しない」を選択します。　**3** 「保存」をクリックします。

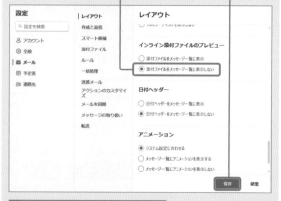

4 添付ファイルが非表示になります。

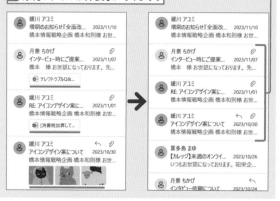

Q398 お役立ち度 ★★★ Outlookの基本

ビューでの表示を
件名から表示したい!

A 「メッセージ一覧の形式」を
「件名が最初」にします。

Outlookのビューでは「差出人」が1行目に表示され、次行に「件名」が表示されますが、この表示を「件名→差出人」という形で表示したい場合は、「表示」タブから「ビューの設定」をクリックして、「メッセージ一覧の形式」(メッセージの表示方法を選んでください)から、「件名が最初」を選択して、「保存」をクリックします。

1 「表示」タブから「ビューの設定」をクリックします。

2 「メッセージ一覧の形式」から、「件名が最初」を選択します。　**3** 「保存」をクリックします。

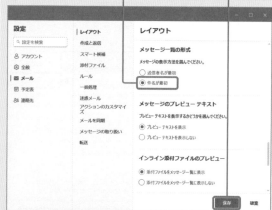

4 件名が最初に表示されます。

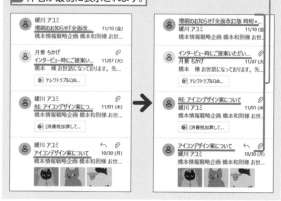

Q399 お役立ち度 ★★★ Outlookの基本

スレッド表示について知りたい!

A スレッド表示は同じ件名のメールをまとめて表示します。

Outlookでは「スレッド表示」という同種のメールをグループとして表示する機能があります。スレッド表示が有効な場合(無効にすることも可能、**Q400**)、メールをスレッドごとにグループ化しているものはビュー内の左上に「>」が表示されます。「>」をクリックすれば、メールを展開して表示できます。「件名」を基準として、件名を変えずにお互いに送受信したメールがスレッドごとにグループ化されるので(自分の送信したメールもスレッドに含まれる)、「同じ物事についてやり取りしたメール」がまとめられる形になります。

スレッドを展開する

1 「>」をクリックします。 **2** 同一グループのメールを展開できます。

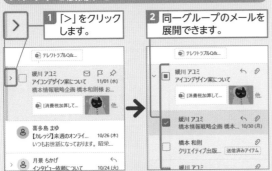

「>」はグループ化されたメールのみに表示されます。

スレッド化されたメールを確認する

1 スレッド内の任意のメールをクリックします。

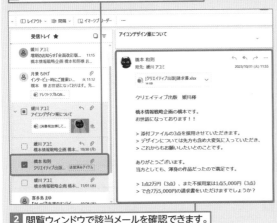

2 閲覧ウィンドウで該当メールを確認できます。

Q400 お役立ち度 ★★★ Outlookの基本

スレッド表示によるグループ化を無効にするには?

A 「メッセージを個別に表示する」をチェックします。

同種のメールをグループ化してスレッド表示する機能が使いにくいと考えて、受信メールは普通に時系列に並べて表示したいという場合は、「表示」タブから「メッセージ」→「会話」→「メッセージを個別に表示する」をチェックします。あるいは、Outlookの「設定」画面から「メール」→「レイアウト」を開いて、「メッセージをまとめて表示」から、「メールを個別のメッセージとして表示」を選択します。

「表示」タブから無効化

1 「表示」タブから「メッセージ」→「会話」→「メッセージを個別に表示する」をチェックします。

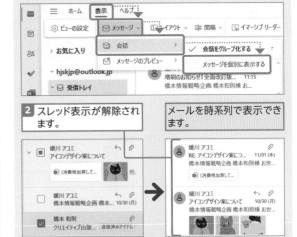

2 スレッド表示が解除されます。

メールを時系列で表示できます。

「設定」による無効化

1 Outlookの「設定」を表示します(**Q390**)。 **2** 「メール」→「レイアウト」を開いて、

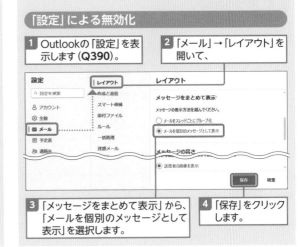

3 「メッセージをまとめて表示」から、「メールを個別のメッセージとして表示」を選択します。 **4** 「保存」をクリックします。

Q401 お役立ち度 ★★★ Outlookの基本

優先受信トレイで分類する／分類しないを設定するには?

おトクな情報 「優先受信トレイ」の有効／無効

「優先受信トレイ」を有効にして分類した場合、必要なメールが「その他」に分類されることもあるため、優先受信トレイで分類しないことを推奨します。

A Microsoft系アカウントは「優先受信トレイ」という分類があります。

Microsoft Exchange アカウント／Microsoft 365のアカウント／Outlook.com アカウントなどのMicrosoft系アカウントには「優先受信トレイ」という分類が存在し、メールを「優先」「その他」に分ける機能があります。「優先受信トレイ」を有効にして分類したい場合は、Outlookの「設定」画面から「メール」→「レイアウト」を開いて、「優先受信トレイ」から、「メッセージを優先とその他に分類する」を選択します。

また、「優先受信トレイ」を無効にしたい場合は、「優先受信トレイ」欄の「メッセージを分類しない」を選択します。

1 Outlookの「設定」を表示します（Q390）。
2 「メール」→「レイアウト」を開いて、

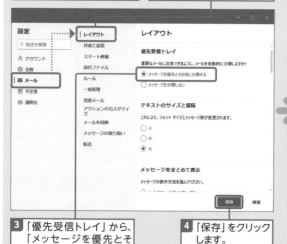

3 「優先受信トレイ」から、「メッセージを優先とその他に分類する」を選択します。
4 「保存」をクリックします。

5 ビューが「優先」と「その他」に分類されます。

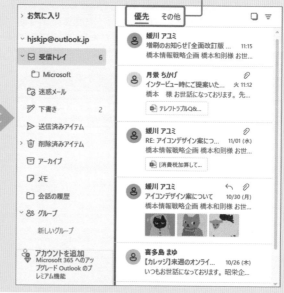

Q402 お役立ち度 ★★★ Outlookの基本

受信したメールを確認するには?

A 閲覧ウィンドウでメールを参照します。

受信したメールは「受信トレイ」内で確認できます。差出人から送信されたメールを確認するには、ナビゲーションウィンドウの「受信トレイ」をクリックして、ビューから閲覧したいメールをクリックすれば、閲覧ウィンドウにメール内容が表示され開封済みになります。
また、メールを独立したウィンドウで開くには、ビューのメールをダブルクリックします。

1 ナビゲーションウィンドウの「受信トレイ」をクリックします。
2 ビューに受信トレイ内にあるメールの一覧が表示されます。

3 閲覧したいメールをクリックします。
4 閲覧ウィンドウにメールが表示されます。

Q403 お役立ち度 ★★★ メール作成・返信

新規メールを作成するには?

A 「新規メール」をクリックします。

任意の宛先（相手のメールアドレス）を指定して、新しいメールを送信するには、「ホーム」タブから「新規メール」をクリックします。閲覧ウィンドウ内で新規メールを作成できるので、宛先・件名・メール本文（メッセージ）を記述して、「送信」をクリックすれば、メールを送信できます。

関連 Q443 メール作成時に連絡先を使用する

1 「ホーム」タブから「新規メール」をクリックします。

2 メール作成画面を閲覧ウィンドウに表示できます。

登録した「連絡先」（名前やメールアドレスを登録できる）から「宛先」を指定する方法については**Q443**を参照します。

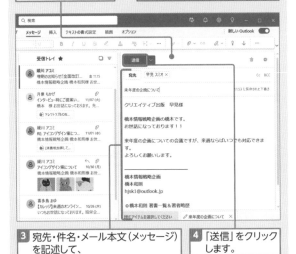

3 宛先・件名・メール本文（メッセージ）を記述して、

4 「送信」をクリックします。

⌨ 新しいメールの作成 `Ctrl` + `N`

⌨ メールの送信 `Alt` + `S`

Q404 お役立ち度 ★★★ メール作成・返信

メールの返信を行うには?

A メール上部にある「返信」をクリックします。

新規メールでのメール作成は、「宛先」でメールアドレスを手入力すると宛先を間違えてしまう（正常に送信できない）可能性があります。その点、「返信」であれば間違いなく相手にメールを送信できるので、宛先を確実に指定するためにも返信を活用するとよいでしょう。メールの返信は閲覧ウィンドウあるいは独立したウィンドウにメールを表示している状態で、メール上部の「返信」あるいは「全員に返信」をクリックします。

関連 Q410 メール作成のポップアウト表示

1 閲覧ウィンドウあるいは独立したウィンドウにメールを表示します。

2 「返信」あるいは「全員に返信」をクリックします。

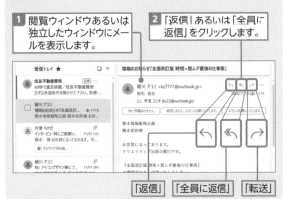

「返信」 「全員に返信」 「転送」

3 返信メール作成画面が表示されます。

返信メール作成画面を独立したウィンドウで常に表示したい場合は、ポップアウト表示を設定します（**Q410**）。

⌨ 返信 `Ctrl` + `R`

⌨ 全員に返信 `Ctrl` + `Shift` + `R`

Q405 お役立ち度 ★★★★ メール作成・返信

リボンから返信を行うには?

おトクな情報 「返信」「全員に返信」を選択して送信する方法

「∨」をクリックすれば、任意に「返信」「全員に返信」「転送」を選択できます。

A リボンから「返信」あるいは「全員に返信」をクリックします。

メールの返信はリボン操作からでもできます。ビューで返信するメールを選択して閲覧ウィンドウに表示している状態で、「ホーム」タブから「返信」あるいは「全員に返信」をクリックします。

なお、リボンに表示されるコマンドが、「返信」であるか「全員に返信」であるかは、Outlookの設定によって異なります。

関連 Q406 リボンの返信の既定

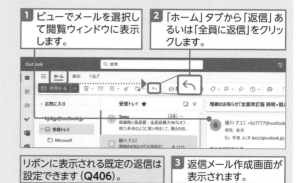

1 ビューでメールを選択して閲覧ウィンドウに表示します。

2 「ホーム」タブから「返信」あるいは「全員に返信」をクリックします。

リボンに表示される既定の返信は設定できます（**Q406**）。

3 返信メール作成画面が表示されます。

Q406 お役立ち度 ★★★★ メール作成・返信

メール返信の既定を「返信」あるいは「全員に返信」にするには?

A Outlookの「設定」で「返信」か「全員に返信」かを設定します。

Outlookのリボンの「ホーム」タブには「返信」あるいは「全員に返信」が存在しますが（環境によって異なる）、リボンにどちらを配置するかはOutlookの「設定」画面から「メール」→「作成と返信」を開いて、「返信または全員に返信」から、「返信」か「全員に返信」を選択します。「返信」ならメールを送信してきた人のみ、「全員に返信」ならCCも含め全員に送ります。

なお、どちらを選択しても、リボンの「返信」あるいは「全員に返信」横の「∨」をクリックすれば任意に選択できます。

おトクな情報 CCも含め返信する設定

一般的に相手が「CC」を付けて送信してきた場合、メールはCCを含めた全員に返信することが基本になります。このような場面を考えてもリボンのコマンドは「全員に返信」に設定しておくとよいでしょう。

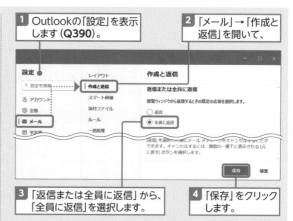

1 Outlookの「設定」を表示します（**Q390**）。

2 「メール」→「作成と返信」を開いて、

3 「返信または全員に返信」から、「全員に返信」を選択します。

4 「保存」をクリックします。

5 リボンのコマンドが「全員に返信」になります。

Q407 お役立ち度 ★★★★ メール作成・返信

返信メッセージの候補（スマート候補）を非表示にするには?

スマート候補による返信

受信メールを表示するとメール内容によっては「スマート候補」が表示されます。

1 「スマート候補」から任意のメッセージをクリックします。

2 返信メール作成画面にメッセージが挿入されます。

A Outlookの「設定」で「返信の候補を表示する」のチェックを外します。

Outlookでは、受信メールを表示した際にメール内容によっては「返信メッセージの候補」（スマート候補）を自動的に表示します。このスマート候補をクリックすることで、返信メッセージ入力済みの状態で返信メール作成画面に移行できますが、返信メールにおいて「一言だけで済ます」という場面はあまり多くありません。機能としてスマート候補の表示が必要ない場合は、Outlookの「設定」画面から「メール」→「スマート候補」を開いて、「返信の候補」から、「返信の候補を表示する」のチェックを外します。

スマート候補を非表示にする

1 Outlookの「設定」を表示します（Q390）。

2 「メール」→「スマート候補」を開いて、

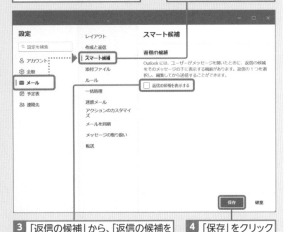

3 「返信の候補」から、「返信の候補を表示する」のチェックを外します。

4 「保存」をクリックします。

Q408 お役立ち度 ★★★★ メール作成・返信

メール作成において新しいウィンドウで作業するには?

A 「新しいウィンドウで開く」をクリックします。

Outlookはナビゲーションウィンドウ・ビュー・閲覧ウィンドウの3ウィンドウ構成ですが、メール作成（あるいは返信）において閲覧ウィンドウでの作成は窮屈に感じることや、あるいは返信などにおいて元のメールを参照しにくさを感じることがあります。
メール作成を新しいウィンドウ（独立した別ウィンドウ）で行いたい場合は、閲覧ウィンドウでメール作成を行っている状態において、「新しいウィンドウで開く」をクリックします。

1 閲覧ウィンドウでメールを記述しています。

2 「新しいウィンドウで開く」をクリックします。

3 返信メールが新しいウィンドウ表示になります。

Q409

お役立ち度 ★★★　メール作成・返信

メール作成を中断して
再度メール作成を再開するには?

閲覧ウィンドウでの作成の場合

1 現在作成中の「件名」が表示されたタブの「×」をクリックします。

件名

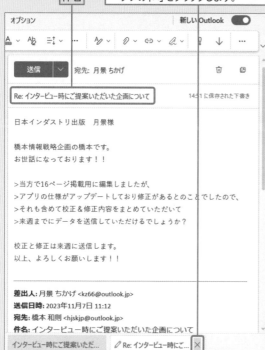

A 作成中のメールは「下書き」に保存されます。

Outlookでのメール作成中に、メール作成を一度中断したいときは閲覧ウィンドウでの展開の場合は、該当件名のタブの「×」をクリックします。また、新しいウィンドウでの作成の場合はタイトルバーの「×」をクリックします。

作成中のメールは「下書き」に保存されるので、メール作成を再開したい場合は、「下書き」から該当メールをクリックします。

新しいウィンドウでの作成の場合

1 タイトルバーの「×」をクリックします。

メール作成の再開

1 ナビゲーションウィンドウから「下書き」をクリックします。　**2** 該当メールをクリックします。

Q410

お役立ち度 ★★★　メール作成・返信

常に新しいウィンドウで
メール作成や返信を行うには?

A Outlookの「設定」でポップアウト表示にします。

Outlookにおいてメールの作成やメールの返信を常に新しいウィンドウ(独立したウィンドウ)で表示したい場合は、Outlookの「設定」画面から「メール」→「作成と返信」を開いて、「ポップアウト設定」から、「新しいウィンドウにポップアウト表示する」を選択します。

閲覧ウィンドウでメールを参照しながら、新しいウィンドウで返信メールを記述したい際などに便利です。

1 Outlookの「設定」を表示します(**Q390**)。　**2** 「メール」→「作成と返信」を開いて、

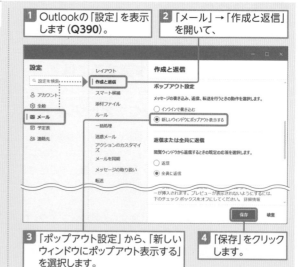

3 「ポップアウト設定」から、「新しいウィンドウにポップアウト表示する」を選択します。　**4** 「保存」をクリックします。

Q411

お役立ち度 ★★★　メール作成・返信

メールを指定時間に送信するには？

A メール送信時にスケジュール送信を設定します。

メールを送信する際に今すぐではなく、日時を指定して送信したい場合は、メール作成画面の「送信」横にある「∨」をクリックして、「スケジュール送信」をクリックします。
「スケジュール送信」から「カスタム時間」をクリックして、任意の日時を指定したうえで「送信」をクリックします。
メールは即時送信されずに「下書き」に保存されます。
なお、まだ送信されていない段階でメールのスケジュール送信日時やメール内容に間違いがないかを確認したい場合は、「下書き」で該当メールをクリックします。
メールは指定した時間以後に送信されます。送信されたメールはナビゲーションウィンドウの「送信済みアイテム」で確認できます。

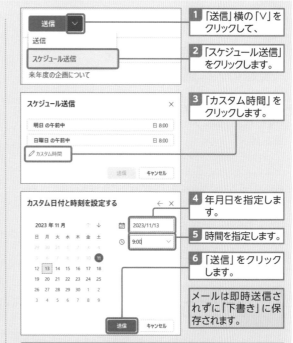

1. 「送信」横の「∨」をクリックして、
2. 「スケジュール送信」をクリックします。
3. 「カスタム時間」をクリックします。
4. 年月日を指定します。
5. 時間を指定します。
6. 「送信」をクリックします。

メールは即時送信されずに「下書き」に保存されます。

指定時間以後にOutlookでメール送信を確認するようにします。

Q412

お役立ち度 ★★★　メールの活用

「宛先」に複数のメールアドレスを指定して送信するには？

A 宛先指定でセミコロン (;) で確定して、メールアドレスを区切ります。

複数の人に同一内容のメールを送信したい場合は、宛先で複数のメールアドレスを指定する方法があります。
宛先で複数のメールアドレス（連絡先）を指定したい場合は、「;」(セミコロン) を入力し、確定してから2人目のメールアドレスを入力します（「連絡先」から指定することも可能、Q443）。なお、連絡先や履歴から宛先を指定した場合は、「;」を入力する必要はありません。
明確なルールは存在しないものの、一般的にメールに返信してほしい対象を「宛先」に指定して、メールを確認してほしい相手には「CC」で記述するのがよいでしょう。

関連 Q443 メール作成時に連絡先を使用する
関連 Q413 CC の指定
関連 Q414 BCC の指定

1. メール作成画面を表示します（Q403）。
2. 「宛先」に1人目のメールアドレスを入力します。

「宛先」を「連絡先」から指定したい場合は、Q443を参照します。

3. 「;」(セミコロン) を入力します。
4. 1人目のメールアドレスが確定します。

5. 続けて2人目以降のメールアドレスを入力します。

プライバシーに注意して、場面によって「BCC」を利用します（Q414）。

作成・送信

第10章 メールを使いこなす

225

Q413 お役立ち度 ★★★ メールの活用

「CC」指定で同じメールを複数の人に送るには?

A 「CC」をクリックして、「CC」欄にメールアドレスを入力します。

宛先にメールアドレスを列記するのではなく、「CC」（Carbon Copy）でメールアドレスを指定して複数の人にメールを送りたい場合は、メール作成画面の「宛先」欄にある「CC」をクリックします。「CC」欄が表示されるので、メールアドレスを入力するか、連絡先から指定します。なお、「CC」に記述したメールアドレスは「宛先」と同様に、メールを受信した全員に知らされます。

1 メール作成画面を表示します（Q403）。

2 「宛先」にメールアドレスを入力します。

| 宛先 | abcxyz@win7.jp × | | Cc BCC |

件名を追加   12:22 に保存された下書き

3 「CC」をクリックします。

4 「CC」欄が表示されます。

| 宛先 | abcxyz@win7.jp × | | BCC |
| CC | aaaa@outlook1.jp × | |

件名を追加   12:23 に保存された下書き

5 「CC」にメールアドレスを入力します。

「CC」にも複数のメールアドレスを指定できます。

Q414 お役立ち度 ★★★ メールの活用

相手にメールアドレスを知られない形で複数の人にメールを送るには?

A 「BCC」（Blind Carbon Copy）にメールアドレスを入力します。

「CC」は「Carbon Copy」の略で、宛先以外の相手に同時にメールを送信できますが、「CCに記述したメールアドレスは、メールを受信した全員に知られる」という特性があります。一方、「BCC」は「Blind Carbon Copy」の略になり、送信相手にはわからない形でメールを送信できます。メール作成画面の「宛先」欄にある「BCC」をクリックすることで、「BCC」欄を表示してメールアドレスを指定できます。

1 メール作成画面を表示します（Q403）。

2 「宛先」にメールアドレスを入力します。

| 宛先 | abcxyz@win7.jp × | | Cc BCC |

件名を追加

3 「BCC」をクリックします。

4 「BCC」欄が表示されます。

| 宛先 | abcxyz@win7.jp × | | Cc |
| BCC | aaaa@outlook.jp × | |

件名を追加   12:24 に保存された下書き

5 「BCC」にメールアドレスを入力します。

BCCに入力したメールアドレスは、「宛先」「CC」に指定した送信相手には見えないメールアドレスになります。

Q415 お役立ち度 ★★★ メールへのファイル添付

メールに添付したファイルを確認するには?

A 添付ファイルを「プレビュー」します。

メール作成画面においてファイルを添付した後に、ファイルの内容を確認したい場合は、添付ファイルの「∨」（その他の操作）をクリックして、ドロップダウンから「プレビュー」をクリックします。ファイルの内容をプレビューで確認できます（対応ファイルのみ）。

1 添付ファイルの「∨」（その他の操作）をクリックして、

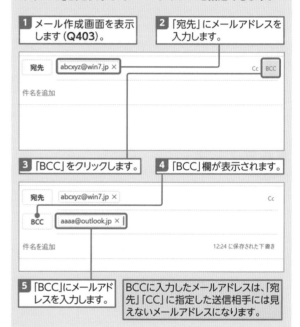

2 ドロップダウンから「プレビュー」をクリックします。

3 添付したファイルの内容を確認できます。

Q416
お役立ち度 ★★★ メールへのファイル添付

メール作成(送信メール)時に ファイルを添付するには?

1 メール作成画面を表示します(**Q403**)。

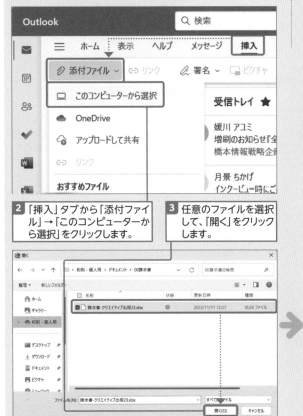

2 「挿入」タブから「添付ファイル」→「このコンピューターから選択」をクリックします。

3 任意のファイルを選択して、「開く」をクリックします。

A ファイルをメール作成画面にドラッグ&ドロップするか、「挿入」タブから添付します。

送信メールにファイルを添付したい場合は、「挿入」タブから「添付ファイル」→「このコンピューターから選択」をクリックして、添付するファイルを指定します。

また、添付するファイルをメール作成画面にドラッグして、「ファイルを添付」欄にドロップする方法でもOKです。

なお、「OneDriveにアップロードする」という方法もありますが、この手順は一般的なメールソフトにおけるファイルの添付とは異なります(**Q418**)。

4 メールにファイルを添付できます。

「OneDriveにアップロードする」については**Q418**を参照します。

Q417
お役立ち度 ★★★ メールへのファイル添付

メールに添付したファイルを 削除するには?

A 「その他の操作」から「添付ファイルの削除」をクリックします。

メール作成画面にてファイルを添付したものの、この添付ファイルを削除したいという場合は、添付ファイルの「∨」(その他の操作)をクリックして、ドロップダウンから「添付ファイルの削除」をクリックします。

1 添付ファイルの「∨」(その他の操作)をクリックして、

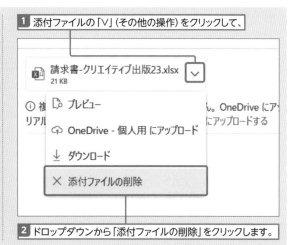

2 ドロップダウンから「添付ファイルの削除」をクリックします。

Q418

お役立ち度 ★★★
メールへのファイル添付

送信メールにおいてOneDriveにファイルをアップロードして共有するには?

A 「アップロードして共有」を選択します。

Q416で解説したファイルの添付方法では、メールにファイルそのものが添付された形での送信になりますが（一般的なメールにおけるファイルの添付方法）、Outlookには「OneDriveにアップロードして共有する」という方法も存在します。OneDriveにアップロードして共有したい場合は、メール作成画面において「挿入」タブから「添付ファイル」→「アップロードして共有」をクリックして、「アップロード」をクリックすると、メール内に「OneDriveの共有ファイルのリンク」を挿入できます。

添付ファイルをOneDriveにアップロード

1 Q416のファイル添付を行い、添付ファイルに表示される「OneDriveにアップロードする」をクリックします。

2 ファイルがOneDriveにアップロードされます。

3 「OneDriveの共有ファイルのリンク」がメールに挿入されます。

おトクな情報 大きいサイズのファイルを送信する

あまり大きいサイズのファイルを添付すると相手に送信できないことがあります。OneDriveで共有する方法なら、相手はダウンロードする手間はありますが、大きなサイズのファイルも渡せます。

「挿入」タブからアップロードの指定

1 メール作成画面を表示します（Q403）。

2 「挿入」タブから「添付ファイル」→「アップロードして共有」をクリックします。

3 任意のファイルを選択して、「開く」をクリックします。

4 「アップロード」をクリックします。

5 「OneDriveの共有ファイルのリンク」がメールに挿入されます。

Q419 お役立ち度 ★★★★ メールの署名

メールの署名を作成するには?

A Outlookの「設定」画面から署名を複数作成できます。

メールごとに自分の連絡先情報を記述するのは面倒ですが、「署名」を作成しておけば、メール作成時に挿入でき、既定の署名として自動挿入もできます。

「署名」を作成するには、Outlookの「設定」画面から「アカウント」→「署名」を開きます。「署名の名前」には自分にとってわかりやすいものを入力したうえで、「署名」を作成します。

1 Outlookの「設定」を表示します (Q390)。

2 「アカウント」→「署名」を開いて、

3 「署名の名前」と「署名」を入力します。

4 「保存」をクリックします。

おトクな情報 署名作成のポイント

署名には「社名」「名前」「住所」「メールアドレス」「電話番号」などの相手が必要な情報を記述しておきます。なお、任意に本文との差別化のため、署名の上部には「区切り線」を入れておくとよいでしょう。

区切り線	「一」や「-」「=」など
会社名	自社名
自社Webサイト	自社Webサイト (存在する場合)
職位	役職など (任意)
自分の名前	基本的にフルネーム、読みにくい場合はフリガナも
メールアドレス	メールアドレスを記述
住所	郵便番号から記述
電話番号	自分と連絡が取れる電話番号 (必要に応じて内線番号なども)

Q420 お役立ち度 ★★★★ メールの署名

署名を複数作成して使い分けるには?

A 「+新しい署名」をクリックして、署名を複数作成します。

仕事用と個人用に別の署名を使い分けたい場合には、複数の署名を作成して使い分けるとよいでしょう。署名の追加方法は、Outlookの「設定」画面から「アカウント」→「署名」を開いて、「+新しい署名」をクリックします。複数の署名は署名の名前で管理できます。

1 Outlookの「設定」を表示します (Q390)。

2 「アカウント」→「署名」を開いて、

3 「+新しい署名」をクリックします。

4 新しい署名の作成画面になりますので、Q419を参考に作成します。

Q421 お役立ち度 ★★★★ メールの署名

メールに任意の署名を挿入するには?

A あらかじめ署名を作成したうえで、「挿入」タブから署名を選択します。

メール作成画面で任意の署名を挿入したい場合は、あらかじめ署名を作成したうえで (Q419)、「挿入」タブから「署名」をクリックして、任意の署名をクリックします。メールの末尾に「署名」を挿入できます。

なお、あらかじめ署名を挿入しておきたい場合は、Outlookの「設定」で指定します (Q422)。

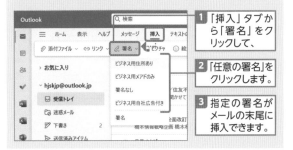

1 「挿入」タブから「署名」をクリックして、

2 「任意の署名」をクリックします。

3 指定の署名がメールの末尾に挿入できます。

Q422 お役立ち度 ★★★ メールの署名

メール作成時に指定の署名をあらかじめ挿入しておくには?

A 「既定の署名の選択」で新規メッセージ用と返送／転送用の署名を指定します。

複数の署名を作成済みの状態で、「新規メール作成時」に任意の署名をあらかじめ挿入しておきたい場合は、Outlookの「設定」画面から「アカウント」→「署名」を開いて、「既定の署名を選択」から、「新規メッセージ用」のドロップダウンから任意の署名をクリックします。同様に「返送／転送用」に挿入する署名を指定することもできます。

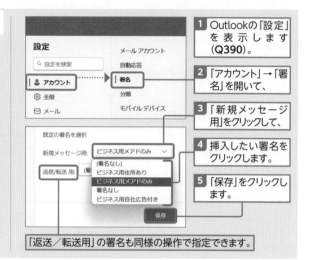

1 Outlookの「設定」を表示します（Q390）。

2 「アカウント」→「署名」を開いて、

3 「新規メッセージ用」をクリックして、

4 挿入したい署名をクリックします。

5 「保存」をクリックします。

「返送／転送用」の署名も同様の操作で指定できます。

Q423 お役立ち度 ★★★ メールの管理

メールを仕分けるためにフォルダーを作成するには?

A 「新しいサブフォルダーを作成」で任意のフォルダーを追加します。

Outlookでは、任意の「フォルダー」を作成してメールを仕分けることができます。例えば、受信トレイの配下に新しいフォルダーを作成したい場合は、「受信トレイ」を右クリックして、ショートカットメニューから「新しいサブフォルダーを作成」を選択します。フォルダー名の入力欄が表示されるので、フォルダー名を入力して、「保存」をクリックすれば新しくサブフォルダーを作成できます。

1 ナビゲーションウィンドウから「受信トレイ」を右クリックして、

2 ショートカットメニューから「新しいサブフォルダーを作成」を選択します。

3 任意のフォルダー名を入力します。

4 「保存」をクリックします。

5 フォルダーを作成できます。

⌨ フォルダーの作成　Ctrl + Shift + E

Q424 お役立ち度 ★★★ メールの管理

メールをフォルダーに移動するには?

A ドラッグ&ドロップやショートカットメニューから移動できます。

受信トレイにある特定のメールをフォルダーに移動するには、まずビューで移動したいメールをチェックします。右クリックして、ショートカットメニューから「移動」→[任意のフォルダー]と選択することにより、該当フォルダーにメールを移動できます。

1 移動したいメールをビュー内でチェックします。

2 右クリックして、ショートカットメニューから「移動」→[任意のフォルダー]と選択します。

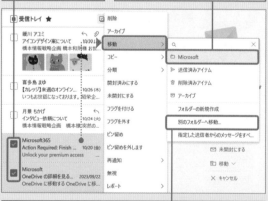

移動したいフォルダーが見当たらない場合は「別のフォルダーへ移動」をクリックします。

3 該当メールを該当フォルダーに移動できます。

メールをドラッグして、フォルダーにドロップしても移動できます。

Q425

お役立ち度 ★★★ メールの管理

同じ送信先のメールを自動的に指定フォルダーに移動するには?

A ルールを作成して条件にマッチしたメールを該当フォルダーに移動させます。

受信トレイの特定の送信者からのメールを自動的に指定のフォルダーに移動するには条件（ルール）を作成します。受信トレイにある移動する送信者のメールを右クリックして、ショートカットメニューから「ルール」→「ルールを作成」を選択します。移動先フォルダーを指定すれば、以後受信したメールは自動的に指定のフォルダーに移動できます。

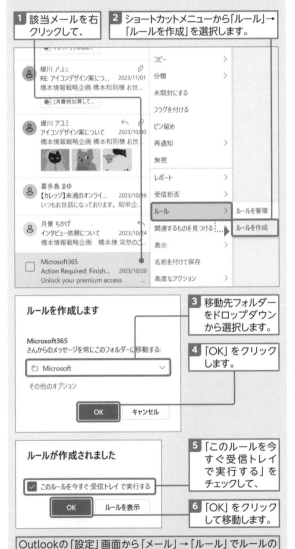

1 該当メールを右クリックして、

2 ショートカットメニューから「ルール」→「ルールを作成」を選択します。

3 移動先フォルダーをドロップダウンから選択します。

4 「OK」をクリックします。

5 「このルールを今すぐ受信トレイで実行する」をチェックして、

6 「OK」をクリックして移動します。

Outlookの「設定」画面から「メール」→「ルール」でルールの確認や詳細設定を行えます。

Q426

お役立ち度 ★★★ メールの管理

メールを検索するには?

A 検索ボックスにキーワードを入力して検索します。

メールの件数が増えてくると、目的のメールが見つけにくくなってしまいますが、そんな時に活用したいのが「検索」です。Outlookのタイトルバーにある検索ボックスにキーワードを入力して検索すれば、キーワードにマッチしたメールのみをビューに表示できます。ビュー内のメールをクリックすれば、メールを閲覧ウィンドウで確認できます。

1 「検索ボックス」をクリックします。

2 「検索ボックス」に任意のキーワードを入力して、

3 Enter を押します。

4 検索キーワードが含まれるメールがビューに一覧表示されます。

5 メールをクリックします。

キーワードはマーカーされます。

検索を終了するには、検索ボックスの「←」をクリックします。

6 メール内容を参照できます。

⌨ メールの検索（検索ボックスに移動する）
Ctrl + E / F3

Q427 お役立ち度 ★★★ メールの管理

差出人や件名などを指定して検索するには?

A 検索ボックスのフィルターを活用します。

Outlookのタイトルバーにある検索ボックスにキーワードを入力して検索すると、キーワードにマッチしたメールを表示しますが、「差出人」「件名」などのキーワードをより詳細に指定したい場合は、検索ボックスの「フィルター」をクリックします。「差出人」「宛先」「CC」「件名」「キーワード」「検索期間」などを指定して、「検索」をクリックすれば、指定検索条件にマッチしたメールが表示されます。

1 「検索ボックス」をクリックして、　**2** 「フィルター」をクリックします。

3 任意の検索項目に任意のキーワードを指定します。　**4** 「検索」をクリックします。

5 指定検索条件にマッチしたメールが表示されます。

Q428 お役立ち度 ★★★ メールの管理

メールを削除するには?

A 「ホーム」タブから「削除」をクリックします。

不要なメールを削除したい場合は、メールを表示した状態で「ホーム」タブから「削除」をクリックします。また、ビューでメールを複数チェックした状態から、「ホーム」タブから「削除」をクリックすれば、チェックしたメールを一括削除できます。なお、削除したメールは「削除済みアイテム」に移動します（**Q429**）。

メールの削除

1 削除したいメールを表示します　**2** 「ホーム」タブから「削除」をクリックします。

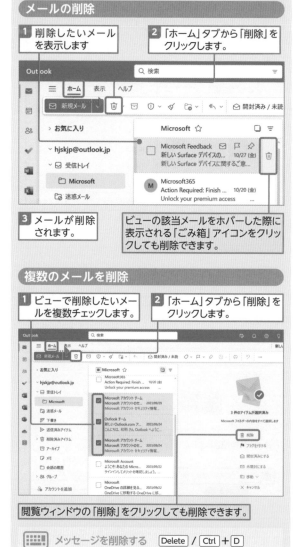

3 メールが削除されます。　ビューの該当メールをホバーした際に表示される「ごみ箱」アイコンをクリックしても削除できます。

複数のメールを削除

1 ビューで削除したいメールを複数チェックします。　**2** 「ホーム」タブから「削除」をクリックします。

閲覧ウィンドウの「削除」をクリックしても削除できます。

⌨ メッセージを削除する　Delete / Ctrl + D

Q429

お役立ち度 ★★★　メールの管理

削除したメールを確認するには?

A 「削除済みアイテム」で確認でき、復元も可能です。

削除したメールは、削除直後であればビューに表示される「削除しました」というメッセージ横の「元に戻す」をクリックすれば復元できます。また、削除済みのメールも一定期間内であれば、「削除済みアイテム」からメールを選択して、「ホーム」タブから「元に戻す」をクリックすることで元のフォルダーに復元可能です。

1 ナビゲーションウィンドウの「削除済みアイテム」をクリックします。

2 削除したメールを確認できます。

おトクな情報　メールの復元

「削除済みアイテム」から元の位置にメールを戻したい場合は、メールをチェックして、「ホーム」タブから「元に戻す」をクリックします。

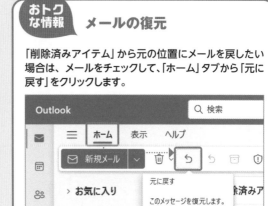

Q430

お役立ち度 ★★★　メールの管理

メール内容を印刷するには?

A 「ホーム」タブから「印刷」をクリックします。

メールを印刷物としてプリントアウトしたい場合は、該当のメールを表示した状態で「ホーム」タブから「印刷」をクリックします。印刷対象が表示されるので「印刷」をクリックすると、印刷プレビューが表示されるので、プリンターやレイアウトを指定したうえで、「印刷」をクリックします。

3 「印刷」をクリックします。

4 印刷プレビューが表示されます。

プリンターやレイアウトなどを任意に指定します。

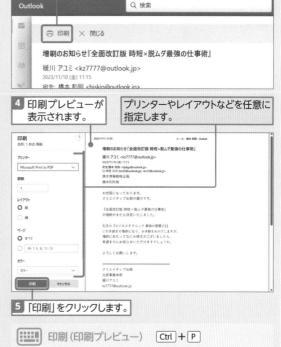

1 印刷したいメールを表示します。

2 「ホーム」タブから「印刷」をクリックします。

5 「印刷」をクリックします。

印刷(印刷プレビュー) Ctrl + P

Q431 お役立ち度 ★★★ メールの管理

分類(色)をわかりやすい名称に変更するには?

A 「色」に対して任意の分類項目名を命名します。

メールを色で「分類」したい場合は、まず色に対して任意の分類名を設定します。Outlookの「設定」画面から「アカウント」→「分類」を開いて、各色の「編集」をクリックして、任意の名前を設定します。どのように分類するかは管理次第ですが、取引先別やビジネスとプライベートを区別したい際などに活用できます。なお、「分類」を設定できるのは、Microsoft系アカウントのみになります。

1 Outlookの「設定」を表示します(**Q390**)。

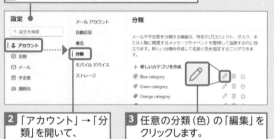

2 「アカウント」→「分類」を開いて、

3 任意の分類(色)の「編集」をクリックします。

4 分類(色)に対して任意の名前を命名します。

5 「保存」をクリックします。

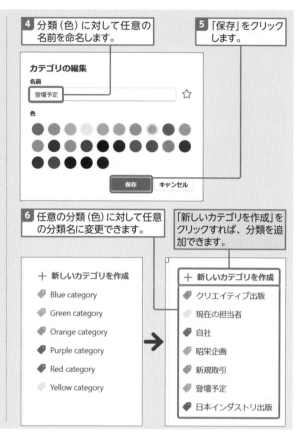

6 任意の分類(色)に対して任意の分類名に変更できます。

「新しいカテゴリを作成」をクリックすれば、分類を追加できます。

Q432 お役立ち度 ★★★ メールの管理

メールに分類を割り当てるには?

1 ビューで分類したいメールをチェックします。

2 「ホーム」タブから「分類」をクリックして、

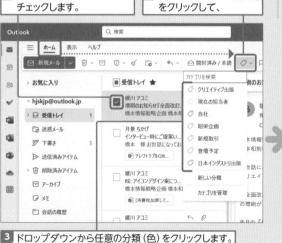

3 ドロップダウンから任意の分類(色)をクリックします。

A 「ホーム」タブから「分類」をクリックして、任意の分類(色)を指定します。

メールを分類するには、分類(色)を割り当てたいメールをビューでチェックした後、「ホーム」タブから「分類」をクリックして、ドロップダウンから任意の分類(色)をクリックします。メールに対して複数の分類(色)を割り当てることも可能です。なお、「分類」を設定できるのは、Microsoft系アカウントのみになります。

4 メールに対して任意の分類(色)を指定できます。

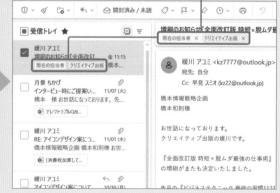

Q433 お役立ち度 ★★★ メールの管理

メールに割り当てた分類をクリアするには?

A 閲覧ウィンドウで分類の「×」をクリックするか、「分類項目をクリア」を実行します。

メールに分類を割り当てた後に、該当メールの任意の分類をクリアしたい場合は、メールを閲覧ウィンドウあるいは新しいウィンドウで表示して、分類名横の「×」をクリックします。また、ビューから分類をクリアしたい場合は、ビューで分類をクリアしたいメールをチェックしてから、「ホーム」タブから「分類」をクリックして、ドロップダウンから「分類項目をクリア」をクリックします。

メールで分類をクリアする

1 該当メールを表示します。 **2** 分類の「×」をクリックします。

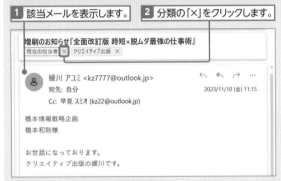

3 任意の分類 (色) を消去できます。

ビューから分類をクリアする

1 ビューで分類をクリアしたいメールをチェックします。 **2** 「ホーム」タブから「分類」をクリックして、

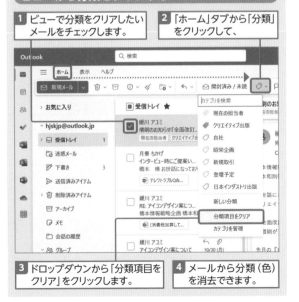

3 ドロップダウンから「分類項目をクリア」をクリックします。 **4** メールから分類 (色) を消去できます。

Q434 お役立ち度 ★★★ アカウント管理

メールのアカウントを削除するには?

A アカウントの管理から「削除」をクリックします。

Outlook に登録したアカウントを削除したい場合は、Outlook の「設定」画面から「アカウント」→「メールアカウント」を開いて、該当アカウントの「管理」をクリックします。アカウントの詳細を確認したうえで、「削除」をクリックして、該当 PC からのみ削除するのであれば「このデバイスから削除」、同期しているすべてのデバイスからアカウントを削除したいのであれば「すべてのデバイスから削除」を選択して「OK」をクリックします。

1 Outlook の「設定」を表示します (Q390)。

2 「アカウント」→「メールアカウント」を開いて、 **3** 任意のアカウントの「管理」をクリックします。

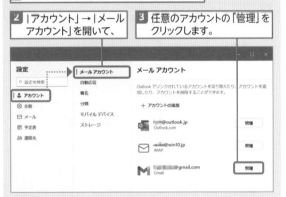

4 「削除」をクリックします。

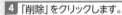

5 削除対象を選択して、

6 「OK」をクリックします。

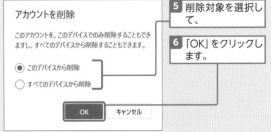

Q435

お役立ち度 ★★★ アカウント管理

OutlookにGmailなどの アカウントを追加するには?

A 「アカウントの追加」から ウィザードに従います。

Outlookでは複数のアカウントを管理できます。Outlook で管理するアカウントを追加したい場合は、Outlookの「設定」画面から「アカウント」→「メールアカウント」を開いて、「アカウントの追加」をクリックします。「すべてのメールアカウントを追加する」が表示されたら、追加したいアカウント（メールアドレス）を入力して「続行」をクリックします。以後ウィザードに従って本人確認や2段階認証などを行います。なお、Outlookのすべての機能を利用できるのは、Microsoft系アカウントのみになります。

1 Outlookの「設定」を表示します（**Q390**）。

2 「アカウント」→「メール アカウント」を開いて、

3 「アカウントの追加」を クリックします。

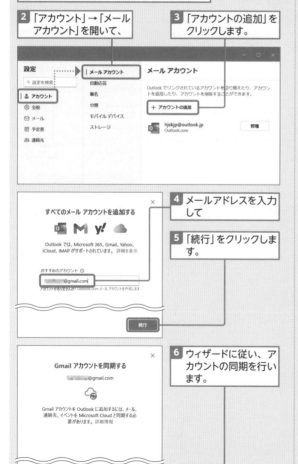

4 メールアドレスを入力 して

5 「続行」をクリックしま す。

6 ウィザードに従い、ア カウントの同期を行い ます。

7 アカウントによっては 本人認証／2段階認 証などが必要になりま す。

アカウントの追加手順は、 アカウントの種類によっ て異なります。

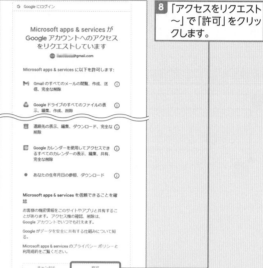

8 「アクセスをリクエスト ～」で「許可」をクリッ クします。

9 アカウントを追加でき ます。

おトクな情報 アカウントの詳細情報

メールアカウントによって はメールサーバーのサー バー名やポート番号の入 力が必要になります。設 定の詳細はメールサー バーによって異なるため、 インターネットプロバイ ダーのサポート情報を確認 してください。

Q436 お役立ち度 ★★★ Outlookの予定表

Outlookの予定表を参照するには?

A 「予定表」をクリックして、Outlook画面を切り替えます。

Outlookではメールだけではなく、「予定表」を管理できます。Outlookから「予定表」をクリックすると、画面が予定表に切り替わります。

1 「予定表」をクリックします。

2 Outlook画面が「予定表」になります。

❶	タイトルバー・タブ・リボン	メール画面同様、各種操作を行えます。
❷	ナビゲーションウィンドウ	月や日を指定して、ビューに表示する期間を変更できます。
❸	ビュー	指定形式での予定表が表示されます。日／稼働日／週／月で表示できます。

⌨ 予定表に切り替える `Ctrl` + `2`

Q437 お役立ち度 ★★★ Outlookの予定表

予定表の稼働日や開始・終了時間を設定するには?

A 予定表の「表示」を設定します。

Outlookの予定表では、開始時間から終了時間(一般的に言う稼働時間)以外の範囲は、背景色が変わる仕様です。任意に開始時間と終了時間を設定したい場合は、Outlookの「設定」画面から「予定表」→「表示」を開いて、各時間を指定します。ここでは、稼働日や週の初めの曜日なども設定できます。

1 Outlookの「設定」を表示します(Q390)。

2 「予定表」→「表示」を開いて、

3 「開始時間」「終了時間」をそれぞれ指定します。

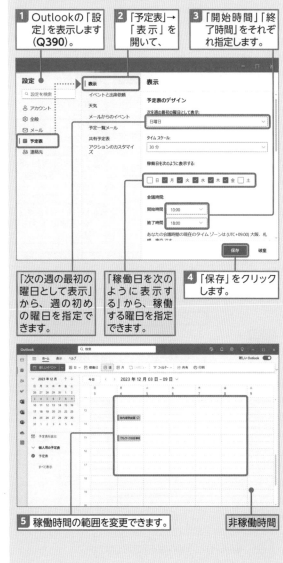

「次の週の最初の曜日として表示」から、週の初めの曜日を指定できます。

「稼働日を次のように表示する」から、稼働する曜日を指定できます。

4 「保存」をクリックします。

5 稼働時間の範囲を変更できます。

非稼働時間

Q438 お役立ち度 ★★★ Outlookの予定表

予定表にイベント(予定)を追加するには?

A 「新しいイベント」をクリックします。

Outlookの予定表に「イベント」(予定)を追加するには、「ホーム」タブから「新しいイベント」をクリックします。「新規イベント」の入力画面が表示されたら、「タイトル」「開始日時」「終了日時」「場所」「説明」などを任意に入力して、「保存」をクリックします。あらかじめ特定の日の時間を範囲指定して、イベントを作成することもできます(**Q439**)。

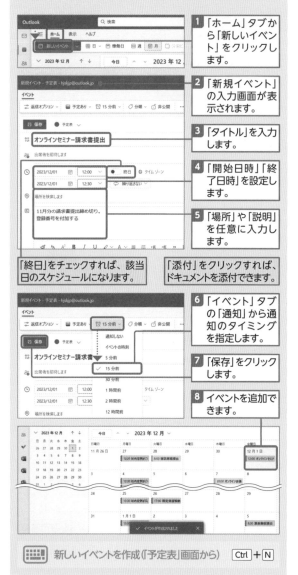

1 「ホーム」タブから「新しいイベント」をクリックします。

2 「新規イベント」の入力画面が表示されます。

3 「タイトル」を入力します。

4 「開始日時」「終了日時」を設定します。

5 「場所」や「説明」を任意に入力します。

「終日」をチェックすれば、該当日のスケジュールになります。

「添付」をクリックすれば、ドキュメントを添付できます。

6 「イベント」タブの「通知」から通知のタイミングを指定します。

7 「保存」をクリックします。

8 イベントを追加できます。

⌨ 新しいイベントを作成(「予定表」画面から) `Ctrl` + `N`

Q439 お役立ち度 ★★★ Outlookの予定表

予定表で時間範囲を指定してイベント(予定)を追加するには?

A 日/稼働日/週表示で時間範囲をドラッグします。

「ホーム」タブから「新しいイベント」をクリックすれば、イベントを作成できますが、予定表で任意の時間帯を指定してイベントを作成したい場合は、ビューを日/稼働日/週表示にしたうえで、時間帯をドラッグして選択します。ポップアップでイベント作成画面が表示されるので、任意に入力して「保存」をクリックします。

1 イベントの開始時間から終了時間をドラッグします。

2 ポップアップでイベントの入力画面が表示されます。

3 イベントの各項目を任意に入力・指定します。

4 「保存」をクリックします。

5 イベントを追加できます。

Q440 お役立ち度 ★★★ Outlookの連絡先

Outlookの連絡先を参照するには?

A 「連絡先」をクリックして、
Outlook画面を切り替えます。

Outlookから「連絡先」をクリックすると画面が連絡先に切り替わります。「連絡先」では連絡先情報として姓名・メールアドレス・電話番号・勤務先・勤務先住所などを管理できます。

1 「連絡先」をクリックします。

2 Outlook画面が「連絡先」になります。

❶	タイトルバー・タブ・リボン	メール画面同様、各種操作を行えます。
❷	ナビゲーションウィンドウ	お気に入りや連絡先／連絡先リストなどにビューを切り替えることができます。
❸	ビュー	該当の連絡先の一覧を表示できます。
❹	閲覧ウィンドウ	「ビュー」で選択している連絡先の内容が表示されます。

⌨ 連絡先に切り替える `Ctrl` + `3`

Q441 お役立ち度 ★★★ Outlookの連絡先

連絡先情報を追加するには?

A 「ホーム」タブから「新しい連絡先」を
クリックします。

Outlookの「連絡先」によく利用する連絡先情報を登録しておけば、任意の相手の連絡先情報をすぐに確認できるほか、連絡先情報を利用してメールの宛先を素早く入力することもできます（**Q443**）。

1 「ホーム」タブから「新しい連絡先」をクリックします。

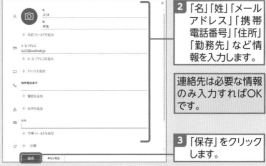

2 「名」「姓」「メールアドレス」「携帯電話番号」「住所」「勤務先」など情報を入力します。

連絡先は必要な情報のみ入力すればOKです。

3 「保存」をクリックします。

4 連絡先が登録されます。

おトクな情報 連絡先を編集する

Outlookの連絡先に登録済みの連絡先情報を編集するには、ビューから連絡先をクリックして、閲覧ウィンドウで情報を表示した状態で、「ホーム」タブから「編集」をクリックします。

239

Q442 お役立ち度 ★★★ Outlookの連絡先

メールのメールアドレスを
連絡先情報に追加するには?

A メールヘッダーのメールアドレスを
クリックして、連絡先に追加します。

メール差出人のメールアドレスを新しい連絡先情報として追加したい場合は、Outlook画面を「メール」にして、ビューから該当メールをクリックして、閲覧ウィンドウにメールを表示します。閲覧ウィンドウのヘッダーに表示されているメールアドレスをクリックして、情報が表示されたら「…」をクリックして、メニューから「連絡先に追加する」をクリックします。連絡先情報の登録画面にメールアドレスが反映された形になるので、任意の項目を入力して「保存」をクリックします。

1 Outlookを「メール」画面（Ctrl + 1）にします。

2 連絡先に登録したいメールを閲覧ウィンドウで表示します。

3 メールアドレスをクリックします。

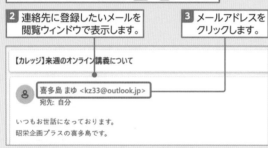

4 「…」をクリックして、

5 メニューから「連絡先に追加する」をクリックします。

6 連絡先情報の登録画面になるので、任意に編集します。

7 「保存」をクリックします。

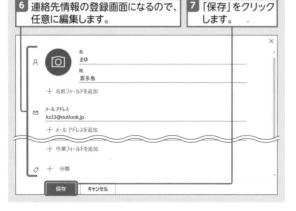

Q443 お役立ち度 ★★★ Outlookの連絡先

メール作成時に
連絡先を活用するには?

A メール作成画面で「宛先」を
クリックして連絡先を指定します。

Outlookでメールを作成する際、「宛先」をクリックすれば連絡先リストを表示できます。一覧から任意の名前の右横に表示される「+」をクリックすれば、宛先としてメールアドレスを指定できます。
また、「CC」「BCC」も同様にクリックすることで連絡先リストからメールアドレスを指定できます。

1 メール作成画面を表示します（Q403）。

2 「宛先」をクリックします。

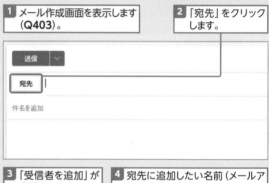

3 「受信者を追加」が表示されます。

4 宛先に追加したい名前（メールアドレス）横の「+」をクリックします。

複数指定することも可能です。

5 宛先に名前が追加されます。

6 「保存」をクリックします。

7 メール作成画面に「宛先」に名前（メールアドレス）を指定できます。

第11章

写真や動画・音楽の楽しみ方を知る

Windows 11は「フォト」による優れた写真管理・編集が可能です。写真を一覧で表示することができるほか、編集機能として自動補正・色調補正・被写体以外のぼかし・背景削除・トリミングなどができます。
また「Clipchamp」では高度な動画編集が可能で、切り抜き・速度変更・テキスト挿入などのほか、AIを活用して動画を自動作成することもできます。

Q444 お役立ち度 ★★★ フォトの活用

ピクチャフォルダーのすべての写真（画像）を一覧で見るには？

A 「フォト」で一覧表示できます。

ピクチャフォルダーにある写真（画像）をまとめて表示したいという場合は、「フォト」を単体起動します。[スタート]メニューの「すべてのアプリ」から「フォト」をクリックします。フォトではピクチャフォルダー内の別々のフォルダーにあるファイルもギャラリーに一覧でサムネイル表示できます。

関連 Q195 エクスプローラーのギャラリー

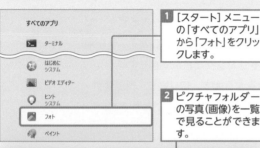

1 [スタート]メニューの「すべてのアプリ」から「フォト」をクリックします。

2 ピクチャフォルダーの写真（画像）を一覧で見ることができます。

3 スクロールすることで過去の写真などにアクセスできます。

Q445 お役立ち度 ★★★ フォトの活用

フォトでギャラリーの種類（表示方法）を変更するには？

A 「ギャラリーの種類とサイズ」で変更します。

「フォト」のギャラリーは標準で「リバー」という写真（画像）の縦横比に従った不均一なサイズで写真群を表示しています。この種類を変更するには、フォトの右上にある「ギャラリーの種類とサイズ」をクリックして、表示方法を指定します。例えば、「ギャラリーの種類とサイズ」→「正方形」をクリックすれば、すべての写真を正方形で表示できます。

1 「ギャラリーの種類とサイズ」→「正方形」をクリックします。

2 ギャラリーの種類（表示）を変更できます。

Q446 お役立ち度 ★☆☆ フォトの活用

フォトで任意の年月の写真に素早くアクセスするには？

A 右端をホバーして任意の年度をクリックします。

「〜年〜月ごろの写真群が見たい」という場合は、「フォト」の右端をホバーします。
「年」が表示され、該当年の範囲をホバーすると「月・年」の表示になるので、目的の年月でクリックします。該当時期の写真のサムネイルを表示できます。

1 「フォト」の右端をホバーします。

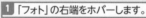

2 「月・年」が表示されるので該当年月をクリックします。

3 該当の年月の写真群にアクセスできます。

Q447 お役立ち度 ★★★ フォトの活用

フォトでギャラリーの表示サイズを変更するには?

A 「ギャラリーの種類とサイズ」で大きさを指定します。

「フォト」のギャラリーで表示される写真の大きさや1画面で表示される写真点数はPCの画像解像度や拡大率によって異なります。1画面になるべく多く写真を表示したい場合は、サイズを小さくするとよいでしょう。写真のサイズを変更したい場合は、フォトの右上にある「ギャラリーの種類とサイズ」をクリックして、任意のサイズを指定します。

1 「ギャラリーの種類とサイズ」→「小」をクリックします。

2 ギャラリーの表示サイズを変更できます。

Q448 お役立ち度 ★★★ フォトの活用

フォトから写真や動画を見るには?

A 任意の写真や動画をダブルクリックして、フォトビューアーで開きます。

「フォト」で任意の写真を大きく表示するには、「フォト」内の任意の写真をダブルクリックして、フォトビューアーで写真を表示します。また、動画をダブルクリックすればフォトビューアーで動画を再生できます。

1 「フォト」から写真をダブルクリックします。

2 フォトビューアーで写真を表示できます。

動画をダブルクリックすればフォトビューアーで動画を再生できます。

⌨ フォトビューアーで写真や動画を表示　[Enter]

Q449 お役立ち度 ★★★ フォトの活用

フォトビューアーで次々写真を見るには?

A 「次へ」や「前へ」をクリックします。

フォトビューアーで次写真（前写真）を表示したい場合は、マウスポインターをフォトビューアーの右端（左端）付近に移動して、表示される「次へ」（「前へ」）をクリックします。この操作はマウスよりも左右カーソルキーのほうが素早く行えます。また、フォトビューアー左下にある「映画ストリップを表示する」をクリックすれば、下部にサムネイルで写真の一覧を表示でき、すぐに該当画像を表示することもできます。

1 マウスポインターを右端付近に移動します。

2 「次へ」が表示されたらクリックします。

3 次の写真を表示できます。

次写真 [→]　前写真 [←]

Q450 お役立ち度 ★★★ フォトの活用

フォトで写真表示の順序を整えるには?

A 「並べ替え」で順序を変更できます。

「フォト」の既定では、「撮影日」の降順（新しいもの）からギャラリーを表示します。この表示順序を変更するには、フォトの右上にある「並べ替え」をクリックして、任意の順序を指定します。

1 フォトの右上にある「並べ替え」→「変更日」をクリックします。

2 写真の表示を「変更日（降順）」に並べ替えることができます。

Q451 お役立ち度 ★★★ フォトの活用

「フォト」の一覧に任意のフォルダーを登録したい!

A 「フォルダーの追加」で任意のフォルダーを登録します。

「フォト」はピクチャフォルダーやクラウドにある写真フォルダーを自動的にギャラリーに登録しますが、任意の写真フォルダー（あるいは動画フォルダー）を「フォト」に登録して表示もできます。「フォト」のナビゲーションにある「フォルダー」を右クリックして、「フォルダーの追加」をクリックします。「フォルダーの選択」で任意のフォルダーを指定すれば、フォトに該当フォルダー内の画像を登録できます。

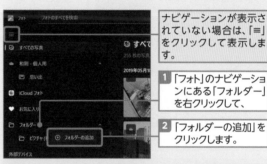

ナビゲーションが表示されていない場合は、「≡」をクリックして表示します。

1 「フォト」のナビゲーションにある「フォルダー」を右クリックして、

2 「フォルダーの追加」をクリックします。

3 「フォルダーの選択」で写真のあるフォルダーを指定して、

4 「フォルダーの選択」をクリックします。

5 フォトに該当フォルダー内の写真を追加できます。

Q452 お役立ち度 ★★★ フォトの活用

写真をスライドショーで
再生するには?

A 写真を表示した状態で
スライドショーを開始します。

「フォト」のギャラリーに表示されている写真をスライドショーで表示したい場合は、フォトの右上にある「スライドショーの開始」をクリックします。フォトビューアーで写真を表示している状態からは「…」→「スライドショーの開始」でも可能です。

ショートカットキー F5 でも素早くスライドショーを表示できます。なお、あらかじめ「フォト」で複数の写真を選択してからスライドショーを実行すると、選択写真のみがスライドショーで表示されます。

1 「スライドショーの開始」をクリックします。

2 写真をスライドショーで再生できます。

⌨ スライドショー F5

Q453 お役立ち度 ★★★ フォトの活用

スライドショーの BGM や
アニメーションを設定するには?

A スライドショー実行時のツールバーで
設定できます。

「フォト」あるいはフォトビューアーからスライドショーを実行すると、BGMと共に写真がアニメーション効果で次々と表示されます。これを制御するにはスライドショーを実行している状態で、上部のツールバーから「スライドショーのオプション」をクリックします。各機能のオン／オフ設定のほか、音楽を任意に指定することもできます。

1 スライドショーを実行します(**Q452**)。 2 上部のツールバーから「スライドショーのオプション」をクリックします。

3 各機能のオン／オフ設定のほか、音楽を任意に指定できます。

Q454 お役立ち度 ★★★ フォトの活用

エクスプローラーから
フォトで写真を見るには?

A 画像ファイルをダブルクリックします。

エクスプローラーから、画像ファイルをダブルクリックすれば「フォト」(フォトビューアー)で画像を表示できます。フォトビューアーで表示した後は、次々と画像を見ることや(**Q449**)、スライドショー(**Q452**)、画像の編集(**Q456** ～**Q466**)が可能です。なお、既定のアプリを変更している場合はこの限りではありません。

関連 **Q320** 既定のアプリの変更

1 エクスプローラーから画像ファイルをダブルクリックします。 2 「フォト」(フォトビューアー)で画像を表示できます。

Q455 お役立ち度 ★★★ 画像を編集・加工する

エクスプローラーでピクチャフォルダーにアクセスするには?

A ナビゲーションウィンドウで「ピクチャ」をクリックします。

画像の管理はピクチャフォルダーで行うのが基本です。ピクチャフォルダーにアクセスするには、エクスプローラーを起動して、ナビゲーションウィンドウで「ピクチャ」をクリックします。ピクチャフォルダーは「フォト」の表示フォルダーとして自動的に登録されているほか、エクスプローラーのギャラリー(Q195)でも自動的に登録されるフォルダーです。

おトクな情報 [スタート]メニューへの配置

ピクチャフォルダーをよく利用する場合は、[スタート]メニューに「ピクチャ」アイコンを配置します(Q111)。

1 エクスプローラーを起動します。

2 ナビゲーションウィンドウで「ピクチャ」をクリックします。

3 ピクチャフォルダーにアクセスできます。

「エクスプローラー」の起動 ⊞ + E

Q456 お役立ち度 ★★★ 画像を編集・加工する

写真(画像)のサイズを小さくするには?

A フォトビューアーで画像のサイズを指定して変更できます。

写真(画像)をフォトビューアーで表示した状態で、画像のサイズを変更するには、「…」をクリックして、メニューから「画像のサイズ変更」をクリックします。ピクセルでサイズを指定したうえで、品質を任意に指定すれば、現在のサイズと変更したサイズが表示されるので確認のうえで「保存」をクリックします。「名前を付けて保存」で保存先フォルダーを選択して、任意のファイル名を入力してから「保存」をクリックします。

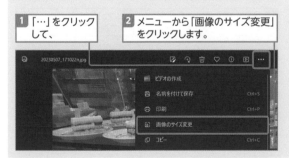

1 「…」をクリックして、

2 メニューから「画像のサイズ変更」をクリックします。

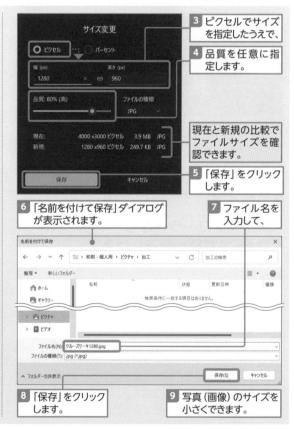

3 ピクセルでサイズを指定したうえで、

4 品質を任意に指定します。

現在と新規の比較でファイルサイズを確認できます。

5 「保存」をクリックします。

6 「名前を付けて保存」ダイアログが表示されます。

7 ファイル名を入力して、

8 「保存」をクリックします。

9 写真(画像)のサイズを小さくできます。

Q457

お役立ち度 ★★★　画像を編集・加工する

写真（画像）を加工・編集するには?

A フォトビューアーで
「画像の編集」をクリックします。

写真（画像）をフォトビューアーで表示した状態で、画像の編集を行いたい場合は、「画像の編集」をクリックします。「画像の編集」では明るさやコントラストの変更（**Q461**）、切り抜き（**Q462**）、回転（**Q463**）、上下／左右反転（**Q464**）などさまざまな画像編集が可能です。なお、フォトビューアーで画像を表示している状態から、ショートカットキー Ctrl ＋ E で素早く「画像の編集」に移行できます。

1 フォトビューアーで画像を表示します。
2 「画像の編集」をクリックします。

3 写真（画像）を任意に加工・編集できます。

マウスのホイールを回転させることで表示の拡大／縮小が可能です。

📷 画像の編集　Ctrl ＋ E

Q458

お役立ち度 ★★★　画像を編集・加工する

写真を自動補正するには?

A 画像の編集から「フィルター」で
自動補正できます。

写真（画像）を自動補正してクオリティを上げたい場合は、画像の編集から「フィルター」をクリックします。「自動補正」をクリックして、「強さ」のスライダーで調整します。なお、下部に表示される任意のフィルターを適用してもOKです。

関連 **Q457** フォトによる画像の編集

自動補正の適用

1 画像の編集（**Q457**）から「フィルター」をクリックします。
2 「自動補正」をクリックして、

3 「強さ」のスライダーで調整します。

「保存オプション」で画像を保存します（**Q466**）。

任意フィルターの適用

1 画像の編集（**Q457**）から「フィルター」をクリックします。

2 任意のフィルターをクリックします。

3 フィルターが適用されます。

「保存オプション」で画像を保存します（**Q466**）。

Q459 お役立ち度 ★★★ 画像を編集・加工する

AIで背景をぼかして被写体を強調するには?

A フォトビューアーのAI機能で背景をぼかすことができます。

高性能カメラでの撮影のように被写体以外をぼかしたい場合は、フォトビューアーの画像の編集（Q457）から「背景」をクリックします。「ぼかし」をクリックして、「ぼかし強度」をスライダーで調整して、「適用」をクリックします。

関連 Q457 フォトによる画像の編集

1 画像の編集（Q457）から「背景」をクリックします。

2 「ぼかし」をクリックします。
3 「ぼかし強度」をスライダーで調整して、

4 「適用」をクリックします。
「保存オプション」で画像を保存します（Q466）。

おトクな情報 ぼかす範囲の変更

ぼかす領域を変更したい場合は、「背景ブラシツール」をオンにして、「追加」や「減算」をクリックして調整します。

Q460 お役立ち度 ★★★ 画像を編集・加工する

AIで背景を削除するには?

A フォトビューアーのAI機能で背景を削除できます。

画像から被写体だけを切り抜きたい（背景を削除したい）場合は、フォトビューアーの画像の編集（Q457）から「背景」をクリックします。「削除」をクリックして、削除範囲に問題がなければ「適用」をクリックします。

関連 Q297 ペイントによる背景の削除

1 画像の編集（Q457）から「背景」をクリックします。

2 「削除」をクリックします。

背景が削除される領域を変更したい場合は、「背景ブラシツール」をオンにして、「追加」や「減算」をクリックして調整します。

3 「適用」をクリックします。
「保存オプション」で画像を保存します（Q466）。

Q461

お役立ち度 ★★★　画像を編集・加工する

写真の明るさ・コントラスト・彩度を調整するには?

A フォトビューアーの画像の編集から「調整」で写真の明るさなどを調整します。

写真(画像)の明るさ・コントラスト・彩度などを調整するには、画像の編集(**Q457**)から「調整」をクリックします。「明るさ」「露出」「コントラスト」「彩度」「濃淡」などのスライダーで調整します。

関連 **Q457** フォトによる画像の編集

1 画像の編集(**Q457**)から「調整」をクリックします。

2 「明るさ」「露出」「コントラスト」「彩度」「濃淡」などのスライダーで調整します。

「保存オプション」で画像を保存します(**Q466**)。

Q462

お役立ち度 ★★★　画像を編集・加工する

写真を切り抜く(トリミングする)には?

トリミング

1 画像の編集(**Q457**)から「トリミング」をクリックします。

2 周囲のハンドルをドラッグしてトリミングする領域を指定します。

「保存オプション」で画像を保存します(**Q466**)。

A フォトビューアーの画像の編集から「トリミング」で切り抜きます。

写真(画像)の一部を切り抜きたい場合は、画像の編集(**Q457**)から「トリミング」をクリックします。周囲に表示されるハンドルをドラッグしてトリミングしたい領域を指定します。トリミングと同時に画像を回転させることも可能です(**Q463**)。

なお、縦横比オプションをクリックして、縦横比を指定してトリミングすることもできます。

縦横比の指定

1 縦横比オプションをクリックします。

2 任意の縦横比をクリックします。

Q463 お役立ち度 ★★★ 画像を編集・加工する

写真を自由な角度で回転させるには?

A フォトビューアーの画像の編集から回転角度を指定します。

写真（画像）を90度単位で回転するには、画像の編集（**Q457**）から「トリミング」をクリックして、「画像を時計回りに90度回転」「画像を反時計回りに90度回転」をクリックします。

自由な角度で回転を行いたい場合は、下部のルーラーを左右にドラッグします。ルーラーを操作している状態であれば、左右カーソルキーでも回転できます。

90度回転

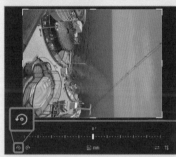

1 「画像を反時計回りに90度回転」をクリックします。

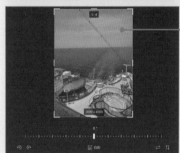

2 画像を反時計回りに90度回転できます。

「保存オプション」で画像を保存します（**Q466**）。

自由回転

1 ルーラーを左右にドラッグします。

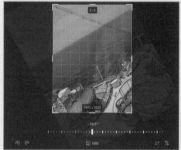

2 自由な角度で回転できます

「保存オプション」で画像を保存します（**Q466**）。

Q464 お役立ち度 ★★★ 画像を編集・加工する

写真を上下／左右に反転するには?

A フォトビューアーの画像の編集から任意の反転を指定します。

Web会議などで撮影した画像は左右が反転していることがあります。そのような写真（画像）を上下／左右に反転させたい場合は、画像の編集（**Q457**）から「画像を水平方向に反転」「画像を垂直方向に反転」をクリックします。

関連 Q457 フォトによる画像の編集

1 「画像を水平方向に反転」をクリックします。

2 水平方向に反転できます。

「保存オプション」で画像を保存します（**Q466**）。

Q465 お役立ち度 ★★★ 画像を編集・加工する

写真にペンで書き込むには?

A フォトビューアーの画像の編集から「マークアップ」で書き込みます。

写真（画像）にペンで任意のフリーハンド描画や矢印、あるいはマーカーを引きたい場合は、画像の編集（**Q457**）から「マークアップ」をクリックします。下部の「ペン」「蛍光ペン」（マーカー）から任意の太さや色、線の引き方（フリーハンドや直線など）を選択して描画します。

1 画像の編集（**Q457**）から「マークアップ」をクリックします。

2 下部の「ペン」「蛍光ペン」（マーカー）から任意の太さや色、線の引き方（フリーハンドや直線など）を選択します。

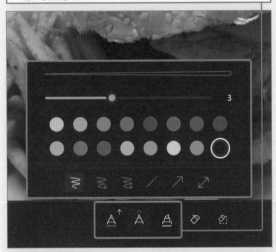

3 写真に書き込みが行えます。

「保存オプション」で画像を保存します（**Q466**）。

Q466 お役立ち度 ★★★ 画像を編集・加工する

フォトビューアーで編集した写真（画像）を保存するには?

A 画像の編集から「保存オプション」をクリックします。

画像の編集（**Q457**）で加工した写真（画像）を保存するには、別のファイルに保存する方法と上書き保存する方法があります。別のファイルとして任意の名前で画像を保存するには、「保存オプション」をクリックして、メニューから「コピーとして保存」をクリックします。「名前を付けて保存」で保存先フォルダーを選択して、任意のファイル名を入力してから「保存」をクリックします。

また、編集した画像を上書き保存するには、「保存オプション」をクリックして、メニューから「保存」をクリックします。

別のファイルとして保存

1 「保存オプション」をクリックして、

2 メニューから「コピーとして保存」をクリックします。

3 「名前を付けて保存」ダイアログが表示されます。

4 ファイル名を入力して、

5 「保存」をクリックします。

上書き保存

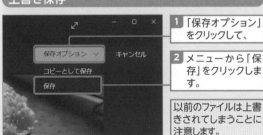

1 「保存オプション」をクリックして、

2 メニューから「保存」をクリックします。

以前のファイルは上書きされてしまうことに注意します。

Q467 お役立ち度 ★★★ 写真の応用と印刷

好きな写真(画像)をデスクトップの背景にするには?

A 画像ファイルからでもフォトビューアーからでも背景に設定できます。

お気に入りの写真や画像を素早くデスクトップの背景に設定するには、エクスプローラーの画像ファイルを右クリックして、ショートカットメニューから「デスクトップの背景として設定」を選択します。

フォトビューアーで表示している状態であれば、「…」をクリックして、メニューから「設定」→「背景」をクリックします。

エクスプローラーから背景に設定

1 画像ファイルを右クリックして、
2 ショートカットメニューから「デスクトップの背景として設定」を選択します。

3 該当画像をデスクトップの背景にできます。

フォトビューアーから背景に設定

1 フォトビューアーで写真を表示します。
2 「…」をクリックして、

3 メニューから「設定」→「背景」をクリックします。
4 該当写真をデスクトップの背景にできます。

Q468 お役立ち度 ★★★ 写真の応用と印刷

フォトビューアーで表示している状態で写真(画像)を印刷するには?

A メニューから「印刷」をクリックして、印刷プレビューで調整します。

写真(画像)をプリンターで紙に印刷するには、フォトビューアーで表示している状態で、「印刷」をクリックします。印刷プレビューが表示されるので、プリンターや用紙サイズなどを設定して「印刷」をクリックします。

1 フォトビューアーで写真を表示します。
2 「印刷」をクリックします。

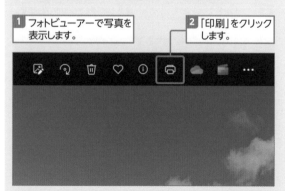

3 印刷プレビューが表示されます。

4 「プリンター」や「印刷の向き」などを設定して、
5 「印刷」をクリックします。

Q469 お役立ち度 ★★★ 写真の応用と印刷

写真（画像）をファイルから 直接印刷するには？

A ファイルを Shift を押しながら 右クリックして「印刷」を選択します。

画像ファイルから直接印刷したい場合は、エクスプローラーで画像ファイルを Shift を押しながら右クリックして、ショートカットメニューから「印刷」を選択します。「画像の印刷」が表示されるので、プリンターや用紙サイズなどを設定して「印刷」をクリックします。

1 画像ファイルを Shift を押しながら右クリックして、　　**2** ショートカットメニューから「印刷」を選択します。

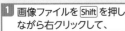
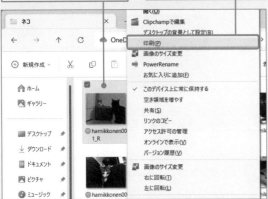

右クリックしてから「その他のオプションを確認」を選択しても、同様のメニューを表示できます。

3 「画像の印刷」が表示されます。　　**4** 「プリンター」や「用紙サイズ」などを設定して、

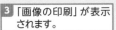

5 「印刷」をクリックします。

Q470 お役立ち度 ★★★ 写真の応用と印刷

写真が紙から はみ出さないように印刷するには？

A 自動調整の「縮小して全体を印刷する」を 選択します。

写真の全体を印刷するには、フォトビューアーからの印刷プレビューであれば「自動調整」のドロップダウンから「縮小して全体を印刷する」を選択します。

また画像ファイルからの印刷プレビューであれば、「写真をフレームに合わせる」のチェックを外します。

関連 **Q468** フォトビューアーからの印刷

関連 **Q469** 画像ファイルからの印刷

フォトビューアーの印刷プレビュー

1 「自動調整」のドロップダウンから「縮小して全体を印刷する」を選択します。

2 写真全体を用紙に収めることができます。

画像ファイルの印刷プレビュー

1 「写真をフレームに合わせる」のチェックを外します。　　**2** 画像全体を用紙に収めることができます。

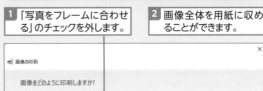
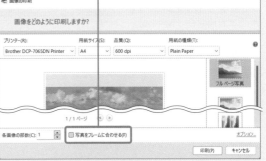

Q471

お役立ち度 ★★★　写真の応用と印刷

複数の写真を1枚の紙に並べて印刷するには?

1 エクスプローラーで画像ファイルを複数選択した状態で、

2 Shift を押しながら右クリックして、

3 ショートカットメニューから「印刷」を選択します。

右クリックしてから「その他のオプションを確認」を選択しても、同様のメニューを表示できます。

A エクスプローラーで画像ファイルを複数選択して、「画像の印刷」で印刷します。

複数の写真を1枚の紙に並べて印刷するには、エクスプローラーで画像ファイルを複数選択した状態で Shift を押しながら右クリックして、ショートカットメニューから「印刷」を選択します。「画像の印刷」が表示されたら、右欄から「DSC (4)」などの複数の画像を印刷するレイアウトを選択すれば、複数の画像を1枚の用紙に印刷できます。

4 「画像の印刷」が表示されます。

5 「DSC (4)」をクリックします。

6 1枚の用紙に複数の画像を並べることができます。

Q472

お役立ち度 ★★★　動画再生

動画・音楽を再生するには?

動画・音楽ファイルで再生アプリの選択

1 動画ファイルを右クリックして、

2 ショートカットメニューから「プログラムから開く」→「メディアプレーヤー」を選択します。

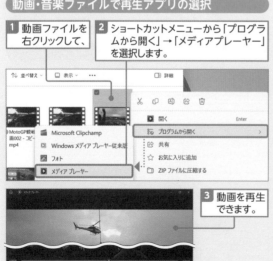

3 動画を再生できます。

A 「メディアプレーヤー」で再生します。

動画ファイルの再生は「フォト」でも可能ですが、本格的に動画を再生するには、「メディアプレーヤー」が最適です。メディアプレーヤーは音楽ファイルも再生できます。「メディアプレーヤー」が標準でインストールされていない場合は、「Microsoft Store」から入手するようにします。また、動画ファイルとアプリの関連付けについては**Q320**を参照してください。

なお、本書で解説する「メディアプレーヤー」は「Windows Media Player (Legacy)」とは異なるアプリです。

Microsoft Store での入手

1 「Microsoft Store」の検索ボックスに「メディアプレーヤー」と入力して検索します。

2 「Windowsメディアプレーヤー」を入手します。

アプリの名称は表示場所やバージョンによって異なる場合があります。Microsoft製のものを入手するようにします。

Q473 お役立ち度 ★★★ 動画再生

メディアプレーヤーで
再生速度を変更するには?

A メディアプレーヤーの「…」から
「速度」を選択します。

メディアプレーヤーで再生している際、動画の速度を0.5
倍や1.5倍などに変更するには、「…」をクリックして、メ
ニューから「速度」→「任意の速度」をクリックします。

関連 Q472 メディアプレーヤーでの再生

	巻き戻しスキップ	Ctrl + ←
	早送りスキップ	Ctrl + →
	全画面表示	F11

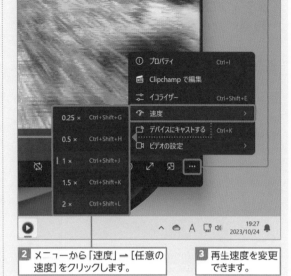

1 メディアプレーヤーで再生中に「…」をクリックして、

2 メニューから「速度」→「任意の速度」をクリックします。

3 再生速度を変更できます。

Q474 お役立ち度 ★★★ 動画再生

再生している動画の音声を
AIで文字に起こして表示するには?

	ライブキャプション	■ + Ctrl + L

A ライブキャプション機能を活用します。

動画再生や音声再生での人の話などを「字幕にしたい」とい
う場合は、Windowsの自動文字起こし機能であるライブ
キャプションを利用します。ライブキャプションを利用する
には、ショートカットキー ■ + Ctrl + L を入力します。デ
スクトップ上部にライブキャプションが表示され、初めて利
用する際は「ダウンロード」をクリックして機能を有効化し
ます。これで、動画再生や音声再生をデスクトップで行うと、
自動的に話の内容が文字に起こされます。

1 ショートカットキー ■ + Ctrl + L を入力します。

2 デスクトップ上部にライブキャプションが表示されます。

4 動画再生や音声再生をデスクトップで行うと、自動的に話の内容が文字に起こされます。

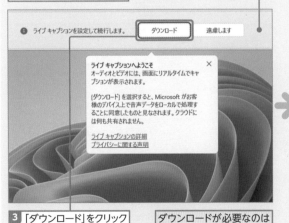

3 「ダウンロード」をクリックします。

ダウンロードが必要なのは初回のみです。

Q475 お役立ち度 ★★★ 動画再生

メディアプレーヤーを他の作業の邪魔にならないように再生するには?

A メディアプレーヤーをミニプレーヤーモードにします。

動画を再生しながら他の作業をするには、メディアプレーヤーをミニプレーヤーモードにすると便利です。
メディアプレーヤー右下の「ミニプレーヤー」をクリック、あるいはショートカットキー Ctrl + M でミニプレーヤーにできます。

関連 Q472 メディアプレーヤーでの再生

⌨ 「ミニプレーヤー」を開く Ctrl + M

1 メディアプレーヤー右下の「ミニプレーヤー」をクリックします。

2 ミニプレーヤーで動画を再生できます。

Q476 お役立ち度 ★★★ Clipchampでの動画編集

動画ファイルを編集するには?

A 「Clipchamp」で動画を編集します。

Windows 11 で動画を編集するには、「Clipchamp」（Microsoft Clipchamp）を利用できます。[スタート] メニューの「すべてのアプリ」から「Microsoft Clipchamp」をクリックします。
なお、「Clipchamp」が [スタート] メニューにない場合は、「Microsoft Store」から入手（インストール）します。初回の起動時にサインインを求められた場合は、Windows にサインインしているMicrosoftアカウントを指定するとよいでしょう。

1 [スタート] メニューの「すべてのアプリ」から「Microsoft Clipchamp」をクリックします。

サインインを求められた場合は、現在Windowsで利用しているMicrosoftアカウントでサインインします。

2 「Clipchamp」が起動します。

Clipchampはアップデートにより仕様や操作の一部、部位名などが変更されます。

Q477 お役立ち度 ★★★ Clipchampでの動画編集

Clipchampで動画ファイルの編集準備をするには?

A インポートするメディアに動画ファイルをドロップします。

Clipchampで動画ファイルを編集するには、「新しいビデオを作成」をクリックします。Clipchampの編集画面が表示されたら、「メディア」ツールバーの「デバイスからメディアをドラッグアンドドロップしてインポートします」に編集したい動画ファイルをドロップします。「メディア」に動画ファイルが登録されます。

1 「新しいビデオを作成」をクリックします。

2 編集したい動画ファイルを「メディア」にドロップします。

3 「メディア」ツールバーに動画ファイルが登録されます。

おトクな情報 動画や画像ファイルが登録できる

Windowsで再生できる動画ファイルや画像ファイルをインポートできます。複数のファイルを「メディア」に登録して、動画をつなぎ合わせたり、動画に画像を挿入することができます。

Q478 お役立ち度 ★★★ Clipchampでの動画編集

Clipchampで動画を切り取るには?

A タイムラインの左右のハンドルをドラッグして切り取りできます。

動画の必要な部分だけ切り取りたい場合は、「メディア」に登録した動画ファイルを「ここにmediaをドラッグアンドドロップします」にドロップします。タイムラインに動画が登録されたら、該当動画の左右端にあるハンドルをドラッグして、切り取りたい範囲を整えます。この際、タイムライン上に残る余計な余白(ギャップ)を削除するには、削除したいギャップをホバーして、「このギャップを削除」(ごみ箱)をクリックします。

1 「メディア」に登録した動画ファイルを「ここにmediaをドラッグアンド ドロップします」にドロップします。

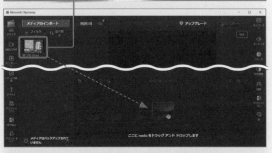

2 タイムラインに動画が登録されます。 **3** 該当動画の左右端をドラッグして、切り取りたい範囲を整えます。

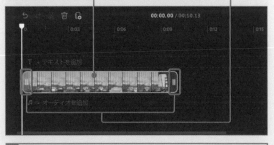

4 削除したいギャップ(余白)をホバーして、「このギャップを削除」(ごみ箱)をクリックします。

Q479 お役立ち度 ★★★ Clipchampでの動画編集

Clipchampで編集している動画に名前を付けるには?

A 「無題の動画」をクリックして入力します。

現在編集中の動画に任意の名前を付けたい場合は、Clipchamp画面上部の「無題の動画」をクリックして、任意の名前を入力します。無料プランの場合は、動画名横のクラウドマークに斜線が入ります。

なお、動画画質を4Kにしたい場合やクラウドに各種要素を完全にバックアップするには有料プランにアップグレードする必要があります。

編集動画に名前を付ける

1 Clipchamp画面上部の「無題の動画」をクリックします。

2 任意の名前を入力します。

3 編集している動画に名前を付けることができます。

有料プランへのアップグレード

1 「アップグレード」をクリックして、

2 「今すぐアップグレード」をクリックします。

3 該当プランの「アップグレード」をクリックします。

プランの種類や年額・月額などは変更されることがあります。

Q480 お役立ち度 ★★★ Clipchampでの動画編集

Clipchampで動画の縦横比を変更するには?

A 「縦横比」をクリックして任意の比率を選択します。

YouTubeやInstagramなどに最適化するため、動画の縦横比を変更したいのであれば、動画プレビューの右上にある「縦横比」をクリックして、一覧から任意の比率をクリックします。

1 動画プレビューの右上にある「縦横比」をクリックします。

2 一覧から任意の比率をクリックします。

Q481 お役立ち度 ★★★ Clipchampでの動画編集

Clipchampで動画の見せる部位を切り抜くには?

A ミニツールバーでクロップをクリックします。

Clipchampで動画の見せる部位を切り抜くには、クロップで範囲指定します。動画プレビューをクリックすると「ミニツールバー」が表示されるので、「クロップ」をクリックして、見せる範囲を指定して切り抜きます。ミニツールバーから「フィットさせる」をクリックすれば、余白部に従った動画拡大を行いフィットさせることができます。

1 動画プレビューをクリックします。 **2** 「ミニツールバー」が表示されます。 **3** 「クロップ」をクリックします。

4 切り抜き範囲を選択します。 **5** 「チェック ✓」をクリックします。

6 「フィットさせる」をクリックします。

7 切り抜いた動画をフィットさせることができます。

Q482 お役立ち度 ★★★ Clipchampでの動画編集

Clipchampで動画の速度を変更するには?

A 「速度」から任意の速度を指定できます。

動画の速度を倍速にしたい、あるいはスローモーションにしたい場合は、タイムラインにある該当動画をクリックして、プロパティパネルにある「速度」をクリックします。速度のスライダーで指定します(直接数値入力も可)。倍速指定なので、1以上(1.5や2)で速い再生になり、1以下(0.5や0.1)でスロー再生になります。

1 タイムラインにある動画をクリックします。 **2** プロパティパネルにある「速度」をクリックします。

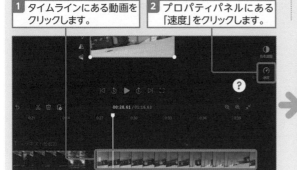

3 スライダーで速度を指定します。

Q483

Clipchampで動画内にテキストを挿入するには?

A 「テキスト」を追加して、任意の文字装飾を指定します。

動画に字幕などのテキストを挿入するには、ツールバーの「テキスト」をクリックして、一覧から「Text」を動画のタイムラインにドラッグ＆ドロップします。タイムライン上のテキストをクリックして選択し、動画プレビュー上でテキストを入力します。プロパティパネルの「テキスト」をクリックして、フォントサイズ・位置・色などの指定が可能です。

1 ツールバーの「テキスト」をクリックして、

2 一覧から「Text」をドラッグして、動画のタイムラインにドロップします。

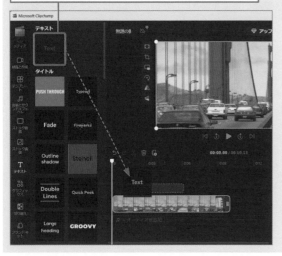

3 テキストを表示する範囲をハンドルで指定します。

4 タイムライン上のテキストをダブルクリックします。　**5** 動画プレビュー上でテキストに文字を入力します。

6 プロパティパネルの「テキスト」をクリックして、

7 フォントサイズ・位置・色などを指定します。

Q484

お役立ち度 ★★★　Clipchampでの動画編集

Clipchampで編集中の動画の プレビューを確認するには?

A スクラバーを任意の位置に移動して 再生します。

Clipchampでテキスト挿入などを行った編集中の動画が実際にどのように再生されるかを確認するには、スクラバーを移動させると該当位置での動画の様子を確認できます。また動画を再生して確認するには、動画プレビューの「再生」をクリックします。

1 スクラバーを移動します。

2 該当位置での動画の 様子を確認できます。

動画プレビューの「再生」をクリックすれば、実際の動画を確認できます。

Q485

お役立ち度 ★★★　Clipchampでの動画編集

Clipchampで編集した内容を 動画ファイルに保存するには?

A 動画ファイルとしてエクスポートします。

Clipchampで編集した動画を動画ファイル（MP4形式の動画ファイル）にする場合は、「エクスポート」をクリックして、一覧から動画画質をクリックします。一般的に1080p（フルHD）なら十分な品質ですが、動画はサイズが大きいので用途に合わせて720pなどを選択します。ファイルのエクスポートが開始され、終了すると「ダウンロード」フォルダーに動画の名前で動画ファイルが保存されます。

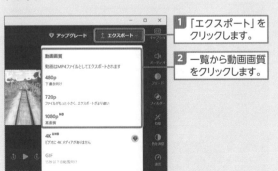

1 「エクスポート」を クリックします。

2 一覧から動画画質 をクリックします。

3 ファイルのエクスポートが開始されます。

4 「ダウンロード」フォルダーに動画ファイルが保存されます。

Q486

お役立ち度 ★★★　Clipchampでの動画編集

ClipchampでAIを活用して動画を自動作成するには?

A 「AIでビデオを作成する」で自動生成できます。

Clipchampには、複数の動画・画像・音楽ファイルを、AIで1つの動画にする機能があります。AIで動画を自動作成するには、「ホーム」から「AIでビデオを作成する」をクリックします。「ビデオのタイトルは何ですか?」に任意の動画タイトルを入力します。また「自分のメディアを追加する」にAI自動生成の動画に含めたい「動画ファイル」「画像ファイル」「音楽ファイル」をドロップして、「開始する」をクリックします。「スタイル」「長さ」などを任意に指定して、動画プレビューを確認したら、「エクスポート」をクリックすればAI生成の動画を動画ファイルとして保存できます。

1 Clipchampの「ホーム」から「AIでビデオを作成する」をクリックします。

2 「ビデオのタイトルは何ですか?」に任意の動画タイトルを入力します。

3 「自分のメディアを追加する」に「動画ファイル」「画像ファイル」「音楽ファイル」をドロップします。

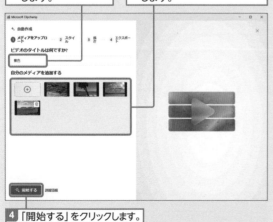

4 「開始する」をクリックします。

5 「②スタイル」で「自動選択」をクリックします。

6 「③長さ」で縦横比や長さを任意に指定します。

7 「次へ」をクリックします。

8 「④エクスポート」で動画をプレビューします。

9 「エクスポート」をクリックします。

動画をさらに編集したい場合は、「タイムラインで編集する」をクリックします。

10 エクスポートが開始されます。

「ダウンロード」フォルダーに動画ファイルが保存されます。

第12章

ハードウェア・周辺機器を使いこなす

PCを最大限活用するためにも、PCのハードウェアや周辺機器の知識を得る必要があります。本章では、BluetoothやWi-Fi設定、外付けストレージのドライブ暗号化のほか、マルチディスプレイやタッチディスプレイの活用について解説します。

Q487 お役立ち度 ★★★★ ネットワークとインターネット

PCでインターネットを利用するには どんな方法があるの?

A 光回線・ホームルーター・モバイルルーター などがあります。

PCでインターネットを利用するには、「インターネットの回線の確保」が必要です。以前は固定回線（光回線など）が基本でしたが、現在ではホームルーターやモバイルルーターを用意して接続する方法もあります。また、SIM／eSIMに対応するPCであれば、モバイル回線で直接インターネット接続を行うこともできます。

ホームルーター・モバイルルーター

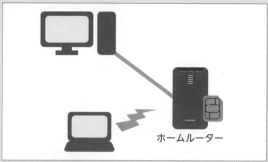

ホームルーター・モバイルルーターはSIM／eSIMでモバイル回線を使うので、工事不要でインターネット接続を実現できます。ただし、有線LAN接続が可能かは本体次第であるほか、上り（アップロード）速度は一般的に光回線より遅いことに留意する必要があります。

光回線

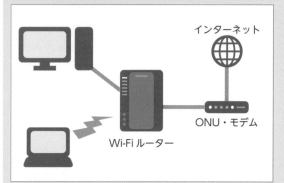

光回線での一般的なネットワークの接続図。インターネットプロバイダーとの契約のほか、契約先次第で別途Wi-Fiルーター（あるいはWi-Fiオプション）が必要になります。

SIM／eSIM

SIM／eSIMに対応するPCであれば、モバイル回線で直接インターネット接続を行うことができます（写真はSurface Pro 9 5GのSIMスロット）。

Q488 お役立ち度 ★★★☆ ネットワークとインターネット

Wi-Fiの規格を知りたい!

A Wi-Fi 6E・Wi-Fi 6・Wi-Fi 5などがあります。

無線LANの通信規格はIEEE 802.11ax／IEEE 802.11acなど、「IEEE 802.11〜」という比較的わかりにくい名称でしたが、2019年に新しい規格の呼び方が加えられ、IEEE 802.11axのことを「Wi-Fi 6」、IEEE 802.11acのことを「Wi-Fi 5」などと呼称するようになりました（右表参照）。
なお、該当通信規格を利用するには、親機（無線LAN親機）と子機（PC）が双方ともに同じ通信規格をサポートしている必要があります。

● 無線LANの通信規格

無線LAN規格	名称	周波数帯	通信速度
IEEE 802.11ax	Wi-Fi 6E	6GHz帯／5GHz帯／2.4GHz帯	9.6Gbps（ストリーム数による）
IEEE 802.11ax	Wi-Fi 6	5GHz帯／2.4GHz帯	9.6Gbps（ストリーム数による）
IEEE 802.11ac	Wi-Fi 5	5GHz帯	6.9Gbps（ストリーム数による）
IEEE 802.11n	Wi-Fi 4	5GHz帯／2.4GHz帯	600Mbps（ストリーム数による）
IEEE 802.11g	-	2.4GHz帯	54Mbps
IEEE 802.11a	-	5GHz帯	54Mbps
IEEE 802.11b	-	2.4GHz帯	11Mbps

Q489 お役立ち度 ★★★★ ネットワークとインターネット

Wi-Fiの「周波数帯」は どれを選べばよい?

A 親機・子機がサポートする範囲で 環境に合わせて選択します。

Wi-Fiに利用する周波数帯にはそれぞれ特徴があります。「2.4GHz帯」は遮蔽物越しの通信に比較的強い特徴があり、また無線LAN親機・無線LAN子機ともに2.4GHz帯は確実にサポートしているので、利用しやすい周波数です。ただし、2.4GHz帯はBluetooth／コードレス電話機／電子レンジなどと電波干渉するほか、広く普及している無線LAN通信規格であるため周辺の家屋／マンション／商店／Wi-Fiスポットなどとも電波干渉します。

このような「2.4GHz帯では周辺事情などの理由で電波干渉により無線LANの通信パフォーマンスが落ちる」という場面で活きるのが「5GHz帯・6GHz帯」であり、5GHz帯・6GHz帯を利用することにより電波干渉を回避して安定した通信パフォーマンスを得ることができます。ただし、5GHz帯・6GHz帯は2.4GHz帯に比べて遮蔽物に弱い特徴があり、また6GHz帯をサポートする機器は限られます。

関連 Q488 Wi-Fiの規格

無線LAN
SSID:
2.4GHz: HJSK-XE24G
5GHz: HJSK-XE5G
6GHz: HJSK-XE6G

Wi-Fi 6E対応ルーターの設定画面。6GHz帯を利用するには無線LAN親機・PC（無線LAN子機）の双方が6GHz帯をサポートしている必要があります。

Q490 お役立ち度 ★★★☆ ネットワークとインターネット

Wi-Fi接続をするには?

A クイック設定の「Wi-Fi」から接続します。

PCでWi-Fi接続するには、通知領域のネットワークアイコンをクリックして「クイック設定」（Q022）を表示します。「Wi-Fi」がオンになっていることを確認して、Wi-Fi横の「＞」をクリックします。一覧から接続したいアクセスポイントをクリックして、「接続」をクリックします。ネットワークセキュリティキー（暗号化キー）の入力が求められたら、アクセスポイントに従った暗号化キーを入力して、「次へ」をクリックします。正常に接続できれば、「接続済み」になりWi-Fiに接続できます。

なお、Wi-Fiに鍵マークが付いていないものは通信が暗号化されていないという意味で、情報漏えいの危険性があるためPCでの利用は推奨されません。

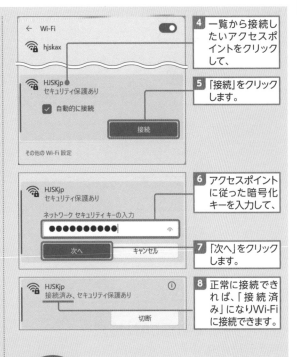

4 一覧から接続したいアクセスポイントをクリックして、

5 「接続」をクリックします。

6 アクセスポイントに従った暗号化キーを入力して、

7 「次へ」をクリックします。

8 正常に接続できれば、「接続済み」になりWi-Fiに接続できます。

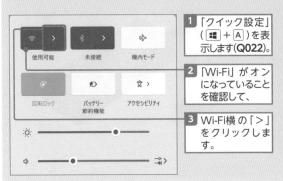

1 「クイック設定」（⊞＋A）を表示します（Q022）。

2 「Wi-Fi」がオンになっていることを確認して、

3 Wi-Fi横の「＞」をクリックします。

おトクな情報 暗号化されていないWi-Fi

暗号化されていないWi-Fiは鍵マークが付いておらず、暗号化キーなしでそのまま接続できますが、通信が暗号化されていないため利用は推奨されません。

ansin_anzen_desu

Q491 お役立ち度 ★★★ ネットワークとインターネット

ステルス設定のアクセスポイントに接続するには?

A クイック設定の「Wi-Fi」から「非公開のネットワーク」を選択します。

無線LAN親機側でステルス設定にしたアクセスポイントにWi-Fi接続を行いたい場合は、「クイック設定」のWi-Fi横の「>」をクリックして、一覧から「非公開のネットワーク」をクリックし、「接続」をクリックします。ネットワーク名(SSID)にアクセスポイント名を入力して「次へ」をクリックしてから、ネットワークセキュリティキー(暗号化キー)を入力して「次へ」をクリックすれば、Wi-Fiに接続できます。

1「クイック設定」(⊞ + A)を表示します(**Q022**)。

2「Wi-Fi」がオンになっていることを確認して、

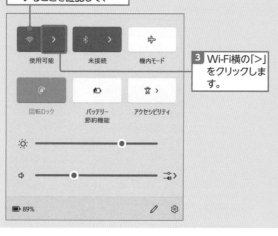

3 Wi-Fi横の「>」をクリックします。

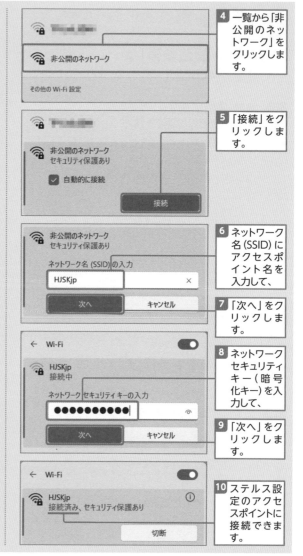

4 一覧から「非公開のネットワーク」をクリックします。

5「接続」をクリックします。

6 ネットワーク名(SSID)にアクセスポイント名を入力して、

7「次へ」をクリックします。

8 ネットワークセキュリティキー(暗号化キー)を入力して、

9「次へ」をクリックします。

10 ステルス設定のアクセスポイントに接続できます。

Q492 お役立ち度 ★★★ ネットワークとインターネット

ノートPCで有線LAN接続を活用したい!

A USB接続の有線LAN端子を導入します。

Wi-Fi接続がうまくいかないときや、オンライン会議などで通信の速度が確保できないなどの場合は、有線LANを利用するのも手です。
なお、有線LANポート非搭載のノートPCやタブレットPCなどで有線LANを利用するには、USB接続のLANアダプターを導入します。

写真:有線LANアダプター「EDC-GUC3V2-B」(エレコム)

Q493 お役立ち度 ★★★☆ ネットワークとインターネット

ネットワークにおいて自分のPCへの接続を許可しない状態にするには？

A ネットワークプロファイルを「パブリックネットワーク」にします。

PCのネットワーク接続において、ネットワーク上の他のデバイスから自分のPCへの接続を許可したくない場合は、「ネットワークプロファイル」を確認します。

該当ネットワークに接続している状態で、「設定」画面から「ネットワークとインターネット」を開いて、「プロパティ」をクリックします。「ネットワークプロファイルの種類」から「パブリックネットワーク」を選択します。

なお、ネットワークプロファイルは、Wi-Fi接続においてはアクセスポイントごとに設定が可能です。

1 「設定」画面（⊞＋Ⅰ）を開きます（Q017）。

2 「設定」画面から「ネットワークと
インターネット」を開いて、

3 「プロパティ」を
クリックします。

4 「ネットワークプロファイルの種類」から「パブリックネットワーク」を選択します。

該当PCを共有したい場合は（共有フォルダーの公開やリモートデスクトップを許可する）、「プライベートネットワーク」にします。

Q494 お役立ち度 ★★★☆ ネットワークとインターネット

スマートフォンのテザリング利用時などに通信量を抑えるには？

A 「従量制課金接続」をオンにします。

PCのWi-Fi接続では任意のインターネットアクセス以外にも、OneDriveの同期やWindows Updateによる更新プログラムのダウンロードなど、自動的に通信が発生します。スマートフォンのテザリングを利用している際に自動的なWindowsの通信を抑止したい場合は、該当ネットワークに接続している状態で、「設定」画面から「ネットワークとインターネット」を開いて、「プロパティ」をクリックして、「従量制課金接続」をオンにします。

1 「設定」画面（⊞＋Ⅰ）を開きます（Q017）。

2 「設定」画面から「ネットワークと
インターネット」を開いて、

3 「プロパティ」を
クリックします。

4 「従量制課金接続」をオンにします。

おトクな情報 通信環境を見極めて
オン／オフする

この手順は通信量に制限がある接続に適用すべき設定で、それ以外では「従量制課金接続」をオフにします。

Q495

お役立ち度 ★★★★

ネットワークとインターネット

現在接続しているネットワーク情報を確認するには?

● 主なネットワーク情報の項目

項目	説明
SSID (Wi-Fi接続)	現在Wi-Fi接続しているアクセスポイントのSSIDを確認できます。
プロトコル (Wi-Fi接続)	現在Wi-Fi接続しているアクセスポイントの無線LAN規格を確認できます。
セキュリティの種類 (Wi-Fi接続)	現在Wi-Fi接続しているアクセスポイントの暗号化モードを確認できます。
製造元	ネットワークアダプターの製造元を確認できます。
説明	ネットワークアダプターの型番を確認できます。
ドライバーのバージョン	ネットワークアダプターのデバイスドライバーのバージョンを確認できます。
ネットワーク帯域 (Wi-Fi接続)	無線LANの周波数帯 (2.4GHz / 5GHz / 6GHz) を確認できます。
ネットワークチャネル (Wi-Fi接続)	無線LANのチャネルを確認できます。
IPv4 / IPv6アドレス	割り当てられたIPv4 / IPv6アドレスを確認できます。
IPv4 / IPv6DNS サーバー	DNSサーバーのアドレスを確認できます。
物理アドレス (MAC)	ネットワークアダプターのMACアドレスを確認できます。

A 「ネットワークとインターネット」のプロパティで確認できます。

現在接続しているネットワーク情報を確認するには、該当ネットワークに接続している状態で、「設定」画面から「ネットワークとインターネット」を開いて、「プロパティ」をクリックします。

1 「設定」画面 (⊞+I) を開きます (Q017)。

2 「設定」画面から「ネットワークとインターネット」を開いて、　　**3** 「プロパティ」をクリックします。

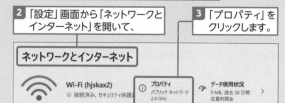

4 現在接続しているネットワーク情報を確認できます。

⌨ 「ネットワーク情報」を開く　⊞+X → W

Q496

お役立ち度 ★★★☆

ネットワークとインターネット

PCに接続されているすべてのネットワークアダプターの情報を確認するには?

1 「設定」画面 (⊞+I) を開きます (Q017)。

2 「設定」画面から「ネットワークとインターネット」→「ネットワークの詳細設定」を開いて、

3 「ハードウェアと接続のプロパティ」をクリックします。

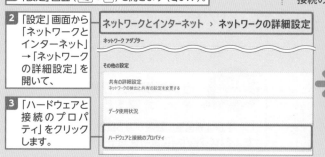

A 「ハードウェアと接続のプロパティ」を開きます。

PCに複数のネットワークアダプターが搭載されている状況で、ネットワークアダプターの情報を一覧で確認したい際には、「設定」画面から「ネットワークとインターネット」→「ネットワークの詳細設定」を開いて、「ハードウェアと接続のプロパティ」をクリックします。

4 すべてのネットワークアダプターの情報を確認できます。

Q497 お役立ち度 ★★★ ネットワークとインターネット

設定済みのWi-Fi接続設定（アクセスポイント）を削除するには?

A 「既知のネットワークの管理」から不要な接続を削除します。

Wi-Fi接続設定（アクセスポイントに対する接続設定）は接続を行うと、自動的にPC内に保存されます。この保存された情報を確認、あるいは任意の接続設定を削除するには、「設定」画面から「ネットワークとインターネット」→「Wi-Fi」を開いて、「既知のネットワークの管理」をクリックします。接続設定済みのアクセスポイント一覧を確認できます。また、不要な接続設定は「削除」をクリックします。

1 「設定」画面（⊞+Ⅰ）を開きます（**Q017**）。

2 「設定」画面から「ネットワークとインターネット」→「Wi-Fi」を開いて、

3 「既知のネットワークの管理」をクリックします。

ネットワークとインターネット ＞ Wi-Fi		
📶 Wi-Fi	オン	●
📶 hjskax2 プロパティ 接続済み、セキュリティ保護あり		＞
📶 利用できるネットワークを表示		⌄
≔ 既知のネットワークの管理 ネットワークの追加、前除、編集		＞

4 接続設定済みのアクセスポイント一覧を確認できます。

5 不要な接続設定は「削除」をクリックします。

… ＞ Wi-Fi ＞ 既知のネットワークを管理

既知のネットワーク　　並べ替え: 優先順位
既知のネットワークの検索　　フィルター: すべて
新しいネットワークを追加　　ネットワークの追加
📶 hjskax2　　削除 ＞
📶 hjskax　　削除 ＞

6 設定済みのWi-Fi接続アクセスポイントを削除できます。

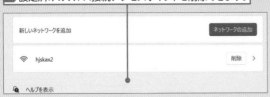

新しいネットワークを追加　　ネットワークの追加
📶 hjskax2　　削除 ＞
☁ ヘルプを表示

Q498 お役立ち度 ★★★ サウンドとスピーカー

複数のスピーカーから素早く出力デバイスを指定するには?

A クイック設定から切り替えることができます。

PCでは「内蔵スピーカー」「ヘッドフォンジャック」「映像出力」（Display Port／HDMI）などからの音声再生のほか、Bluetoothヘッドセット／USBヘッドセットなどを利用している場合は、これらから音声再生が可能です。
複数の音声を再生するスピーカーが装着されている状態で、素早く出力デバイスを指定するには、クイック設定（⊞+Ａ）から「サウンド出力の選択」をクリックして、出力デバイスをクリックして選択します。

1 クイック設定（⊞+Ａ、**Q022**）から「サウンド出力の選択」をクリックして、

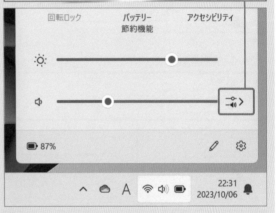

2 出力デバイスをクリックして選択します。

← 音声出力 ⊞ CTRL V

出力デバイス

🔊 スピーカー (Realtek High Definition Audio(SST))

🎧 Headphones (Realtek High Definition Audio(SST))

立体音響

オフ

Windows Sonic for Headphones

⌨ 「クイック設定」を開く ⊞+Ａ

Q499　お役立ち度 ★★★　サウンドとスピーカー

サウンドを再生するデバイスや録音用デバイスを一覧から指定するには？

A 設定から任意の音声出力／音声入力デバイスを選択できます。

複数のスピーカー（音声出力）やマイク（音声入力）が搭載されているPCにおいて、一覧から任意に音声出力・音声入力を指定するには、「設定」画面から「システム」→「サウンド」を開きます。音声出力は「サウンドを再生する場所を選択」から、任意のスピーカーを選択します。
また、音声入力は「発話または録音用デバイスを選択」をクリックして、任意のマイクを選択します。

1 「設定」画面（⊞＋Ｉ）を開きます（Q017）。

2 「設定」画面から「システム」→「サウンド」を開きます。

3 音声出力は「サウンドを再生する場所を選択」（スピーカー）から、任意のスピーカーを選択します。

4 音声入力は「発話または録音用デバイスを選択」（マイク）から、任意のマイクを選択します。

Q500　お役立ち度 ★★★　サウンドとスピーカー

スピーカーから正常に再生されるか（音が聞こえるか）を確認するには？

A プロパティから「テスト」を行い、音が聞こえるかを確認します。

スピーカーが正常に音声を再生するかを確認するには、「設定」画面から「システム」→「サウンド」を開いて、「サウンドを再生する場所を選択」から任意のスピーカーをクリックします。
スピーカーの詳細が表示されるので、「出力の設定」欄から「テスト」をクリックすれば、サンプル音声が再生されます。

1 「設定」画面（⊞＋Ｉ）を開きます（Q017）。

2 「設定」画面から「システム」→「サウンド」を開いて、

3 「サウンドを再生する場所を選択」から、任意のスピーカーをクリックします。

4 「テスト」をクリックします。

5 サンプル音声が再生され、実際に音が聞こえるかを確認できます。

Q501 お役立ち度 ★★★★ サウンドとスピーカー

マイクで正常に音声を入力できるかを確認するには？

A プロパティから「テストの開始」を行い、入力音量の変化で確認します。

マイクからの音声入力が正常かを確認するには、「設定」画面から「システム」→「サウンド」を開いて、「発話または録音用のデバイスを選択」から任意のマイクをクリックします。マイクの詳細が表示されるので、「入力設定」欄から「テストの開始」をクリックします。該当マイクに向かって話すと自分の声に従った音量の変化が確認できます。

1 「設定」画面（■+I）を開きます（Q017）。

2 「設定」画面から「システム」→「サウンド」を開いて、

3 「発話または録音用のデバイスを選択」から、任意のマイクをクリックします。

4 「テストの開始」をクリックします。

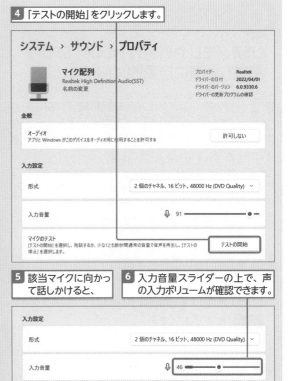

5 該当マイクに向かって話しかけると、

6 入力音量スライダーの上で、声の入力ボリュームが確認できます。

Q502 お役立ち度 ★★★★ USBストレージ

USBメモリや外付けHDD／SSDの内容を確認するには？

A 接続後にエクスプローラーの「PC」で確認できます。

PCに接続したUSBメモリや外付けHDD／SSD（以降、USBストレージ）の内容を確認するには、PCにUSBストレージを接続した際にデスクトップに表示される通知バナー（自動再生）をクリックして、一覧から「フォルダーを開いてファイルを表示」をクリックします。
通知バナーをクリックするタイミングを逃した場合は、エクスプローラーから「PC」を選択して、該当USBストレージをダブルクリックすれば内容を確認できます。

関連 Q185 ドライブの一覧の表示

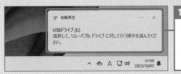

1 PCにUSBストレージを接続した際にデスクトップに表示される通知バナーをクリックします。

2 一覧から「フォルダーを開いてファイルを表示」をクリックします。

3 USBメモリ・外付けHDD／SSDの内容を確認できます。

ストレージ設定の構成	ストレージ設定を表示します。
フォルダーを開いてファイルを表示	エクスプローラーでドライブ内容を表示します。
何もしない	何のアクションも実行しません。

Q503 お役立ち度 ★★★★ USBストレージ

USBメモリや外付けHDD／SSDを接続した際に自動的に開くには?

A リムーバブルドライブの自動再生で「フォルダーを開いて〜」を選択します。

Q502では通知バナーからUSBストレージの内容を確認する方法を解説しましたが、PCにUSBストレージを接続した際に、すぐにエクスプローラーで内容を表示することもできます。「設定」画面から「Bluetoothとデバイス」→「自動再生」を開いて、「リムーバブルドライブ」のドロップダウンから「フォルダーを開いてファイルを表示」を選択します。

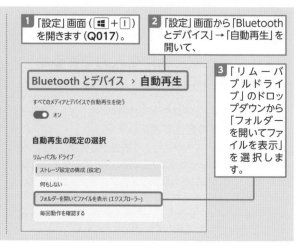

1 「設定」画面（🪟+Ｉ）を開きます（Q017）。

2 「設定」画面から「Bluetoothとデバイス」→「自動再生」を開いて、

3 「リムーバブルドライブ」のドロップダウンから「フォルダーを開いてファイルを表示」を選択します。

Q504 お役立ち度 ★★★★ USBストレージ

USBメモリや外付けHDD／SSDを初期化するには?

A USBストレージに対してフォーマットを実行します。

USBメモリや外付けHDD／SSDを初期化（まっさらな状態）するには、エクスプローラーのナビゲーションウィンドウで「PC」を選択して、該当USBストレージを右クリックして、ショートカットメニューから「フォーマット」を選択します。ファイルシステム（Q507）を確認して、「開始」をクリックすればフォーマットを行うことができます。

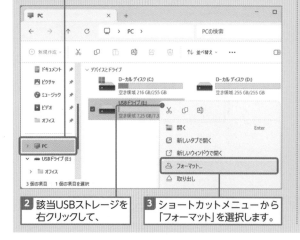

1 エクスプローラーのナビゲーションウィンドウで「PC」をクリックします。

2 該当USBストレージを右クリックして、

3 ショートカットメニューから「フォーマット」を選択します。

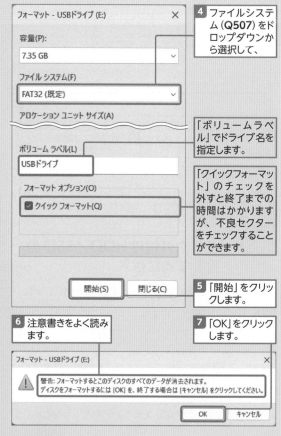

4 ファイルシステム（Q507）をドロップダウンから選択して、

「ボリュームラベル」でドライブ名を指定します。

「クイックフォーマット」のチェックを外すと終了までの時間はかかりますが、不良セクターをチェックすることができます。

5 「開始」をクリックします。

6 注意書きをよく読みます。

7 「OK」をクリックします。

おトクな情報 初期化の注意点

フォーマットを行った場合、USBストレージの内容はすべて消去されます。USBストレージは、必ず中身を確認してからフォーマットするようにしましょう。

Q505 お役立ち度 ★★★★ USBストレージ

USBメモリや外付けHDD／SSDの名称を変更するには?

A エクスプローラーで
ボリュームラベルを編集します。

USBストレージをわかりやすく管理するには、ボリュームラベル名を付けておくと便利です。フォーマット時に指定（**Q504**）できますが、変更することもできます。エクスプローラーから「PC」を選択して、該当USBストレージを選択して F2 を押すとボリュームラベル名を編集できるので、該当ドライブを任意の名称にします。

1 エクスプローラーのナビゲーションウィンドウから「PC」をクリックします。

2 該当USBストレージを選択して F2 を押します。

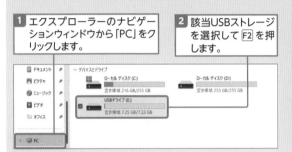

3 該当ドライブに任意の名称を入力して、

4 Enter を押します。

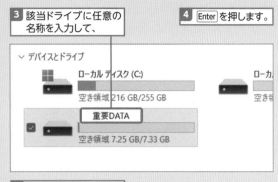

5 該当USBストレージの名称を変更できます。

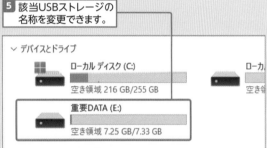

Q506 お役立ち度 ★★★★ USBストレージ

USBメモリや外付けHDD／SSDを安全に取り外すには?

A USBストレージを右クリックして
「取り出し」を選択します。

USBストレージをPCから安全に取り外すには、エクスプローラーのナビゲーションウィンドウで「PC」を選択して、該当USBストレージを右クリックし、ショートカットメニューから「取り出し」を選択します。あるいは通知領域の「ハードウェアを安全に取り外してメディアを取り出す」を右クリックして、ショートカットメニューから「［該当USBストレージ］の取り出し」を選択します。

通知領域からの取り出し

1 通知領域の「ハードウェアを安全に取り外してメディアを取り出す」を右クリックして、

2 ショートカットメニューから「［該当USBストレージ］の取り出し」を選択します。

エクスプローラーからの取り出し

1 エクスプローラーのナビゲーションウィンドウで「PC」をクリックします。

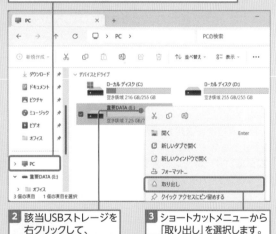

2 該当USBストレージを右クリックして、

3 ショートカットメニューから「取り出し」を選択します。

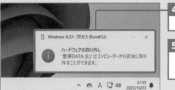

4 通知バナーが表示されます。

5 該当USBストレージを安全に取り外すことができます。

Q507 お役立ち度 ★★★ USBストレージ

フォーマットの際に最適な ファイルシステムを選択するには?

A FAT32が汎用的で、 新しいデバイスではexFATが便利です。

USBメモリや外付けHDD/SSDを初期化する際に選択できるファイルシステムの違いは、右表のようになり機能と互換性に違いがあります。互換性が高いのはFAT32ですが、PCの最新版OS（iPadOS/macOS/ChromeOS）であればexFATも利用できます。

なお、PC以外の他デバイスで利用するメモリカード（例えば、デジタルカメラのメモリカード）であれば、利用デバイス側でフォーマットするのが安全です。

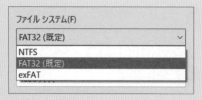

● ファイルシステム

NTFS	基本的にWindows PCで利用するSSD／ハードディスクなどのストレージに適用すべきファイルシステムです。
FAT32／FAT	他デバイスとの互換性が高いファイルシステムです。なお、FATは4GB以下のメモリメディアにしか対応しないため、4GB以上のものはFAT32を適用します。
exFAT	FATを拡張した最新のファイルシステムで16EiBまでサポートします。最新バージョンのiPadOS／macOS／ChromeOSなどはサポートしますが、古いOSや家電製品などはサポートしないため注意が必要です。

Q508 お役立ち度 ★★★ USBストレージ

USBメモリや外付けHDD/SSDへの 書き込みを高速化するには?

A 「デバイスマネージャー」でUSBストレージを 「高パフォーマンス」に設定します。

Windowsの既定では、USBストレージは安全な取り外しを行うためキャッシュを利用せずに書き込む設定になっていますが、書き込みキャッシュを有効にして高速化するには、「デバイスマネージャー」から「ディスクドライブ」→[該当USBストレージ]をダブルクリックします。

プロパティダイアログの「ポリシー」タブの「高パフォーマンス」を選択して、バッテリーを搭載するPCであれば「デバイスの書き込みキャッシュを有効にする」をチェックします。

なお、本設定を適用した場合は、必ずUSBストレージをPCから外す際に「ハードウェアの安全な取り外し」（**Q506**）を行うようにします。

関連 Q523 デバイスマネージャーの起動

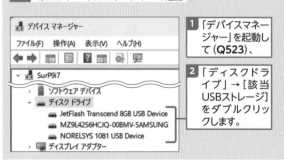

1 「デバイスマネージャー」を起動して（**Q523**）、

2 「ディスクドライブ」→[該当USBストレージ]をダブルクリックします。

3 プロパティダイアログの「ポリシー」タブの「高パフォーマンス」を選択します。

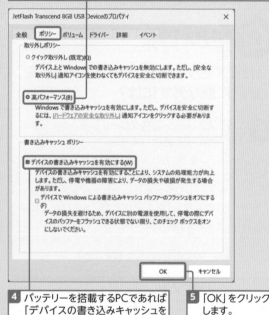

4 バッテリーを搭載するPCであれば「デバイスの書き込みキャッシュを有効にする」をチェックします。

5 「OK」をクリックします。

書き込みキャッシュの有効化は停電や障害時にデータが破損する可能性があります。危険性を感じるのであれば、この設定の適用はおすすめしません。

⌨️ 「デバイスマネージャー」を開く ⊞ + X → M

Q509 お役立ち度 ★★★★ ドライブの暗号化(BitLocker)

ドライブの暗号化について知りたい!

A 暗号化すれば、第三者は直接データを参照できません。

ドライブの暗号化は、Windowsにおいては「BitLockerドライブ暗号」(BitLocker)で実現できます。注意したいのは「内蔵ストレージ」(システムドライブ) に対するBitLockerと「USBメモリや外付けHDD／SSD」(外付けストレージ)に対するBitLockerは意味も機能も異なる点です。

システムドライブに対するBitLockerは、PCに内蔵されたTPM(Trusted Platform Module)と紐づけてドライブの暗号化を行うもので、他のPCでのデータを読み書きを防げます(ストレージを抜き取られても機密性を確保する)。一方、外付けストレージに対するBitLockerは暗号化を行

うものの、どのPCでもパスワードを入力すればデータを読み書きできます(BitLocker to Go)。

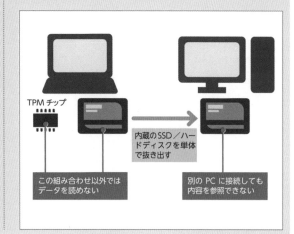

TPM チップ

この組み合わせ以外ではデータを読めない

内蔵のSSD／ハードディスクを単体で抜き出す

別のPCに接続しても内容を参照できない

Q510 お役立ち度 ★★★★ ドライブの暗号化(BitLocker)

システムドライブが暗号化されているかを確認するには?

A エクスプローラーで「PC」を開いて、C:ドライブの鍵マークで確認します。

システムドライブが暗号化されているかを確認するには、エクスプローラーの「PC」を開いて、C:ドライブの鍵マークで確認します。鍵マークが付いている場合は、システムドライブが暗号化されています。

> **おトクな情報** BitLockerの利用要件
>
> システムドライブに対するBitLockerの要件はPro以上のエディションが必要になります。ただ、モダンスタンバイ(Q049)に対応したPCであれば、Homeであっても「デバイスの暗号化」というBitLockerと同等の機能がシステムドライブに適用されて出荷されているモデルもあります。

BitLockerが適用されているシステムドライブ

1 エクスプローラーのナビゲーションウィンドウから「PC」をクリックします。

2 C:ドライブの鍵マークで確認します(システムドライブに対するBitLockerが適用されている)。

BitLockerが適用されていないシステムドライブ

1 エクスプローラーのナビゲーションウィンドウから「PC」をクリックします。 2 C:ドライブに鍵マークがありません。

対応環境でかつPro以上のエディションであれば、C:ドライブを右クリックして、ショートカットメニューから「BitLockerを有効にする」で有効にすることもできます(表示されない場合は非対応)。

Q511 お役立ち度★★★★ ドライブの暗号化（BitLocker）

外付けストレージにBitLockerを適用できるエディションは？

A 暗号化にはPro以上が必要です、暗号化した外付けストレージはHomeでも利用できます。

Windows標準機能でリムーバブルドライブであるUSBメモリや外付けHDD／SSD（外付けストレージ）を暗号化するには、「BitLocker To Go」を適用します。

外付けストレージに対する、BitLocker To Goの適用はエディションがPro／Enterprise／Educationに限られます。なお、BitLocker To Go適用済みの外付けストレージの読み書きは、エディションに関係なく利用できます。

BitLocker To Goで暗号化された外付けストレージは、パスワードを入力しない限り読み書きができません。

パスワードを入力すれば、エディションに関係なく利用できます。

● BitLocker To Go の利用と適用

	適用	読み書き
Pro以上	○	○
Home	×	○

Q512 お役立ち度★★★★ ドライブの暗号化（BitLocker）

外付けストレージを暗号化して情報漏えいを防ぐには？

A 外付けストレージにBitLocker To Goを適用します。

エクスプローラーの「PC」から、外付けストレージを Shift を押しながら右クリックして、ショートカットメニューから「BitLockerを有効にする」を選択します（要Pro以上のエディション）。

1 エクスプローラーのナビゲーションウィンドウから「PC」をクリックします。

2 外付けストレージを Shift を押しながら右クリックして、

右クリックしてから「その他のオプションを確認」を選択しても、同様のメニューを表示できます。

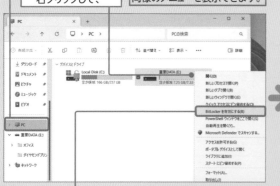

3 ショートカットメニューから「BitLockerを有効にする」を選択します。

該当メニューが存在しない場合、非対応環境であり適用できません。

以後、ウィザードに従って、「パスワードを使用してドライブのロックを解除する」をチェックして、複雑なパスワード（英大文字・英小文字・数字・記号を含むことを推奨）を入力します。パスワードを指定した後も、ウィザードはQ513～Q515の設定が続きます。

関連 Q511 BitLocker To Go を利用できるエディション

おトクな情報 パスワードは忘れないように

ここで設定したパスワードはBitLocker To Goを適用した外付けストレージを利用する際に必要になります。なおパスワードを忘れてしまった場合は「回復キー」（Q513）が必要になります。

4 ウィザードに従って、「パスワードを使用してドライブのロックを解除する」をチェックします。

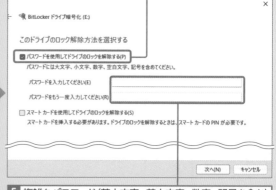

5 複雑なパスワード（英大文字・英小文字・数字・記号を含む）を入力します。

Q513 お役立ち度 ★★★☆ ドライブの暗号化（BitLocker）

BitLocker To Goの回復キーのバックアップ先の選択は?

A ファイルに保存することをおすすめします。

Q512で解説したパスワードは、BitLocker To Goを適用した外付けストレージを開く際に必要になります。万が一、パスワードを忘れてしまった場合は「回復キー」を利用するので、ウィザードに従って任意の場所に回復キーをバックアップします。
回復キーの保存場所は任意ですが、ファイルに保存しておくと管理しやすくてよいでしょう。

1. ウィザードに従って任意の場所に回復キーをバックアップします。

← BitLocker ドライブ暗号化 (E:)

回復キーのバックアップ方法を指定してください。

ⓘ 一部の設定はシステム管理者によって管理されています。

パスワードを忘れた場合や、スマートカードをなくした場合、回復キーを使用してドライブにアクセスすることができます。

→ Microsoft アカウントに保存する(M)
→ ファイルに保存する(F)
→ 回復キーを印刷する(P)

回復キーの保存場所は任意です。一般的にはMicrosoftアカウントかファイルに保存しておくと管理しやすくてよいでしょう。

Q514 お役立ち度 ★★★☆ ドライブの暗号化（BitLocker）

BitLocker To Goのドライブを暗号化する範囲はどうすればよい?

A ドライブ全体にしたほうがセキュアです。

Q513に引き続き、BitLocker To Goを適用するウィザードで「ドライブを暗号化する範囲の選択」が表示されたら、「ドライブ全体を暗号化する」を選択します。この選択は「削除されたデータ（ファイルの痕跡）」も暗号化できるため安全性を高めることができます。

1. 「ドライブを暗号化する範囲の選択」では、「ドライブ全体を暗号化する」を選択します。

← BitLocker ドライブ暗号化 (E:)

ドライブを暗号化する範囲の選択

BitLockerを新しいドライブまたは新しいPCに設定する場合は、現在使用しているドライブの一部を暗号化するだけで済みます。新しいデータを追加すると、BitLockerによって自動的に暗号化されます。

既に使用中のPCまたはドライブでBitLockerを有効にする場合は、ドライブ全体を暗号化することを検討してください。ドライブ全体を暗号化すると、削除したにもかかわらず復旧可能な情報が残っているデータを含め、すべてのデータが保護されます。

○ 使用済みの領域のみ暗号化する（新しいPCおよびドライブの場合により高速で最適）(U)
● ドライブ全体を暗号化する（低速、既に使用中のPCおよびドライブ向け）(E)

未使用領域にもファイルの痕跡が残るため、全領域暗号化したほうが安全です。

Q515 お役立ち度 ★★★☆ ドライブの暗号化（BitLocker）

BitLocker To Goの暗号化モードの選択は?

A 「新しい暗号化モード」を選択します。

Q514に引き続き、BitLocker To Goを適用するウィザードで「使用する暗号化モードを選ぶ」が表示されたら、「新しい暗号化モード」を選択します。
「互換モード」は、Windows 10（バージョン1511）より前のOS（Windows 8.1やWindows 7など）で利用するためのモードですが、それらのOSはすでにサポートが終了しているため、一般的な環境であれば選択する理由はありません。

特殊な事情でサポートを終了したOSをまだ利用している環境でのみ、「互換モード」を選択します。

1. 「使用する暗号化モードを選ぶ」では、「新しい暗号化モード」を選択します。

← BitLocker ドライブ暗号化 (E:)

使用する暗号化モードを選ぶ

Windows 10 (Version 1511) は、新しいディスク暗号化モード (XTS AES) を導入しています。このモードでは整合性のサポートが向上していますが、以前のバージョンのWindowsと互換性がありません。

以前のバージョンのWindowsでリムーバブルドライブで使う場合は、互換モードを選んでください。

固定ドライブの場合、またはこのドライブがWindows 10 (Version 1511) 以降を実行するデバイスでのみ使われる場合は、新しい暗号化モードを選んでください。

● 新しい暗号化モード(N) (このデバイスの固定ドライブに最適)
○ 互換モード(C) (このデバイスから取り外すことができるドライブに最適)

Q516 お役立ち度 ★★★ ドライブの暗号化（BitLocker）

BitLocker To Goを適用した外付けストレージを利用するには？

A 外付けストレージをPCに接続してパスワードを入力します。

BitLocker To Goを適用した外付けストレージを利用するには、PCに接続した際にデスクトップに表示される通知バナーをクリックして、「BitLocker（ドライブ名）」でパスワードを入力します。正しいパスワードを入力すれば、ドライブのロックが解除され、以後通常のストレージ同様に読み書きできます。

なお、Pro以上のエディションではパスワードを保存することで、次回以降はパスワード入力をスキップできます。

1 BitLocker To Goを適用した外付けストレージをPCに接続します。
2 デスクトップに表示される通知バナーをクリックします。

3 「BitLocker（ドライブ名）」にパスワードを入力します。
4 「ロック解除」をクリックします。

5 ドライブのロックが解除され、以後通常のストレージ同様に読み書きできます。

Q517 お役立ち度 ★★★ ドライブの暗号化（BitLocker）

外付けストレージの暗号化を解除するには？

A Pro以上のエディションで「Bitlockerの管理」からBitlockerを無効にします。

BitLocker To Goを適用した外付けストレージの暗号化を解除するには、エクスプローラーの「PC」から、BitLocker To Go適用済みのドライブを右クリックして、ショートカットメニューから「Bitlockerの管理」を選択します。「Bitlockerドライブ暗号化」から該当ドライブを確認して、「Bitlockerを無効にする」をクリックして、ウィザードに従って解除します。

1 エクスプローラーのナビゲーションウィンドウから「PC」をクリックします。

2 BitLocker To Go適用済みのドライブを右クリックして、
3 ショートカットメニューから「Bitlockerの管理」を選択します。

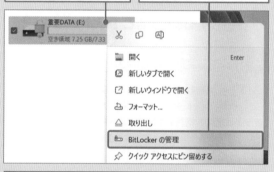

4 「Bitlockerドライブ暗号化」から該当ドライブを確認して、「Bitlockerを無効にする」をクリックします。

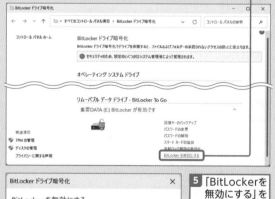

5 「BitLockerを無効にする」をクリックして、ウィザードに従います。

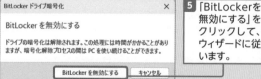

Q518 お役立ち度 ★★★ Bluetoothとデバイス

自分のPCでBluetoothが利用できるか確認するには?

A 「設定」の「Bluetoothとデバイス」で確認します。

Bluetoothデバイスを利用するには、自分のPCに「Bluetooth」が搭載されている必要があります。「設定」画面から「Bluetoothとデバイス」を開いて、「Bluetooth」と表示されている(オン/オフが設定できる)ことを確認します。この項目がない場合は、Bluetoothデバイスを利用できません。なお、デバイスマネージャーを開いて(Q523)、「Bluetooth」の存在の有無でもPCでBluetoothデバイスが利用できるかを確認できます。

「設定」からの確認

1 「設定」画面（■+I）を開きます（Q017）。

2 「設定」画面から「Bluetoothとデバイス」を開いて、

3 「Bluetooth」の存在を確認します。

Bluetoothの項目がない場合、PCはBluetoothを利用できません。

デバイスマネージャーでの確認

1 デバイスマネージャーを開いて(Q523)、

2 「Bluetooth」の存在を確認します。

Q519 お役立ち度 ★★★ Bluetoothとデバイス

BluetoothデバイスをペアリングしてPCで利用するには?

A 「設定」の「Bluetoothとデバイス」でデバイスの追加をします。

PCでBluetoothデバイスを利用するには「ペアリング」という処理が必要です。Bluetoothデバイスによってペアリングモードにする方法は異なりますが、ほとんどのモデルでは、「Connect」ボタンや「ID」ボタンを押す(長押しなど)ことで実現できます。Bluetoothデバイスがペアリングモードになっている状態で、「設定」画面から「Bluetoothとデバイス」を開いて、「デバイスの追加」をクリックします。「Bluetooth」をクリックして、表示される追加したいデバイスをクリックしてウィザードに従えばペアリングが完了します。

1 Bluetoothデバイスをペアリングモードにします。

Bluetoothデバイスによって、ペアリングモードにする方法は異なります。

ペアリングボタン

2 「設定」画面（■+I）を開きます（Q017）。

3 「設定」画面から「Bluetoothとデバイス」を開いて、

4 「デバイスの追加」をクリックします。

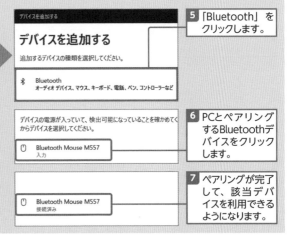

5 「Bluetooth」をクリックします。

6 PCとペアリングするBluetoothデバイスをクリックします。

7 ペアリングが完了して、該当デバイスを利用できるようになります。

Q520
お役立ち度 ★★★★　Bluetoothとデバイス

Bluetoothのオン／オフや
ペアリングを素早くするには?

A クイック設定からBluetoothに
アクセスします。

Q519では「設定」画面からBluetoothデバイスのペアリングを解説しましたが、素早くBluetooth関連の設定を行いたい場合は、「クイック設定」が最適です。ショートカットキー ⊞ ＋ A でクイック設定にアクセスできます。「Bluetooth」をクリックすることでBluetooth機能をオン／オフできるほか、Bluetooth横の「>」をクリックすれば、デバイス確認やペアリングが可能です。

Bluetoothをオン／オフする

1 「クイック設定」（⊞ ＋ A）を表示します（Q022）。

2 「Bluetooth」をクリックすることでBluetooth機能をオン／オフできます。

Bluetoothデバイスを確認／ペアリング

1 Bluetooth横の「>」をクリックします。

2 接続しているデバイスの確認やペアリングができます。

Q521
お役立ち度 ★★★★　Bluetoothとデバイス

デバイスのペアリングを
解除するには?

A 「設定」の「Bluetoothとデバイス」から
デバイスを削除します。

Bluetoothで接続したBluetoothデバイスを削除（ペアリングを解除）するには、「設定」画面から「Bluetoothとデバイス」を開きます。一覧に表示されている該当Bluetoothデバイスの「…」をクリックして、メニューから「デバイスの削除」をクリックします。

1 「設定」画面（⊞ ＋ I）を開きます（Q017）。

2 「設定」画面から「Bluetoothとデバイス」を開きます。

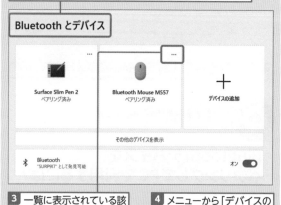

3 一覧に表示されている該当デバイスの「…」をクリックします。

4 メニューから「デバイスの削除」をクリックします。

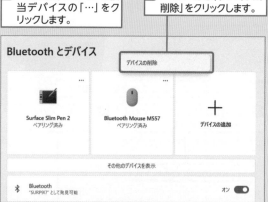

5 デバイスのペアリングを解除できます。

おトクな情報 動作が不安定な場合には
再ペアリング

この手順は正常に動作しなくなったBluetoothデバイスを再ペアリングしたい場合などに有効です。

Q522 お役立ち度 ★★★ Bluetoothとデバイス

デバイスを一覧で確認するには?

A 「設定」の「Bluetoothとデバイス」で確認できます。

使用中のPCで利用できるデバイス（ハードウェア）を確認するには、「設定」画面から「Bluetoothとデバイス」→「デバイス」を開きます。入力デバイス、オーディオデバイス、その他のデバイスなどを確認できます。

1 「設定」画面（⊞＋Ｉ）を開きます（Q017）。

2 「設定」画面から「Bluetoothとデバイス」を開きます。

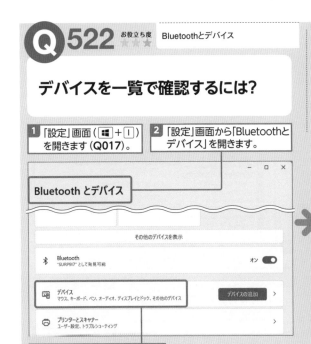

3 「デバイス」をクリックします。

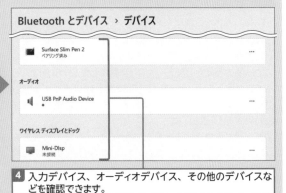

4 入力デバイス、オーディオデバイス、その他のデバイスなどを確認できます。

表示されるデバイスはハードウェアの構成によって異なります。

Q523 お役立ち度 ★★★ Bluetoothとデバイス

デバイスの詳細を確認するには?

A 「デバイスマネージャー」で確認できます。

PCで管理されているデバイスの詳細を確認するには、コントロールパネル（アイコン表示）から「デバイスマネージャー」をクリックします。あるいは、ショートカットキー⊞＋Ｘ→Ｍで素早く起動できます。デバイスがツリー上に表示され、各種デバイスのほかマザーボードにビルトインされているコントローラーやセンサーなども確認できます。プロセッサ（CPU）もコアごとに存在を確認することなどが可能です。

1 「コントロールパネル」を開きます（Q025）。

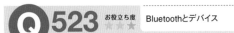

2 コントロールパネル（アイコン表示）から「デバイスマネージャー」をクリックします。

3 デバイスが種類別に表示されます。

4 任意のデバイス種類をクリックします。

5 デバイス種類に含まれる個々のデバイスを確認できます。

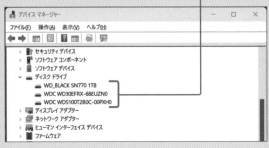

「デバイスマネージャー」を開く ⊞＋Ｘ→Ｍ

Q524 お役立ち度 ★★★ Bluetoothとデバイス

利用しないデバイスを停止するには?

A デバイスマネージャーで該当デバイスを停止設定にします。

ユーザーが任意に接続しているデバイスは、利用するために存在するデバイスですが、PCにビルトイン（マザーボードに直付けされている）デバイスや、多機能デバイスにおいて一部の機能を必要としない（無効にしたい）場合は、デバイスマネージャーを開いて（**Q523**）、該当デバイスを右クリックして、ショートカットメニューから「デバイスを無効にする」を選択します。

必要な機能を停止するとPCが動作しなくなることもあるため、どうしても停止したいデバイスに対してのみこの設定を適用するようにします。

なお、マザーボードにビルトインされているデバイスを停止するには、「UEFI」で利用停止にするのがよいでしょう（ハードウェアに詳しい場合）。

関連 Q629 UEFIセットアップ

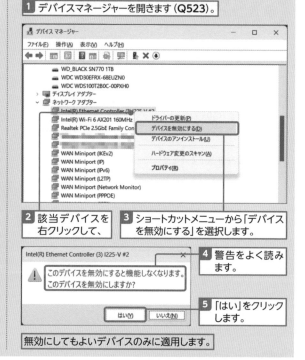

1 デバイスマネージャーを開きます（**Q523**）。

2 該当デバイスを右クリックして、

3 ショートカットメニューから「デバイスを無効にする」を選択します。

4 警告をよく読みます。

5 「はい」をクリックします。

無効にしてもよいデバイスのみに適用します。

Q525 お役立ち度 ★★★ Bluetoothとデバイス

デバイスドライバーを最新のものにするには?

A デバイスマネージャーでドライバーを更新します。

デバイスマネージャーから任意のデバイスを右クリックして、ショートカットメニューから「プロパティ」を選択します。

プロパティダイアログの「ドライバー」タブでバージョンを確認でき、ここから「ドライバーの更新」をクリックすれば、デバイスドライバーの更新が可能です。現在の対象デバイスの動作に不足や不具合がある場合のみ更新を行うことを推奨します。

なお、デバイスドライバーはデバイスを制御するためのソフトウェアであるため、公式メーカー以外で提供されているものを導入するとウイルスに感染するなど致命的なトラブルにもなりかねません。基本的にはWindows Updateで提供されるデバイスドライバーの導入が推奨されます。

1 デバイスマネージャーを開きます（**Q523**）。

2 任意のデバイスを右クリックして、

3 ショートカットメニューから「プロパティ」を選択します。

4 プロパティダイアログの「ドライバー」タブで、バージョンを確認できます。

5 「ドライバーの更新」をクリックします。

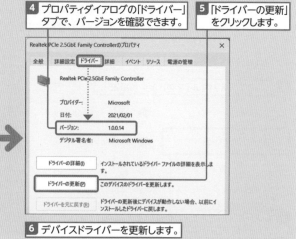

6 デバイスドライバーを更新します。

Q526 お役立ち度 ★★★ Bluetoothとデバイス

デバイスドライバーを
元のものに戻すには?

A デバイスマネージャーでデバイスドライバーを
ロールバック(元に戻す)します。

デバイスを制御するためのデバイスドライバーは、基本的
には最新のもののほうがよりデバイスの性能を引き出し、
安定化している傾向にあります。しかし、実際はその他
のPCパーツなどの相性にも左右されるため、最新のデバ
イスドライバーを導入すると不具合が起こることもありま
す。そのような場合は、デバイスドライバーを以前のもの
に戻すため「ロールバック」を行うのも手です。
デバイスマネージャーから任意のデバイスを右クリックし
て、ショートカットメニューから「プロパティ」を選択し
ます。プロパティダイアログの、「ドライバー」タブで「ド
ライバーを元に戻す」をクリックします。
なお、デバイスドライバーをセットアップファイルから導
入した場合は、セットアップに従ったアンインストールを
行うのが基本です。

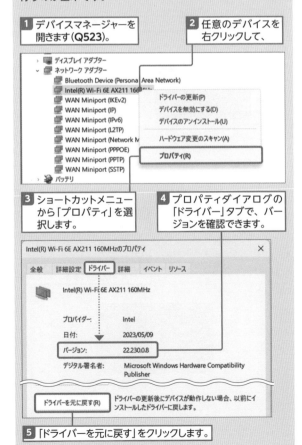

1 デバイスマネージャーを
開きます(**Q523**)。

2 任意のデバイスを
右クリックして、

- ディスプレイ アダプター
- ネットワーク アダプター
  - Bluetooth Device (Personal Area Network)
  - Intel(R) Wi-Fi 6E AX211 160...
  - WAN Miniport (IKEv2)
  - WAN Miniport (IP)
  - WAN Miniport (IPv6)
  - WAN Miniport (L2TP)
  - WAN Miniport (Network M
  - WAN Miniport (PPPOE)
  - WAN Miniport (PPTP)
  - WAN Miniport (SSTP)
- バッテリ

| ドライバーの更新(P) |
| デバイスを無効にする(D) |
| デバイスのアンインストール(U) |
| ハードウェア変更のスキャン(A) |
| プロパティ(R) |

3 ショートカットメニュー
から「プロパティ」を選
択します。

4 プロパティダイアログの
「ドライバー」タブで、バー
ジョンを確認できます。

Intel(R) Wi-Fi 6E AX211 160MHzのプロパティ　　×

全般　詳細設定　**ドライバー**　詳細　イベント　リソース

Intel(R) Wi-Fi 6E AX211 160MHz

プロバイダー:　　Intel
日付:　　2023/05/09
バージョン:　　22.230.0.8
デジタル署名者:　Microsoft Windows Hardware Compatibility
Publisher

ドライバーを元に戻す(R)　　ドライバーの更新後にデバイスが動作しない場合、以前にイ
ンストールしたドライバーに戻します。

5 「ドライバーを元に戻す」をクリックします。

Q527 お役立ち度 ★★★ Bluetoothとデバイス

Bluetoothを搭載していないPCで
Bluetoothを利用するには?

A 別途USB接続のBluetoothアダプターを
導入します。

Bluetoothを搭載していないPCでBluetoothデバイス
を活用するには、USB接続のBluetoothアダプターを導
入します。USB接続のBluetoothアダプターは1000円
前後で購入できます。なお、Bluetoothアダプターには
Bluetoothバージョ
ンやプロファイル(接
続対応機器)の違いが
あるので、なるべく最
新の規格のものを購入
して導入するとよいで
しょう。

Q528 お役立ち度 ★★★ マルチディスプレイ

ディスプレイを外部出力するには?

A HDMI／DisplayPortケーブルを用いて
外部ディスプレイと接続します。

自分のPCにHDMI／DisplayPort／DVIなどの端子が存
在する場合は、その端子に対応するディスプレイケーブ
ルを用いることで、外部ディスプレイへの出力が可能にな
ります。ケーブル選択はPCの出力端子とディスプレイの
入力端子に合ったディスプレイケーブルを用います(変換
ケーブルを用いてもOK)。
なお、ディスプレイケーブルは同じ端子を持つものであっ
てもケーブルバージョンや対応解像度に違いがある点に注
意してください(端子が適合しても、規格が適合しないと
正常な出力が行えない)。

● 端子の形状

HDMI　　DisplayPort　　DVI

写真:ディスプレイケーブル「CAC-DPHDMI10BK」「CAC-DVA15BK」
(エレコム)

Q529 ★★★ お役立ち度 マルチディスプレイ

USB Type-C端子から
外部ディスプレイに出力するには?

A USB Type-C端子を持つディスプレイへの
出力のほか、変換ケーブルで出力できます。

モバイルPCでは、HDMI／DisplayPort／DVIなどの端子
が存在しないモデルがありますが、そのようなWindows
11 PCの場合は、USB Type-C端子からディスプレイ出
力を行います。

ディスプレイ側の端子でUSB Type-C端子がある場合は、
Type-C to Type-Cケーブルを用いますが、一般的なディ
スプレイの場合は、Type-C to HDMIケーブルかドッキン
グステーションを用います。

なお、「USB Type-C端子はすべてディスプレイ出力対
応」ではありません。メーカーのWebサイトやPCの技
術仕様などで必ずUSB Type-C端子がディスプレイ出力
(DisplayPort Alt Mode)に対応していることを確認して
から導入・接続を行います。

最近のHDMIなどの端子を持たないPCは、USB Type-C端子からディスプレイ出力ができる（写真はSurface Laptop 5）。

写真：ドッキングステーション「DST-C08SV」（エレコム）
USB Type-C端子にドッキングステーションを接続すれば、USBハブ・
有線LAN・ディスプレイ出力などを1つのUSB Type-C端子だけで
実現できる。

Q530 ★★★ お役立ち度 マルチディスプレイ

マルチディスプレイで同じ画面を
外部ディスプレイに出力するには?

A 「複製」で画面出力します。

メインディスプレイの他に外部ディスプレイを接続している
状態（マルチディスプレイ環境）で、メイン・外部（サブ）とも
に同じデスクトップを映すには、「設定」画面から「システム」
→「ディスプレイ」を開いて、ドロップダウンから「表示画面
を複製する」を選択します。

主に、プレゼンテーション（プロジェクター出力）などの
場面で活躍する表示モードです。

1 「設定」画面（■+ I ）
を開きます（Q017）。

2 「設定」画面から「システム」→
「ディスプレイ」を開きます。

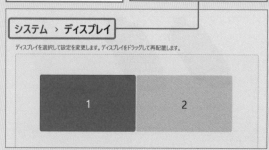

3 ドロップダウンから「表示画面を複製する」を選択します。

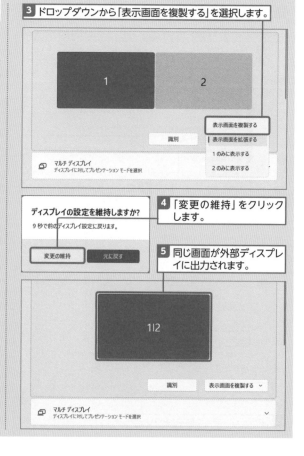

4 「変更の維持」をクリック
します。

5 同じ画面が外部ディスプレ
イに出力されます。

Q531 お役立ち度 ★★★ マルチディスプレイ

プレゼン時などディスプレイを複製しているときに通知をオフにしたい!

A 外部ディスプレイに複製している際に通知をオフにする設定を適用します。

単純に通知をオフにするには、「設定」画面から「システム」→「通知」を開いて、「通知」をオフにすればよいのですが、ディスプレイを複製しているときは必ず自動的に通知をオフにする設定にもできます。「設定」画面から「システム」→「通知」を開いて、「応答不可を自動的にオンにする」をクリックして開き、「ディスプレイを複製するとき（優先度通知バナーも非表示）」をチェックします。

1 「設定」画面（⊞＋Ｉ）を開きます（Q017）。

2 「設定」画面から「システム」→「通知」を開いて、

3 「応答不可を自動的にオンにする」をクリックします。

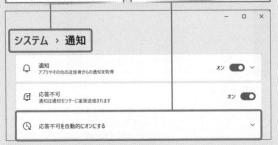

4 「ディスプレイを複製するとき（優先度通知バナーも非表示）」をチェックします。

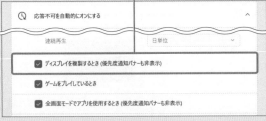

5 ディスプレイを複製しているときに通知をオフにできます。

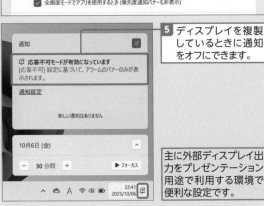

主に外部ディスプレイ出力をプレゼンテーション用途で利用する環境で便利な設定です。

Q532 お役立ち度 ★★★ マルチディスプレイ

マルチディスプレイでデスクトップ領域を広げるには?

A 「拡張」で画面出力します。2画面目のレイアウトなども設定可能です。

メインディスプレイの他に外部ディスプレイを接続している状態（マルチディスプレイ環境）で、外部（サブ）にメインとは別のデスクトップを表示して、デスクトップ領域を拡張するには、「設定」画面から「システム」→「ディスプレイ」を開いて、ドロップダウンから「表示画面を拡張する」を選択します。

1 「設定」画面（⊞＋Ｉ）を開きます（Q017）。

2 「設定」画面から「システム」→「ディスプレイ」を開きます。

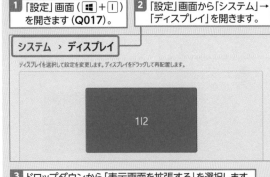

3 ドロップダウンから「表示画面を拡張する」を選択します。

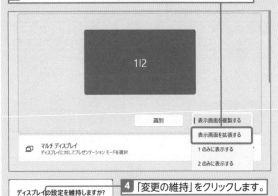

4 「変更の維持」をクリックします。

5 マルチディスプレイでデスクトップ領域を広げることができます。

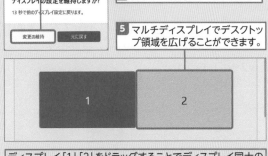

ディスプレイ「1」「2」をドラッグすることでディスプレイ同士の相対的なレイアウトを指定できます。

Q533 お役立ち度 ★★★★ マルチディスプレイ

マルチディスプレイで
ディスプレイを縦にするには?

A 画面の向きを「縦」にします。

外部ディスプレイを縦に置いている状態(縦長状態)で、画面の向きを変更するには、「設定」画面から「システム」→「ディスプレイ」を開いて、縦にするディスプレイ番号をクリックして選択します。
「画面の向き」のドロップダウンから「縦」を選択すれば、指定のディスプレイを縦にできます。

1 「設定」画面(■+I)を開きます(Q017)。　**2** 「設定」画面から「システム」→「ディスプレイ」を開いて、

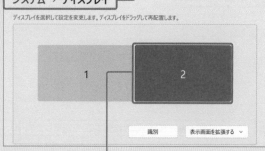

3 任意のディスプレイ番号をクリックして選択します。　**4** 「画面の向き」のドロップダウンから「縦」を選択します。

5 「変更の維持」をクリックします。

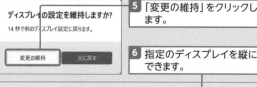

6 指定のディスプレイを縦にできます。

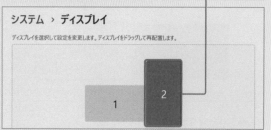

Q534 お役立ち度 ★★★★ マルチディスプレイ

素早くマルチディスプレイの
表示モードを切り替えたい!

A ショートカットキー ■+P で
表示モードを選択します。

ディスプレイの複製や拡張は「設定」画面から「システム」→「ディスプレイ」で行えますが、素早く表示モードを指定するには、ショートカットキー ■+P を入力します。

1 ショートカットキー ■+P を入力します。　**2** 任意の表示モードを指定して切り替えることができます。

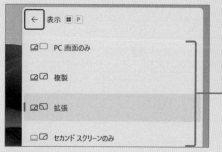

● 表示モード

PC画面のみ	メインディスプレイ(ディスプレイ番号「1」)のみに映像を出力します。
複製	メインディスプレイと同じ表示をサブディスプレイに表示します。
拡張	デスクトップ表示を拡張して作業領域を増やします。
セカンドスクリーンのみ	サブディスプレイ(ディスプレイ番号「2」)のみに映像を出力します。

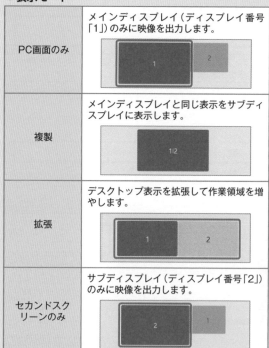

⌨ 表示モードを切り替え　■+P

Q535 お役立ち度 ★★★★ マルチディスプレイ

ワイヤレスディスプレイに映像を出力するには?

A ワイヤレスディスプレイに接続します。

ワイヤレスディスプレイ(Miracast受信対応ディスプレイ、あるいはMiracastレシーバーを装着したディスプレイなど)に映像を出力してサブディスプレイとして利用することができます。ワイヤレスディスプレイ側で受信できる状態にして、「設定」画面から「システム」→「ディスプレイ」を開いて、「マルチディスプレイ」をクリックして開き、「ワイヤレスディスプレイに接続する」の「接続」をクリックします。

デスクトップ右下でワイヤレスディスプレイを検出した通知が表示されたら、該当ディスプレイをクリックしてウィザードに従います(PINの入力やプロジェクション側の許可など、ディスプレイの種類によって異なる)。

「ワイヤレスディスプレイ」を開く　⊞ + K

1 「設定」画面(⊞ + I)を開きます(Q017)。

2 「設定」画面から「システム」→「ディスプレイ」を開いて、

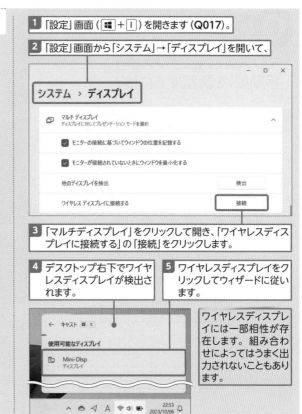

3 「マルチディスプレイ」をクリックして開き、「ワイヤレスディスプレイに接続する」の「接続」をクリックします。

4 デスクトップ右下でワイヤレスディスプレイが検出されます。

5 ワイヤレスディスプレイをクリックしてウィザードに従います。

ワイヤレスディスプレイには一部相性が存在します。組み合わせによってはうまく出力されないこともあります。

Q536 お役立ち度 ★★★★ マウスを使いやすく

マウスポインターの色やサイズを変更して視認性を高めるには?

A 「アクセシビリティ」でマウスポインターのサイズやスタイルを変更します。

デスクトップ操作において、マウスポインターが見やすいことは重要です。マウスポインターを見やすくする方法としては、マウスポインターのスタイルの変更やサイズを大きくすることなどがあります。

「設定」画面から「アクセシビリティ」→「マウスポインターとタッチ」の「マウスポインターのスタイル」をクリックして開き、マウスポインターのスタイル、おすすめの色、サイズなどを設定します。

おトクな情報　マウスポインターの色をカスタマイズ

右の画面で「別の色を選択」をクリックすれば、マウスポインターを「おすすめの色」以外にすることもできます。

1 「設定」画面(⊞ + I)を開きます(Q017)。

2 「設定」画面から「アクセシビリティ」→「マウスポインターとタッチ」の「マウスポインターのスタイル」をクリックして開き、

3 「カスタム」をクリックします。

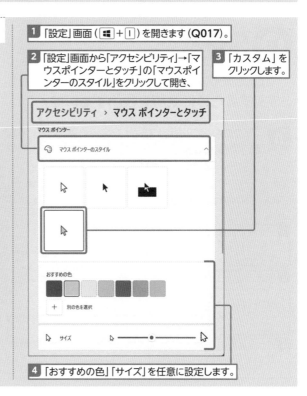

4 「おすすめの色」「サイズ」を任意に設定します。

Q537 お役立ち度 ★★★★ マウスを使いやすく

マウスの感度(マウスポインターの移動量)を調整するには?

A 「設定」の「Bluetoothとデバイス」でマウスポインターの速度を調整します。

マウスを物理的に移動した際に、マウスポインターがどれだけ移動するかを調整するには、「設定」画面から「Bluetoothとデバイス」→「マウス」を開いて、「マウスポインターの速度」のスライダーで調整します。

自身が使いやすいようにマウス操作とマウスポインターの移動量の関係を調整すれば、デスクトップをスムーズに操作できます。

1 「設定」画面(⊞+Ⅰ)を開きます(**Q017**)。

2 「設定」画面から「Bluetoothとデバイス」→「マウス」を開いて、

3 「マウスポインターの速度」のスライダーで調整します。

Q539 お役立ち度 ★★★★ マウスを使いやすく

マウスポインターの位置をわかりやすくするために軌跡を表示するには?

A 「マウスの追加設定」でポインターの軌跡を表示設定にします。

マウスポインターを移動した際に、マウスポインターの位置を見失いがちな場合は、軌跡を表示すると位置が把握しやすくなります。軌跡を表示するには、「設定」画面から

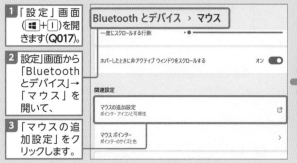

1 「設定」画面(⊞+Ⅰ)を開きます(**Q017**)。

2 設定」画面から「Bluetoothとデバイス」→「マウス」を開いて、

3 「マウスの追加設定」をクリックします。

Q538 お役立ち度 ★★★★ マウスを使いやすく

マウスホイールを回転させた際のスクロール量を調整するには?

A 「設定」の「Bluetoothとデバイス」でマウスホイールのスクロールする量を調整します。

Microsoft Edgeで縦に長いWebページやWordの長文などは、マウスホイールを回転して画面をスクロールします。このスクロール量を調整するには、「設定」画面から「Bluetoothとデバイス」→「マウス」を開いて、「マウスホイールでスクロールする量」のドロップダウンから「複数行ずつ」を選択したうえで、「一度にスクロールする行数」で行数を調整します。

1 「設定」画面(⊞+Ⅰ)を開きます(**Q017**)。

2 「設定」画面から「Bluetoothとデバイス」→「マウス」を開いて、

3 「マウスホイールでスクロールする量」のドロップダウンから「複数行ずつ」を選択します。

4 「一度にスクロールする行数」でスクロールする行数を調整します。

「Bluetoothとデバイス」→「マウス」を開いて、「マウスの追加設定」をクリックします。「マウスのプロパティ」ダイアログの「ポインターオプション」タブで、「ポインターの軌跡を表示する」をチェックして、スライダーで軌跡の長さを調整します。

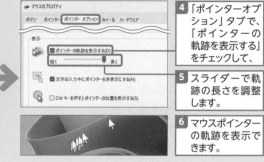

4 「ポインターオプション」タブで、「ポインターの軌跡を表示する」をチェックして、

5 スライダーで軌跡の長さを調整します。

6 マウスポインターの軌跡を表示できます。

Q540 お役立ち度 ★★★★ タッチパッド（トラックパッド）

タッチパッドで右クリックするには？

A タッチパッドの右下エリアをタップか、2本指でタップします。

以前のタッチパッドでは、右クリックボタンが存在したり、右クリック操作の位置が示されていたりしましたが、最近のPCのほとんどは高性能タッチパッドで位置表示がありません。高性能タッチパッドで「右クリック操作」をするには、タッチパッドの右下エリアをタップするか、タッチパッドを2本指でタップします。

なお、この右クリックに割り当てられた右下エリアタップ／2本指タップによる操作は、任意にオン／オフすることも可能です（**Q546**）。

右クリック：右下をタップ

右クリック：2本指でタップ

マルチタッチ対応タッチパッドでの操作になります（非対応機種では不可）。

Q541 お役立ち度 ★★★★ タッチパッド（トラックパッド）

タッチパッドで素早くアプリを切り替えるには？

A タッチパッドを3本の指で左スワイプ／右スワイプします。

アプリ（タスク）を素早く切り替えるには（ショートカットキー Alt + Tab 相当、**Q142**）、タッチパッドを3本の指で左スワイプ／右スワイプします。

関連 **Q142** Windows フリップ

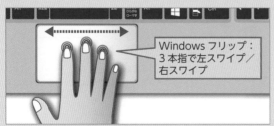

Windows フリップ：3本指で左スワイプ／右スワイプ

マルチタッチ対応タッチパッドでの操作になります（非対応機種では不可）。

Q542 お役立ち度 ★★★★ タッチパッド（トラックパッド）

タッチパッドで素早くデスクトップを表示するには？

A タッチパッドに3本あるいは4本の指を置いて下スワイプします。

デスクトップを素早く表示するには（ショートカットキー ■ + D 相当、**Q057**）、タッチパッドを3本あるいは4本の指で下スワイプします。

関連 **Q057** デスクトップの表示

デスクトップの表示：3本指（4本指でも可）で下にスワイプ

マルチタッチ対応タッチパッドでの操作になります（非対応機種では不可）。

Q543 お役立ち度 ★★★★ タッチパッド（トラックパッド）

タッチパッドで通知センターを表示するには？

A タッチパッドを4本の指でタップします。

「通知センター」（ショートカットキー ■ + N 相当、**Q169**）を表示するには、タッチパッドを4本の指でタップします。

関連 **Q169** 通知センターの表示

通知センター：4本指でタップ

マルチタッチ対応タッチパッドでの操作になります（非対応機種では不可）。

Q544 お役立ち度 ★★★★ タッチパッド（トラックパッド）

タッチパッドで「タスクビュー」を表示するには？

A タッチパッドを3本の指で上スワイプします。

「タスクビュー」（ショートカットキー ⊞ ＋ Tab 相当、Q138）を表示するには、タッチパッドを3本の指で上スワイプします。

関連 Q138 タスクビューの表示

タスクビュー：3本指で上スワイプ

マルチタッチ対応タッチパッドでの操作になります（非対応機種では不可）。

Q545 お役立ち度 ★★★★ タッチパッド（トラックパッド）

タッチパッドの感度（マウスポインターの移動量）を調整するには？

A 「設定」の「Bluetoothとデバイス」でタッチパッドのカーソル速度を調整します。

タッチパッドで指を移動した際に、マウスポインターがどれだけ移動するかを調整するには、「設定」画面から「Bluetoothとデバイス」→「タッチパッド」を開いて、「カーソル速度」のスライダーで調整します。

1 「設定」画面（⊞＋I）を開きます（Q017）。

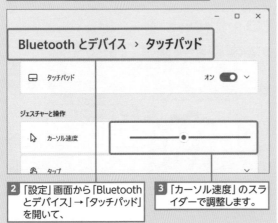

2 「設定」画面から「Bluetoothとデバイス」→「タッチパッド」を開いて、

3 「カーソル速度」のスライダーで調整します。

Q546 お役立ち度 ★★★ タッチパッド（トラックパッド）

タッチパッドのタップ操作を設定するには？

A 「設定」の「Bluetoothとデバイス」でタッチパッドのタップを設定します。

Q540で右クリック操作はタッチパッドの右下エリアをタップか2本指タップと解説しましたが、この操作を有効あるいは無効にするには、「設定」画面から「Bluetoothとデバイス」→「タッチパッド」の「タップ」をクリックして開き、適合する操作の有効／無効を各チェックボックスで設定します。例えば、2本指タップによる右クリックを停止したい場合は、「2本の指でタップして右クリックする」のチェックを外します。

1 「設定」画面（⊞＋I）を開きます（Q017）。

2 「設定」画面から「Bluetoothとデバイス」→「タッチパッド」の「タップ」をクリックして開き、

3 タッチパッドの対応操作を適合するチェックボックスで設定できます。

タッチパッドによって、設定の詳細は異なります。

Q547 お役立ち度 ★★★ タッチパッド（トラックパッド）

タッチパッドの3本指ジェスチャに任意の操作を割り当てるには？

A 「高度なジェスチャ」でタップやスワイプに任意の操作を割り当てます。

タッチパッドの3本指タップ、3本指上下左右スワイプ、4本指タップ、4本指上下左右スワイプには、任意の操作（機能）を割り当てることが可能です。

「設定」画面から「Bluetoothとデバイス」→「タッチパッド」を開いて、「高度なジェスチャ」をクリックします。3本指ジェスチャの構成／4本指ジェスチャの構成で各ジェスチャに各操作（機能）を割り当てることができます。

1 「設定」画面（⊞＋Ｉ）を開きます（**Q017**）。

2 「設定」画面から「Bluetoothとデバイス」→「タッチパッド」を開いて、

3 「高度なジェスチャ」をクリックします。

4 3本指ジェスチャの構成／4本指ジェスチャの構成で各ジェスチャに各操作（機能）を割り当てることができます。

Q548 お役立ち度 ★★★ 光学ドライブ

仮想CDファイルを本物の光学メディアのように利用するには？

A ISOファイルを右クリックしてマウントします。

拡張子「.ISO」の仮想CDファイルとは、仮想的な光学メディア（CD／DVDメディア相当）であり、Windows 11は標準でISOファイルをサポートしています。

このISOファイルを光学メディアとしてマウントするには、エクスプローラーからISOファイルを右クリックして、ショートカットメニューから「マウント」を選択します。

これで、マウントしたISOファイルはドライブとして読み込むことができます。

1 エクスプローラーからISOファイルを右クリックして、

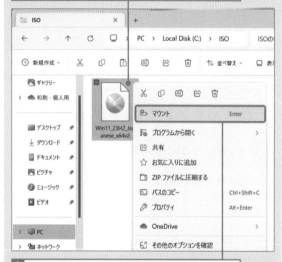

2 ショートカットメニューから「マウント」を選択します。

3 マウントした光学メディアはドライブとして読み込むことができます。

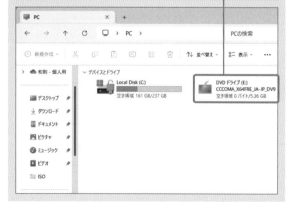

Q549 お役立ち度 ★★★ 光学ドライブ

BD／DVDドライブがないPCで 光学ドライブを利用したい!

A USB接続の外付けBD/ DVDドライブを 購入します。

光学ドライブが内蔵されていないPCでBD／DVDメディア を利用するには、USB接続の外付けBD/ DVDドライブを 購入してPCと接続します。USBポートから供給される電 力が足りない場合はBD／DVDドライブが正常に動作しな い可能性もあるため、ACアダプター付きのモデル（あるい はACアダプターを別途購入できるモデル）がおすすめです。 なお、Windows 11ではBD-Video／DVD-Videoなどの 映像メディアを楽しむには、別 途BD／DVD再生ソフトの導入 が必要です（PCメーカーや標準 バンドルソフトによる）。

Q550 お役立ち度 ★★★ 光学ドライブ

ドライブとして成立している 仮想CDをアンマウントするには?

A 右クリックから「取り出し」を実行します。

ISOファイルはマウントすることにより光学ドライブに 挿入した光学メディアのように扱えますが（**Q548**）、こ のマウントした状態の光学メディアを取り出したい場合 は、エクスプローラーから該当ドライブを右クリックして、 ショートカットメニューから「取り出し」を選択します。

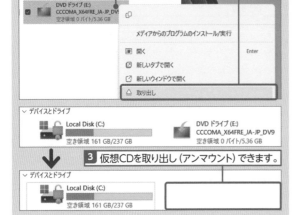

1 エクスプローラーから該当 ドライブを右クリックして、

2 ショートカットメニューから 「取り出し」を選択します。

3 仮想CDを取り出し（アンマウント）できます。

Q551 お役立ち度 ★★★ 光学ドライブ

ISOファイルを本物の 光学メディアに書き込むには?

A 「Windowsディスクイメージ書き込みツール」を 使います。

ISOファイルは光学メディアを仮想的にファイルにしたも のですが、このISOファイルをCD-R／DVD-R／BD-Rな どに書き込みたい場合は、ISOファイルを Shift を押しなが ら右クリックして、ショートカットメニューから「ディス クイメージの書き込み」を選択します。 「Windowsディスクイメージ書き込みツール」が表示される ので、書き込みをサポートしている光学ドライブに容量を 満たすメディアを挿入して、「書き込み」をクリックします。

1 ISOファイルを Shift を押 しながら右クリックして、

2 ショートカットメニューから 「ディスクイメージの書き 込み」を選択します。

右クリックしてから「その他のオプションを確認」を選択しても、 同様のメニューを表示できます。

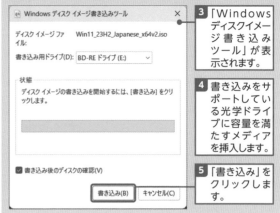

3 「Windows ディスクイメー ジ書き込み ツール」が表 示されます。

4 書き込みをサ ポートしてい る光学ドライ ブに容量を満 たすメディア を挿入します。

5 「書き込み」を クリックしま す。

Q552

お役立ち度 ★★★ プリンター

PCでプリンターが認識されているか確認するには?

A 「プリンターとスキャナー」でプリンターの存在を確認します。

Windows 11では基本的にUSB接続やネットワーク上のプリンターを自動的に検出します。PCでプリンターが認識されているのかを確認するには、「設定」画面から「Bluetoothとデバイス」→「プリンターとスキャナー」を開いて、利用したいプリンターが存在するかを確認します。

1 「設定」画面（■+Ｉ）を開きます（Q017）。

2 「設定」画面から「Bluetoothとデバイス」→「プリンターとスキャナー」を開いて、

3 利用したいプリンターが存在するかを確認します。

Q553

お役立ち度 ★★★ プリンター

プリンターを追加するには?

A 「プリンターとスキャナー」から「デバイスの追加」をクリックしてウィザードに従います。

プリンターを追加するには、「設定」画面から「Bluetoothとデバイス」→「プリンターとスキャナー」を開いて、「デバイスの追加」をクリックします。追加したいプリンターの「デバイスの追加」をクリックします。

1 「設定」画面（■+Ｉ）を開きます（Q017）。

2 「設定」画面から「Bluetoothとデバイス」→「プリンターとスキャナー」を開いて、

3 「デバイスの追加」をクリックします。

4 追加したいプリンターの「デバイスの追加」をクリックします。

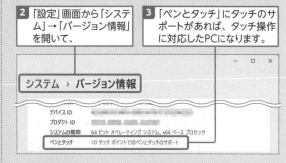

Q554

お役立ち度 ★★★ タッチディスプレイ

PCのタッチディスプレイ対応を確認するには?

A 「バージョン情報」でペンとタッチのサポートを確認します。

自分のPCがタッチディスプレイに対応しているかを確認するには、「設定」画面から「システム」→「バージョン情報」を開いて、「ペンとタッチ」にタッチのサポートがあれば、タッチ操作に対応したPCになります。

Windows 11のタッチ操作はマウス操作ライクになっており、基本的に「タップでクリック相当」「長押しタップで右クリック相当」になります。また、スワイプなど、スマートフォンと同じように操作できます。

なお、タッチ操作においては「物理キーボードが存在するか否か」（ピュアタブレットか否か）で一部の操作が異なります。

1 「設定」画面（■+Ｉ）を開きます（Q017）。

2 「設定」画面から「システム」→「バージョン情報」を開いて、

3 「ペンとタッチ」にタッチのサポートがあれば、タッチ操作に対応したPCになります。

⌨ 「システム」を開く ■+Ｘ→Ｙ

おトクな情報 タッチ対応PCの場合

タッチ対応PCでも基本操作に違いはありませんが、Windows 11の一部の既定の設定が異なり、例えばエクスプローラーの「項目チェックボックス」が最初から有効になっています。

Q555 お役立ち度 ★★★★ タッチディスプレイ

画面タッチした際の視覚効果を強調したい!

A 「アクセシビリティ」のタッチインジケーターの設定で濃く&大きくできます。

画面をタップした際、タップした場所が薄い円の効果で表示されますが、このタッチした際の視覚効果を強調するには、「設定」画面から「アクセシビリティ」→「マウスポインターとタッチ」を開いて、「タッチインジケーター」をオンにして、「タッチインジケーター」をクリックして開き、「円の色を濃くして大きくする」をチェックします。

1 「設定」画面（⊞+Ｉ）を開きます（Q017）。

2 「設定」画面から「アクセシビリティ」→「マウスポインターとタッチ」を開いて、

3 「タッチインジケーター」をオンにして、「タッチインジケーター」をクリックして、

4 「円の色を濃くして大きくする」をチェックします。

5 画面タッチした際の視覚効果を強調できます。

おトクな情報 タブレットとしても使えるタブレットPC

Microsoftの Surface Proシリーズなど、ノートPCとしてもタブレットとしても使えるものは「タブレットPC」や「2in1 PC」と呼ばれます。タッチディスプレイを搭載して、キーボードを取り外し&裏側への折りたたみ、タッチペンの利用など、さまざまな用途に利用できます。

Microsoft Surface Pro 9。タッチディスプレイを搭載し、Windows 11の機能をフルに利用できるタブレット PC。

Q556 お役立ち度 ★★★★ タッチディスプレイ

タブレットPCで画面を回転しないようにするには?

A クイック設定で回転を固定します。

タブレットPCにはチルトセンサーが搭載されており、本体の傾きに合わせて画面（デスクトップ）を自動的に回転して表示することができます。

本体の傾きによる画面の自動回転を無効にするには、クイック設定から「回転ロック」をオンにします。

なお、物理キーボードが有効な状態では、自動的に回転が無効になるモデルもあります。

1 「クイック設定」（⊞+Ａ）を表示します（Q022）。

2 クイック設定から「回転ロック」をタップしてオンにします。

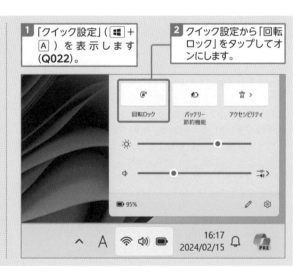

第13章

Microsoftアカウントと
サインインを知る

本章では、サインインオプションとしてのPINやWindows Hello顔認証
／Windows Hello指紋認証などについて解説します。
またデスクトップをロックした際に表示されるロック画面のカスタマイ
ズ、アカウント管理、アカウントの種類、家族でPCを利用する際のマル
チアカウントなどについても解説します。

Q**557** お役立ち度 ★★★ MicrosoftアカウントとWindows Hello

Microsoftアカウントについて
知りたい!

A クラウドで管理されるアカウントです。

Windows 11には、「Microsoftアカウント」と「ローカル
アカウント」の2種類が存在しますが、初期セットアップ
時からMicrosoftアカウントが求められるため（Windows
10などからアップグレードした場合は除く）、Microsoft
アカウントでサインインして運用するのが基本です。
Microsoftアカウントによるサインインは各種情報がク
ラウド上に保存（同期）されるのが特徴で、「OneDrive」
「Microsoft Edge」「Outlook」「Clipchamp」などの各アプ
リでも活用されます。

関連 Q577 ローカルアカウント

Microsoftアカウントはユーザー情報やファイルをクラウドに保
存できるため、複数のPCで同じデータを参照・編集できるほか、
アプリによってはアプリの設定・データなども同期して活用で
きます。

Windows 11のすべての機能を利用するにはMicrosoftアカ
ウントを利用する必要があります。

Q**558** お役立ち度 ★★★ MicrosoftアカウントとWindows Hello

PINを変更するには?

A 「設定」の「サインインオプション」で
PINの変更を行います。

PIN（Windows Hello）を変更するには、「設定」画面から
「アカウント」→「サインインオプション」を開いて、「PIN
（Windows Hello）」をクリックして開き、「PINの変更」を
クリックして、新しいPINを入力します。他者にPINが見
抜かれてしまうと、不在時などにデスクトップの操作を許
すことになるため、なるべく複雑なPINを設定しておくと
よいでしょう。
なお、PINは「PCごと」の保存になるため、複数のPCで
同じMicrosoftアカウントでサインインしている場合で
あっても、PINはあくまでもPCごとの設定になります。

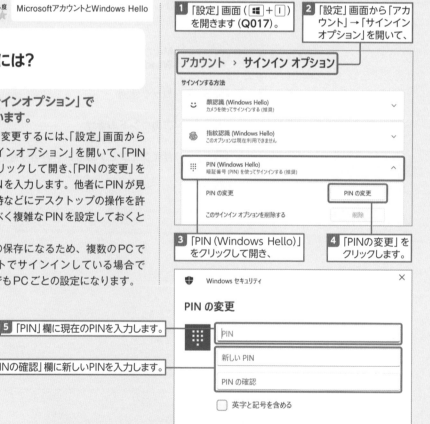

Q559 お役立ち度 ★★★ Microsoftアカウントとwindows Hello

PINを複雑にするには?

A PINの変更で「英字と記号を含める」に
チェックして設定します。

PINは基本的に数字の組み合わせになります。Windows
Hello顔認証（**Q560**参照）やWindows Hello指紋認証
（**Q561**参照）が利用できない場合、サインイン時にPIN
を入力することになるため、セキュリティを考えるとより
複雑な英字と記号を含めたPINにすることが推奨されま
す。PINに英字と記号を含めたい場合は、「設定」画面から
「アカウント」→「サインインオプション」を開いて、「PIN
（Windows Hello）」をクリックして開き、「PINの変更」を
クリックします。「PINの変更」で「英字と記号を含める」を
チェックして、新しいPINを入力します。

1 「PINの変更」を表示します（**Q558**）。

2 「PIN」欄に現在のPINを
入力します。

3 「英字と記号を含める」
をチェックして、

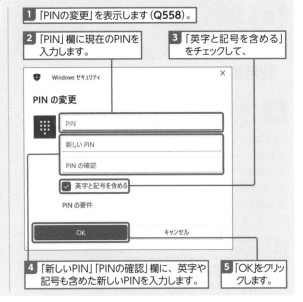

4 「新しいPIN」「PINの確認」欄に、英字や
記号も含めた新しいPINを入力します。

5 「OK」をクリッ
クします。

Q560 お役立ち度 ★★★ Microsoftアカウントとwindows Hello

Windows Hello顔認証を
利用するには?

A 「設定」の「サインインオプション」で
「顔認識」のセットアップを行います。

Windows 11のサインインなどの認証において、自分の
顔で認証を行いたい場合は、「設定」画面から「アカウント」
→「サインインオプション」を開いて、「顔認識（Windows
Hello）」をクリックして開き、「セットアップ」をクリック
してウィザードに従います。
なお、この設定はWindows Hello顔認証に対応したIRカ
メラが必要になります（通常のWebカメラでは設定不可）。

1 「設定」画面（ ⊞ + Ｉ ）を開きます（**Q017**）。

2 「設定」画面から「アカ
ウント」→「サインイン
オプション」を開いて、

3 「顔認識（Windows
Hello）」をクリックし
て開き、

4 「セットアップ」をクリックします。

5 「開始する」をク
リックします。

6 PINが求められる
ので入力します。

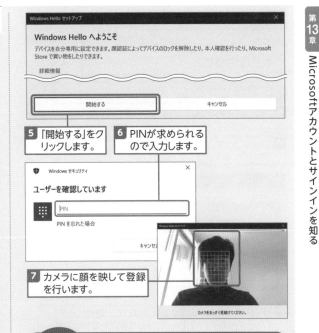

7 カメラに顔を映して登録
を行います。

**おトク
な情報** ## Windows Hello 顔認証に
対応しない環境

「このオプションは現
在利用できません」
と表示される場合、
Windows Hello
顔認証は利用できま
せん。

Q561 お役立ち度 ★★★ MicrosoftアカウントとWindows Hello

Windows Hello指紋認証を利用するには?

A 「設定」の「サインインオプション」で「指紋認識」のセットアップを行います。

PCに指紋リーダーが搭載されていれば、Windows Hello指紋認証が利用できます。指を置く(PCによってはセンサーをスワイプ)だけでサインインが可能です。「設定」画面で「アカウント」→「サインインオプション」を開いて、「指紋認識(Windows Hello)」をクリックして開き、「セットアップ」をクリックしてウィザードに従います。

1 「設定」画面(⊞＋Ｉ)を開きます(Q017)。

2 「設定」画面から「アカウント」→「サインインオプション」を開いて、

3 「指紋認識(Window Hello)」をクリックして開き、

4 「セットアップ」をクリックします。

5 「開始する」をクリックします。

6 PINが求められるので入力します。

7 指示に従って、指紋リーダーにタッチして指紋を登録します。

センサーにもう一度タッチしてください

Q562 お役立ち度 ★★★ ロック画面

ロックを行うさまざまな方法を知りたい!

A 自身でロックする方法の他にスクリーンセーバーを利用する方法があります。

PC作業中に離席する際などに、デスクトップをロック(以後、「ロック」)することは、セキュリティとして求められます。「ロック」は[スタート]メニューからユーザーアイコンをクリックして、メニューから「ロック」をクリックすれば実現できますが、この方法は面倒なのでショートカットキー⊞＋Ｌで行うのが早いです。Windows 11では無操作状態が一定時間経過するとスリープが行われ(Q042)、ここからの復帰も結果的にロックになります。ただし、スリープせずに一定時間経過後にロックしたいのであればスクリーンセーバー設定(Q563)を利用できます。

関連 **Q042** スリープまでの時間調整

関連 **Q563** スクリーンセーバー設定

1 [スタート]メニューからユーザーアイコンをクリックして、

2 メニューから「ロック」をクリックします。

3 ロックすることができます。

ロックしてしまえばWindows Helloを用いない限り、他者にデスクトップを操作させないという安全性を確保できます。

⌨ ロック ⊞＋Ｌ

Q563 お役立ち度 ★★★ ロック画面

無操作状態が一定時間経過後にデスクトップを自動的にロックさせるには?

A スクリーンセーバーでロックできます。

デスクトップのロックは、不在時にデスクトップを操作されないようにするセキュリティの意味で重要です。離席時にロックを忘れたことを考えると、無操作状態が一定時間経過したら自動でロックする設定が推奨されます。自動的にロックをするには、スクリーンセーバー設定を利用します。「設定」画面で「個人用設定」→「ロック画面」を開いて、「スクリーンセーバー」をクリックします。「スクリーンセーバーの設定」で「再開時にログオン画面に戻る」をチェックしておけば、スクリーンセーバーからの復帰時にロック画面になります。

1 「設定」画面（■＋Ⅰ）を開きます（**Q017**）。

2 「設定」画面から「個人用設定」→「ロック画面」を開いて、

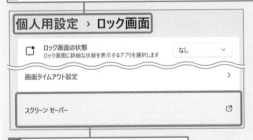

3 「スクリーンセーバー」をクリックします。

4 「スクリーンセーバーの設定」で「再開時にログオン画面に戻る」をチェックします。

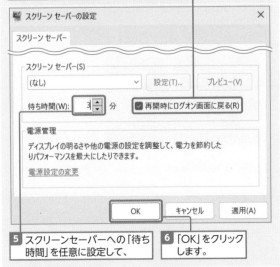

5 スクリーンセーバーへの「待ち時間」を任意に設定して、

6 「OK」をクリックします。

Q564 お役立ち度 ★★★ ロック画面

ロック画面の背景を好きな画像にするには?

A 「設定」の「ロック画面を個人用に設定」で指定します。

Windows 11 のロック画面には、自動的にダウンロードされた画像が日替わりで切り替わる「Windows スポットライト」が標準設定になっています。ロック画面の画像を好きな画像に変更するには、「設定」画面から「個人用設定」→「ロック画面」を開いて、「ロック画面を個人用に設定」のドロップダウンから「画像」を選択して、任意の画像を選択します。PC内の画像ファイルを指定することも可能です。

1 「設定」画面（■＋Ⅰ）を開きます（**Q017**）。

2 「設定」画面から「個人用設定」→「ロック画面」を開いて、

3 「ロック画面を個人用に設定」のドロップダウンから「画像」を選択します。

4 任意の画像をクリックして選択します。

「写真を参照」をクリックすれば、PC内の画像ファイルを指定できます。

5 ロック画面をいつも同じ画像にできます。

Q565 お役立ち度 ★★★ ロック画面

ロック画面でスライドショーを再生するには?

A スライドショーで画像のあるフォルダーを指定します。

ロック画面でスライドショーを再生するには、「設定」画面から「個人用設定」→「ロック画面」を開いて、「ロック画面を個人用に設定」のドロップダウンから「スライドショー」を選択します。

任意のフォルダーを指定するには、あらかじめ登録されているフォルダーを削除したうえで、「参照」をクリックして任意のフォルダーを指定します。

1 「設定」画面（■+I）を開きます（Q017）。

2 「設定」画面から「個人用設定」→「ロック画面」を開いて、

3 「ロック画面を個人用に設定」のドロップダウンから「スライドショー」を選択します。

4 スライドショーとして参照されるフォルダーを確認します。

5 不要な参照フォルダーは、「削除」をクリックします。

6 「参照」をクリックして、任意のフォルダーを指定して登録します。

7 ロック画面でスライドショーを再生できます。

Q566 お役立ち度 ★★★ ロック画面

ロック画面で通知を表示しないようにするには?

A 「設定」でロック画面の通知表示を停止します。

ロック画面にも「通知」が表示されますが、PCの作業環境や状態を表示するアプリによっては、ロック画面にプライバシー情報が表示されるため好ましくありません。

ロック画面で通知を表示したくない場合は、「設定」画面から「システム」→「通知」を開いて、「通知」をクリックして開き、「ロック画面に通知を表示する」のチェックを外します。そして、「設定」画面から「個人用設定」→「ロック画面」を開いて、「ロック画面の状態」のドロップダウンから「なし」を選択します。

1 「設定」画面（■+I）を開きます（Q017）。

2 「設定」画面から「システム」→「通知」を開いて、

3 「通知」をクリックして開き、

4 「ロック画面に通知を表示する」のチェックを外します。

5 「設定」画面から「個人用設定」→「ロック画面」を開いて、

6 「ロック画面の状態」のドロップダウンから「なし」を選択します。

Q567 お役立ち度 ★★★ ロック画面

マウス操作だけでPINを入力して
サインインするには?

A アクセシビリティのスクリーンキーボードを
利用します。

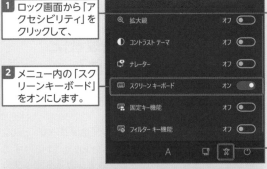

1 ロック画面から「アクセシビリティ」をクリックして、

2 メニュー内の「スクリーンキーボード」をオンにします。

ロック画面からのPINでサインインする際、何らかの事情
で物理キーボードが利用できない環境で(デモPCなどで
そもそも物理キーボードを装着していないなど)、マウス
だけでサインインしたいことがあります。そんなときはス
クリーンキーボードを使います。ロック画面から「アクセ
シビリティ」をクリックして、メニュー内の「スクリーン
キーボード」をオンにします。
ロック画面にスクリーンキーボードが表示されるので、ス
クリーンキーボードのキーをクリックしてPINを入力すれ
ばサインインできます。

3 スクリーンキーボードがロック画面に表示されます。

4 スクリーンキーボードのキーをクリックしてPINを
入力してサインインします。

Q568 お役立ち度 ★★★ アカウントの管理

アカウントの種類を変更するには?

A 「標準ユーザー」と「管理者」のどちらかを
選択します。

Windowsにサインインできるアカウント(Microsoftアカ
ウント／ローカルアカウント)が複数登録してあり、その
アカウントの種類を変更するには、「設定」画面から「アカウ
ント」→「その他のユーザー」を開きます。任意のユーザー
をクリックして開き、「アカウントの種類の変更」をクリッ
クします。「アカウントの種類」のドロップダウンから「管理
者」あるいは「標準ユーザー」を指定します。
なお、この操作はアカウントの種類が「管理者」であるユー
ザーがサインインしている状態で、他のユーザーのアカウ
ントの種類を指定します。管理者のみが許可される操作で
ある関係上、自身のユーザーのアカウントの種類は変更で
きません。

関連 Q569 管理者と標準ユーザーの違い

1 「設定」画面(■+|)を開きます(Q017)。

2 「設定」画面から「アカウント」→
「その他のユーザー」を開いて、

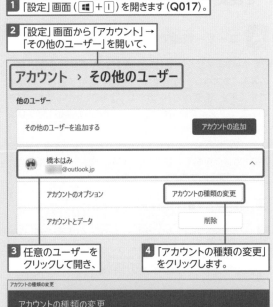

3 任意のユーザーを
クリックして開き、

4 「アカウントの種類の変更」
をクリックします。

5 「アカウントの種類」のドロップダウンから「管理者」
あるいは「標準ユーザー」を指定します。

6 「OK」をクリックします。

Q569 お役立ち度 ★★★ アカウントの管理

アカウントの種類の「管理者」と「標準ユーザー」の違いは?

A 「標準ユーザー」はシステムの設定に制限をかけることができます。

「アカウントの種類」には「管理者」と「標準ユーザー」の2種類が存在します。「管理者」は、Windows 11に対する各種設定を制限なく実行でき、システムカスタマイズやWindows 11に変更を加えるプログラム(アプリ)のインストールなどが許可されます。「標準ユーザー」はシステムや他のアカウントに影響を及ぼすような操作や設定ができず、Microsoft Storeの一部アプリを除くプログラム(アプリ)のインストールも許可されません。一般的に、「標準ユーザー」はPCの操作を制限したい家族やPCに詳しくない従業員などに適用します。

● アカウントの種類

管理者	PCへの完全なアクセス権を持ち、システムに対する操作や設定が行えます。デスクトップアプリ(プログラム)をインストール&アンインストールできます。アカウントの作成・変更・削除や、他のアカウントに対する「アカウントの種類」の変更なども可能です。
標準ユーザー	システムに影響する設定やデスクトップアプリのインストール&アンインストールなどは許可されません。なお、個人用設定(システムに影響を及ぼさない個人用設定)は可能なほか、Microsoft Storeのアプリ導入は許可されます(一部を除く)。

Q570 お役立ち度 ★★★ アカウントの管理

ユーザーの写真(アカウントの画像)を変更するには?

A ユーザー情報で写真を変更します。

[スタート]メニューや「設定」などに表示されるユーザーの写真(アカウントの画像)は、任意に変更することが可能です。「設定」画面から「アカウント」→「ユーザーの情報」を開いて、「ファイルの選択」から「ファイルの参照」をクリックして、任意の画像を指定します。
なお、Webカメラが存在する環境であれば、「写真を撮る」から「カメラを開く」をクリックして、撮影した写真をアカウントの画像にすることもできます。

1 「設定」画面(⊞+I)を開きます(Q017)。

2 「設定」画面から「アカウント」→「ユーザーの情報」を開いて、

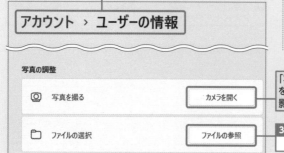

「写真を撮る」から「カメラを開く」をクリックして、撮影することもできます。

3 「ファイルの選択」の「ファイルの参照」をクリックします。

4 フォルダーから画像を選択して、

5 「画像を選ぶ」をクリックします。

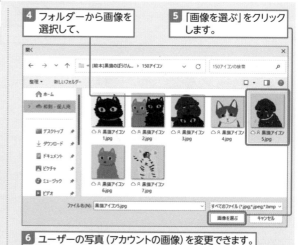

6 ユーザーの写真(アカウントの画像)を変更できます。

Q571 お役立ち度 ★★★ アカウントの管理

1台のPCを複数の人で利用するには?

A 各人の固有アカウントをPCに登録します。

家庭環境などで1台のPCを複数人で利用したい場合は、必ず各人にアカウントを割り当て、また各人に割り当てられたアカウントでサインインして利用するのが基本になります。PCにそれほど詳しくない人には、「アカウントの種類」における「標準ユーザー」を割り当てるようにします（**Q568**）。

また、PCの利用時間などを制限したい場合は、「子供用のアカウント」を作成して管理を行います（**Q574**）。

複数の人が1台のPCを共有して利用する環境では、必ずMicrosoftアカウントを使い分け、自身のアカウントでサインインして操作を行うようにします。

一般的にPCに詳しくないユーザーには「アカウントの種類」における「標準ユーザー」を適用して、PC環境の変更を制限します（**Q568**）。

おトクな情報 基本は1人PC1台

現在のPC管理において、特にビジネスで利用するPCにおいては「1人1台」が基本になります。これは、セキュリティを考えた場合、1台のPCを複数人で共有して利用するとウイルス感染や情報漏えいのリスクが増えるからです。

Q572 お役立ち度 ★★★ アカウントの管理

PCにアカウントを追加するには?

A 「設定」の「アカウント」→「その他のユーザー」からMicrosoftアカウントを追加します。

Windows 11上でアカウントを追加するには、アカウントの種類が「管理者」のユーザーでサインインした状態で、「設定」画面から「アカウント」→「その他のユーザー」を開き、「アカウントの追加」をクリックします。登録したいMicrosoftアカウントを入力して、「次へ」をクリックして、以後ウィザードに従います。

なお、ここから新規にMicrosoftアカウントを作成して登録するには、「このユーザーのサインイン情報がありません」をクリックして、さらに「新しいメールアドレスを取得」をクリックしてウィザードに従います。

1 「設定」画面（⊞＋Ｉ）を開きます（**Q017**）。

2 「設定」画面から「アカウント」→「その他のユーザー」を開いて、 **3** 「アカウントの追加」をクリックします。

4 すでにMicrosoftアカウントを所有している場合は、PCに追加したいMicrosoftアカウントを入力します。

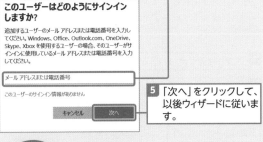

5 「次へ」をクリックして、以後ウィザードに従います。

おトクな情報 新しいMicrosoftアカウントを作成する

新規にMicrosoftアカウントを作成して登録するには、手順**4**の画面で「このユーザーのサインイン情報がありません」をクリックします。「新しいメールアドレスを取得」をクリックして、ウィザードに従います。

Q573

お役立ち度 ★★★ アカウントの管理

電源を切らずに現在のアカウント作業を終了するには?

A サインアウトします。

現在のアカウントの作業を終了して、サインアウト(ログアウト)するには、[スタート]メニューからユーザーアイコンをクリックして、メニューから「サインアウト」をクリックします。
「ロック」ではロック画面が表示されてもサインインした状態が維持されるのに対して、サインアウトは完全にユーザーの作業が終了してメモリからも解放されます。

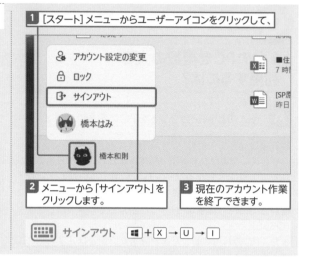

1 [スタート]メニューからユーザーアイコンをクリックして、

- アカウント設定の変更
- ロック
- サインアウト
- 橋本はみ
- 橋本和則

2 メニューから「サインアウト」をクリックします。

3 現在のアカウント作業を終了できます。

サインアウト ⊞ + X → U → I

Q574

お役立ち度 ★★★ アカウントの管理

子供用のアカウントを新規に作成するには?

A 家族のメンバーを追加して、新規にメールアドレスを取得します。

子供用のアカウントを作成して、PCを利用する時間やアプリ利用の制限などをするには、子供に対して「親」に当たるMicrosoftアカウントでサインインした状態で、「設定」画面から「アカウント」→「家族」を開いて、「メンバーを追加」をクリックします。
新規に作成するなら、「Microsoftアカウントをお持ちでない場合」の「子に対して1つ作成する」をクリックして、ウィザードに従ってメールアドレスを取得してパスワードなどを設定します。

1 「設定」画面(⊞ + I)を開きます(Q017)。

2 「設定」画面から「アカウント」→「家族」を開いて、

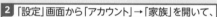

アカウント > 家族

- Microsoft ファミリ
  ファミリー セーフティの設定の管理、ファミリー アクティビティの表示など

家族

ファミリー グループに他のユーザーを追加して、このデバイスでのサインインを許可します [メンバーを追加]

- 橋本和則
  管理者、開催者

3 「メンバーを追加」をクリックします。

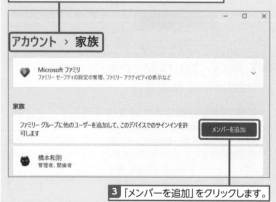

4 新規作成する場合は「子に対して1つ作成する」をクリックします。

子供用アカウントがある場合は、Microsoftアカウントを入力して「次へ」をクリックします。

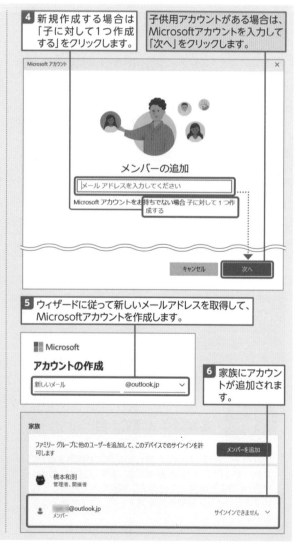

Microsoft アカウント

メンバーの追加

メール アドレスを入力してください

Microsoft アカウントをお持ちでない場合 子に対して1つ作成する

キャンセル 次へ

5 ウィザードに従って新しいメールアドレスを取得して、Microsoftアカウントを作成します。

Microsoft

アカウントの作成

新しいメール @outlook.jp

6 家族にアカウントが追加されます。

家族

ファミリー グループに他のユーザーを追加して、このデバイスでのサインインを許可します [メンバーを追加]

- 橋本和則
  管理者、開催者

- ███@outlook.jp
  メンバー サインインできません

Q575

子供用のアカウントを確認して有効にするには?

A ファミリーアプリで家族のメンバーを追加します。

子供用のアカウントを確認するには、子供に対して親に当たるMicrosoftアカウントでサインインした状態で、「設定」画面から「アカウント」→「家族」を開きます。
「家族」欄で該当アカウントを確認できます。なお、子供用のアカウントが「サインインできません」と表示されている場合は、該当アカウントをクリックして開き、「サインインを許可する」をクリックしたうえで、「許可」をクリックすれば、サインインを有効にできます。

子供用アカウントの確認

1 「設定」画面（ ■ ｜ Ｉ ）を開きます（**Q017**）。

2 「設定」画面から「アカウント」→「家族」を開きます。

3 「家族」欄で該当アカウントを確認できます。

該当アカウントで一度もサインインしていない場合は、名前は表示されません。

おトクな情報　サインインのブロック

子供用のアカウントのサインインをブロックしたい場合には、サインインを許可するのと同様の手順で、「サインインをブロックする」をクリックします。

サインインの許可

1 「設定」画面（ ■ ＋ Ｉ ）を開き「アカウント」→「家族」を開きます。

2 子供用のアカウントが「サインインできません」と表示されている場合は、該当アカウントをクリックして開き、

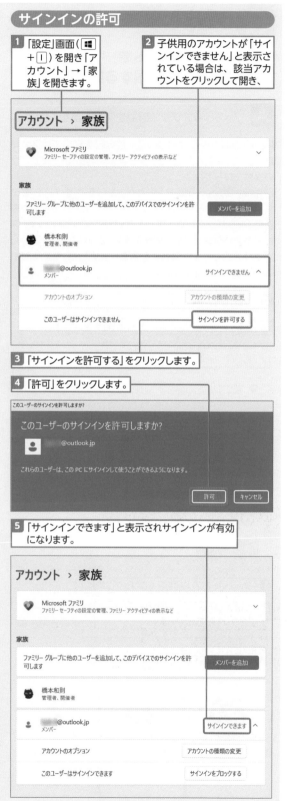

3 「サインインを許可する」をクリックします。

4 「許可」をクリックします。

5 「サインインできます」と表示されサインインが有効になります。

Q576 お役立ち度 ★★★ アカウントの管理

子供用のアカウントで
PC使用時間を制限するには?

A ファミリーアプリで時間を制限します。

「設定」画面から「アカウント」→「家族」を開いて、「ファミリーアプリを開く」をクリックします（環境により要アプリのダウンロード）。

「Family」のホームから「子供」にあたるアカウントをクリックします。子供用のアカウントが表示されたら、「使用時間」をクリックして、「デバイス」から「すべてのデバイスで1つのスケジュールを使用する」をオンにします。「曜日」をクリックして、「時間制限を編集します」から制限時間やスケジュールを指定します。

1 「設定」画面（⊞＋I）を開きます（**Q017**）。

2 「設定」画面から「アカウント」→「家族」を開いて、

3 「ファミリーアプリを開く」をクリックします。

4 「Family」のホームから「子供」にあたるアカウントをクリックします。

5 子供用のアカウントが表示されたら、「使用時間」をクリックします。

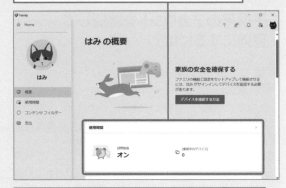

6 「デバイス」から「すべてのデバイスで1つのスケジュールを使用する」をオンにします。

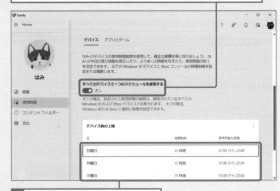

7 任意の「曜日」をクリックします。

8 「時間制限を編集します」から曜日に対する制限時間やスケジュールを指定して、

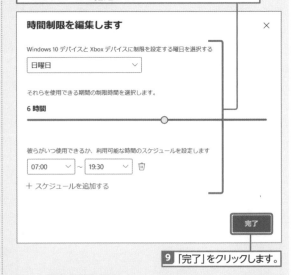

9 「完了」をクリックします。

Q577 お役立ち度 ★★★ アカウントの管理

ローカルアカウントを追加（作成）するには?

A 「Microsoftアカウントを持たないユーザーを追加する」から作成します。

Microsoftアカウントがクラウドで管理されるアカウントであるのに対して、ローカルアカウントは該当PC内のみで管理されるアカウントになり、Microsoftアカウントに比べて機能に制限があります（Windows 11のすべての機能を利用できない）。

ローカルアカウントを作成するには、「設定」画面から「アカウント」→「その他のユーザー」を開いて、「アカウントの追加」をクリックします。

「このユーザーのサインイン情報がありません」をクリックしたうえで「Microsoftアカウントを持たないユーザーを追加する」をクリックすると、ローカルアカウントの作成画面を表示できるので、ユーザー名やパスワード、パスワードを忘れた場合の答えを入力します。

1 「設定」画面（⊞＋Ｉ）を開きます（**Q017**）。

2 「設定」画面から「アカウント」→「その他のユーザー」を開いて、

3 「アカウントの追加」をクリックします。

アカウント > その他のユーザー

他のユーザー

その他のユーザーを追加する	アカウントの追加

👤 ■■■■@outlook.jp
管理者　　　　　　　　　　　　　　　　　∨

キオスク モードを設定する

開始する

🔖 ヘルプを表示

📧 フィードバックの送信

おトクな情報 ローカルアカウントの使用場面

ローカルアカウントはその特性を理解しているユーザー、および社内ネットワークなどであえて Microsoft アカウントを利用しない環境で利用するアカウントです。

4 「このユーザーのサインイン情報がありません」をクリックします。

■ Microsoft

このユーザーはどのようにサインインしますか?

追加するユーザーのメール アドレスまたは電話番号を入力してください。Windows、Office、Outlook.com、OneDrive、Skype、Xbox を使用するユーザーの場合、そのユーザーがサインインに使用しているメール アドレスまたは電話番号を入力してください。

メール アドレスまたは電話番号

このユーザーのサインイン情報がありません

5 「Microsoftアカウントを持たないユーザーを追加する」をクリックします。

■ Microsoft

アカウントの作成

someone@example.com

または、電話番号を使う

新しいメール アドレスを取得

Microsoft アカウントを持たないユーザーを追加する

6 ローカルアカウントの作成画面を表示できます。

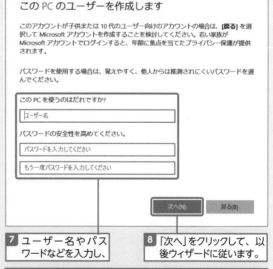

Microsoft アカウント　　　　　　　　　　　　　　　　　✕

このPCのユーザーを作成します

このアカウントが子供または 10 代のユーザー向けのアカウントの場合は、[戻る] を選択して Microsoft アカウントを作成することを検討してください。若い家族が Microsoft アカウントでログインすると、年齢に焦点を当てたプライバシー保護が提供されます。

パスワードを使用する場合は、覚えやすく、他人からは推測されにくいパスワードを選んでください。

このPCを使うのはだれですか?

ユーザー名

パスワードの安全性を高めてください。

パスワードを入力してください

もう一度パスワードを入力してください

次へ(N)　　戻る(B)

7 ユーザー名やパスワードなどを入力し、

8 「次へ」をクリックして、以後ウィザードに従います。

ユーザー名は日本語（2バイト文字）を利用すると不具合が発生することもあるので、1バイト文字（半角英数字）で作成することが推奨されます。

Q578

お役立ち度 ★★★　サインインとアカウントの切り替え

ロック画面から別のアカウントで
サインインするには?

A ロック画面で任意のアカウントを指定して
サインインします。

ロック画面から任意のアカウントでサインインするには、
ロック画面をクリックして現在のアカウントが表示された
ら、左下に表示される別のアカウントをクリックします。
該当アカウントのサインイン画面に切り替わります。
なお、複数のユーザーでサインインしたままの操作ではメ
モリが不足することがあるので、利用しないアカウントは
サインアウトして、作業するアカウントでのみサインイン
します。

1 ロック画面をクリックします。

2 左下からサインインしたいアカウントを
クリックします。

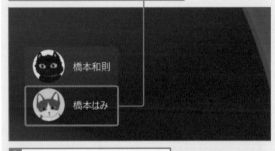

3 該当アカウントにサインインします。

Q579

お役立ち度 ★★★　サインインとアカウントの切り替え

サインインしたまま別のアカウントで
サインインするには?

A [スタート]メニューから操作できます。

現在サインインしているアカウントの作業を保持したまま
(サインアウトしないまま)、別のアカウントでサインイン
するには、[スタート]メニューからユーザーアイコンをク
リックして、メニューから「別のアカウント」をクリックし
ます。指定アカウントのサインイン画面が表示されるので、
任意の手順でサインインします。

1 [スタート]メニューからユーザーアイコンをクリックして、

2 メニューから「別のアカウント」をクリックします。

3 別のアカウントでサインインします。

切り替える前のアカウントはサインインしたままになります。

> **おトク な情報** **サインインしたまま
> 切り替えるメリット**
>
> 双方の作業ともがメモリ上に保持されるので、任意の
> ユーザーに切り替えれば素早く作業を再開できます。

第14章

Windows 11の管理とシステム設定を知る

Windows 11のカスタマイズやプログラム制御、CPU ／メモリ／ストレージなどの負荷や動作の確認、Hyper-V ／ Windowsサンドボックスなどの仮想化機能について解説します。
Windows 11に問題が起こった際の回復やセーフモード起動、PCのリセットなどについても解説します。

Q580 お役立ち度 ★★★ 各種設定へのアクセス

該当設定項目に素早くアクセスするには?

A 検索ボックスで設定名そのものを検索します。

素早く「設定」にアクセスするには、ショートカットキー ⊞ + I が最適ですが、自分が目的とする該当設定項目にアクセスするには、「検索」してしまうのも手です。⊞ を押して一度手を離した後に「設定名」「設定内容」「英語表記」などを入力することによって、素早く該当設定項目にアクセスできます。例えば、コントロールパネル(Control Panel)であれば「con」、ディスククリーンアップであれば「disk」、回復ドライブの作成であれば「回復」などと入力すれば、素早く設定を開くことができます。

1 ⊞ を押して[スタート]メニューを開きます。

2 「設定名」「設定内容」「英語表記」などを入力します。

3 検索結果から目的の設定をクリックします。

4 該当設定項目に素早くアクセスできます。

Q581 お役立ち度 ★★★ 各種設定へのアクセス

AIを利用してWindows 11の設定をするには?

目的の内容を入力して開く

1 Copilot (⊞ + C)を開きます。

2 「ディスクの不要なファイルを消去したい」と入力して、

3 Enter を押します。

4 「アプリを開く」で内容を確認して(ここではディスククリーンアップ)、

5 正しければ「はい」をクリックします。

6 目的のアプリ(設定)を開くことができます。

A Copilotを利用して設定を呼び出します。

Windows 11の各種設定はCopilot(**Q008**)で呼び出すこともできます。例えば「ディスクの不要なファイルを消去したい」と入力すれば、「ディスククリーンアップアプリを開きますか?」と問い合わせてくるので、「はい」をクリックすれば、「ディスククリーンアップ」を起動できます。また、目的の設定名が明確な場合は、「〜を開きたい」で対象の設定(アプリ)を開くことも可能です。

なお、CopilotはAIであるため、時事によってリアクションは異なり(表示の際の確認の有無なども異なる)、必ずしも正しい設定表示を導き出すとは限らない点に注意します。

設定項目名を入力して開く

1 Copilot (⊞ + C)を開きます。

2 「コンパネを開きたい」と入力して、

3 Enter を押します。

4 「アプリを開く」で内容を確認して、

5 正しければ「はい」をクリックします。

6 コントロールパネルを開くことができます。

Q582 お役立ち度 ★★★ 各種設定へのアクセス

Windows 11やハードウェアの詳細をより知るには?

A システム情報を起動して詳細を確認します。

PCの基本的な情報を知りたい場合は、ショートカットキー ⊞ + X → Y で「設定」の「バージョン情報」を確認します（Q003）。より詳細に知りたい場合は、[スタート] メニューの「すべてのアプリ」から「Windowsツール」をクリックして、「システム情報」をダブルクリックします。Windows 11のビルド番号のほか、システムの製造元やモデル、プロセッサ、プラットフォームなどの詳細情報を確認できます。

関連 Q005 PCの基本スペックを知りたい

1 [スタート] メニューの「すべてのアプリ」から「Windowsツール」をクリックします。

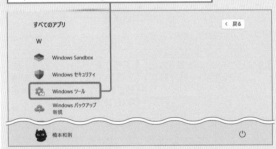

2 「システム情報」をダブルクリックします。

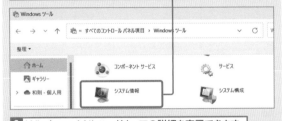

3 Windows 11やハードウェアの詳細を表示できます。

Q583 お役立ち度 ★★★ 各種設定へのアクセス

ローカルグループポリシーエディターを起動するには?

A Pro以上のエディションでコマンドから起動できます。

Windows 11のポリシー設定を行える「ローカルグループポリシーエディター」は、「設定」やコントロールパネルに存在しない各種制限などの設定が行えるツールです。「ローカルグループポリシーエディター」を利用するには、ショートカットキー ⊞ + R で「ファイル名を指定して実行」を表示して、「gpedit.msc」と入力して Enter を押します。

1 ショートカットキー ⊞ + R で「ファイル名を指定して実行」を表示して、

2 「gpedit.msc」と入力して Enter を押します。

3 ローカルグループポリシーエディターを起動できます。

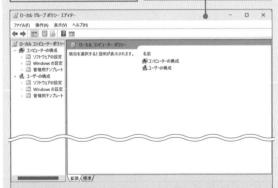

おトクな情報

ローカルグループポリシーエディターについて

「ローカルグループポリシーエディター」はWindows 11 Pro／Enterprise／Educationのみ利用できます。各種詳細な制限を確認して設定できるため、一部環境では重宝しますが、不用意に設定するとOS動作が制限されるため、あくまでも必要な場面でのみ設定を行うことを推奨します。

Q584 お役立ち度 ★★★ システムの確認

タスクマネージャーを起動するには?

A タスクバーからも起動できますが、ショートカットキーが便利です。

タスクマネージャーは、メモリ内で動作しているプログラムやパフォーマンスなどを確認できる便利なツールで、トラブル時などにも役立ちます。タスクマネージャーを起動するには、タスクバーを右クリックして、ショートカットメニューから「タスクマネージャー」を選択する方法がありますが、デスクトップが操作できなくなった場合などを考えると、ショートカットキー Ctrl + Shift + Esc も覚えておくとよいでしょう。

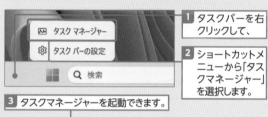

1 タスクバーを右クリックして、

2 ショートカットメニューから「タスクマネージャー」を選択します。

3 タスクマネージャーを起動できます。

「タスクマネージャー」を開く Ctrl + Shift + Esc

Q585 お役立ち度 ★★★ システムの確認

タスクマネージャーの表示を切り替えるには?

A ナビゲーションから任意の項目をクリックします。

タスクマネージャーの表示を切り替えるには、「≡」をクリックしてナビゲーションを表示することで項目の一覧が確認できます(タスクマネージャーはウィンドウの横幅によって表示が可変する仕様)。任意の項目をクリックすれば、タスクマネージャーの表示を切り替えることができます。

1 「≡」をクリックします。

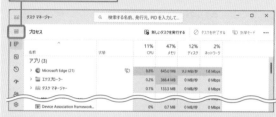

2 ナビゲーションを表示することで項目の一覧が確認できます。

「設定」をクリックすれば、「既定のスタートページ」で起動直後に表示する項目を任意指定することも可能です。

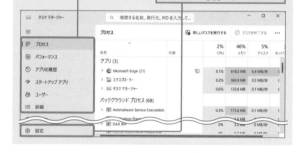

Q586 お役立ち度 ★★★ システムの確認

現在のCPUの状態(負荷)を確認するには?

A タスクマネージャーの「パフォーマンス」から「CPU」を参照します。

現在のCPUの動作を確認して、作業の負荷(CPUの使用率)を確認するには、タスクマネージャー(**Q584**)のナビゲーションから「パフォーマンス」をクリックしたうえで、「CPU」をクリックします。グラフでCPUの使用率を確認できるほか、CPUの速度(〜GHz)、コア数、キャッシュ容量などを確認できます。

1 タスクマネージャーを起動します(**Q584**)。

2 ナビゲーションから「パフォーマンス」→「CPU」をクリックします。

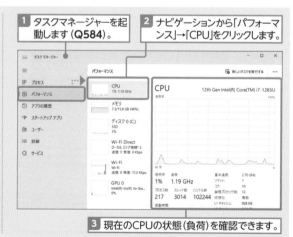

3 現在のCPUの状態(負荷)を確認できます。

Q587 お役立ち度 ★★★ システムの確認

CPUのコアごとの状態(負荷)を確認するには?

A 「CPU」のグラフを右クリックして「グラフの変更」→「論理プロセッサ」を選択します。

マルチコアCPUを利用している環境で、CPUコアごとの状態(負荷)を確認するには、グラフを右クリックして、ショートカットメニューから「グラフの変更」→「論理プロセッサ」を選択します。

1 タスクマネージャーを起動します(**Q584**)。 **2** ナビゲーションから「パフォーマンス」→「CPU」をクリックします。

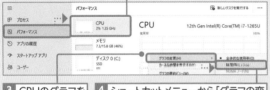

3 CPUのグラフを右クリックして、 **4** ショートカットメニューから「グラフの変更」→「論理プロセッサ」を選択します。

5 CPUのコアごとの状態(負荷)を確認できます。

Q588 お役立ち度 ★★★ システムの確認

現在のメモリ利用状況や空き容量などを確認するには?

A タスクマネージャーの「パフォーマンス」→「メモリ」を参照します。

現在のメモリの全容量や利用容量などをグラフで確認するには、タスクマネージャー(**Q584**)のナビゲーションから「パフォーマンス」→「メモリ」をクリックします。

1 タスクマネージャーを起動します(**Q584**)。 **2** ナビゲーションから「パフォーマンス」→「メモリ」をクリックします。

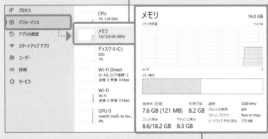

3 メモリの全容量や現在使用中の容量、PCによってはメモリ搭載数や速度などを確認できます。

Q589 お役立ち度 ★★★ システムの確認

CPUリソースをバックグラウンドに均等に割り当てるには?

A 「バックグラウンドサービス」にCPUリソースを割り当てるようにします。

Windows 11の既定では現在作業中のアプリにより多くのCPUリソースを割り当てる設定になっています。この設定を変更して、バックグラウンド側にも均等にCPUリソースを割り当てたい場合は、「設定」画面から「システム」→「バージョン情報」を開いて、「システムの詳細設定」をクリックします。「システムのプロパティ」ダイアログの「詳細設定」タブの「パフォーマンス」にある「設定」をクリックして「パフォーマンスオプション」ダイアログを開きます。「詳細設定」タブの「バックグラウンドサービス」を選択します。アクティブになっていないウィンドウ(エンコードやファイル共有など)にCPUリソースを割り当てたい場合に有効な設定です。

1 「設定」画面(■+I)を開きます(**Q017**)。 **2** 「設定」画面から「システム」→「バージョン情報」を開いて、

3 「システムの詳細設定」をクリックします。

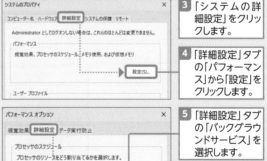

4 「詳細設定」タブの「パフォーマンス」から「設定」をクリックします。

5 「詳細設定」タブの「バックグラウンドサービス」を選択します。

6 「OK」をクリックします。

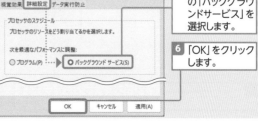

Q590 お役立ち度 ★★★ Windows 11の機能

Windows 11のオプション機能を導入するには?

A 設定の「システム」から
オプション機能を追加できます。

Windows 11に現在導入済みのオプション機能を確認するには、「設定」画面から「システム」→「オプション機能」を開いて、「インストールされている機能」の一覧で確認できます。

また、任意にオプション機能を追加するには、「機能を表示」をクリックして、一覧から導入したいオプションをチェックしてウィザードに従います。

1 「設定」画面（⊞+Ｉ）を開きます（Q017）。

2 「設定」画面から「システム」→「オプション機能」を開いて、

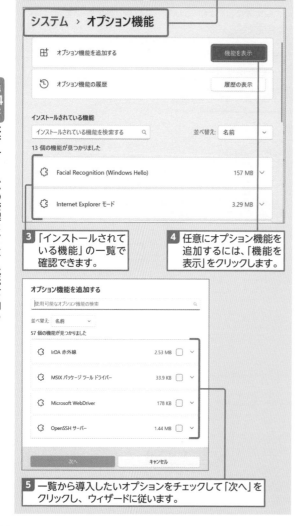

3 「インストールされている機能」の一覧で確認できます。

4 任意にオプション機能を追加するには、「機能を表示」をクリックします。

5 一覧から導入したいオプションをチェックして「次へ」をクリックし、ウィザードに従います。

Q591 お役立ち度 ★★★ Windows 11の機能

Windowsの機能を追加するには?

A 「Windowsの機能」で有効化したい機能をチェックします。

「Windowsの機能」を有効化するには、「設定」画面から「システム」→「オプション機能」を開いて、「Windowsのその他の機能」をクリックします。「Windowsの機能」で有効にしたい機能をチェックして「OK」をクリックします。

1 「設定」画面（⊞+Ｉ）を開きます（Q017）。

2 「設定」画面から「システム」→「オプション機能」を開いて、

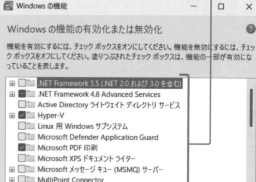

2 「Windowsのその他の機能」をクリックします。

3 「Windowsの機能」で有効にしたい機能をチェックして、

4 「OK」をクリックします。

環境に必要なWindowsの機能のみ有効化します。

おトクな情報 システムの環境で機能は異なる

ここで有効にできる機能はPCのハードウェア（PCがサポートする機能）やWindows 11のエディション（Q004）によって異なります。

Q592

お役立ち度 ★★★　Windows 11の機能

仮想化機能のサポートを
確認するには?

1 システム情報を起動します (**Q582**)。

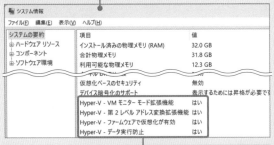

2「ハードウェアの要約」の下部にある「Hyper-V ~」の項目が
すべて「はい」になっていれば利用可能です。

A システム情報で仮想化機能が
利用可能かを確認します。

Windows 11 で「Hyper-V」(**Q600**)、「Windows サンド
ボックス」(**Q596**)、「Windows Subsystem for Android」
(**Q593**) を利用するには、PCが仮想化機能をサポートし
ていることが前提になります。現在PCが仮想化機能をサ
ポートしているかを確認するには、「システム情報」の「ハー
ドウェアの要約」の下部にある「Hyper-V ~」の項目がすべ
て「はい」になっている必要があります (PCによっては「仮
想化ベース ~」における「サポート ~」)。仮想化機能は全般
的にCPU・メモリ・ストレージに余裕がある環境での利用
が推奨されます。

なお、環境によってはUEFI設定 (Intel VTやAMD-Vを有
効にする) が必要なほか、サードパーティアプリによって
は共存や同時起動できないものがあるなど、仮想化機能は
上級者向けのテクニックになります。

関連 **Q582** システム情報の確認

3「ハードウェアの要約」の下部
にある「仮想化ベース ~」の項
目が「サポート ~」になってい
る場合も利用可能です。

PCによっては出荷時から仮想化
機能が有効になっています。

Q593

お役立ち度 ★★★　Windows 11の機能

WindowsでAndroidアプリを
利用できるの?

A Windows Subsystem for Android の
システム要件を満たせば利用できます。

Windows 11上でAndroidアプリが使える「Windows
Subsystem for Android」を利用するには、システム要
件を満たす必要があります。

Androidアプリは Amazonアプリストア (Windows表記
上は「アプリストア」) 経由でのダウンロードになるため、
あらかじめ Amazon アカウントが必要です。なお、環境
によっては仮想化機能を利用するその他の機能と共存でき
ない場合があります。

Windows Subsystem for Android はサポートの終了予
定がアナウンスされました。

関連 **Q592** 仮想化機能の確認

1 Windows Subsystem for Androidを有効にすれば、
「アプリストア」から任意のAndroidアプリを導入して
Windows上で利用できます。

「Windows Subsystem for Android」の環境構築は比較的
上級者向けの機能になります。無理な導入はお勧めしません。

● **Windows Subsystem for Android の要件**

・PCが仮想化機能をサポート (**Q592**)
・メモリ8GB以上 (16GB以上推奨)
・Amazonアカウント (アプリストア用)

Q594 お役立ち度 ★★★ Windows 11の機能

Windows Subsystem for Androidを導入するには?

Amazon アプリストアの導入

1 Microsoft Storeから「Amazonアプリストア」をインストールします。

2 ウィザードに従ってセットアップを進めます。

PC で Amazonアプリストア を選択します

開始するには、仮想化を設定するためのアクセス許可が必要です。これにより、PC でモバイル アプリをインストールできます。モバイル アプリは 1 回だけインストールする必要があります。

手順 1/3　　　　　　　　　　　　セットアップ

> Windows Subsystem for Androidのサポート終了にともない、Amazonアプリストアのダウンロードも停止します。

A Microsoft Store から Amazonアプリストアをダウンロードします。

「Windows Subsystem for Android」で、AndroidアプリをWindowsで利用するには、**Q593**で解説した要件を満たしていることを確認したうえで、Microsoft Storeから「Amazonアプリストア」をインストールして、ウィザードに従ってセットアップします。なお、仮想マシンプラットフォームがあらかじめ有効になっていない環境では、「Windowsの機能」から「仮想マシンプラットフォーム」を有効にする必要があります。

仮想化機能の有効化

1 「設定」画面から「システム」→「オプション機能」を開いて、「Windowsのその他の機能」をクリックします（**Q591**）。

2 「Windowsの機能」から「仮想マシンプラットフォーム」をチェックします。

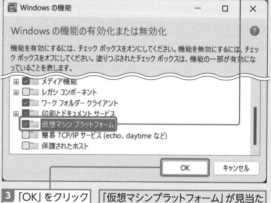

3 「OK」をクリックしてウィザードに従います。

「仮想マシンプラットフォーム」が見当たらない場合やチェックできない場合は、非対応環境であることを意味します。

Q595 お役立ち度 ★★★ Windows 11の機能

Androidアプリを Windowsで利用するには?

A 「Amazonアプリストア」で任意のアプリを入手して起動します。

「Amazonアプリストア」（アプリストア）のインストールが終わると（**Q594**）、自動的に「アプリストア」が起動します。ここでエラーがでる場合は、要件や仮想化機能の対応環境などを見直します（**Q592**）。また、任意に「Amazonアプリストア」を起動するには、[スタート]メニューの「すべてのアプリ」から「アプリストア」をクリックします。アプリストアが起動したら、任意のアプリを入手します。アプリをWindows 11のデスクトップ上で活用できます。

1 [スタート]メニューの「すべてのアプリ」から「アプリストア」をクリックします。

2 「Amazonアプリストア」が起動したら、任意のアプリを入手します。

3 AndroidアプリをWindows上で利用できます。

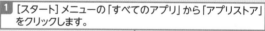

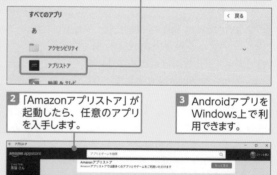

Q596 お役立ち度 ★★★ Windows 11の機能

Windows サンドボックスを利用するためのシステム要件は?

A 仮想化機能をサポート、Pro以上のエディションが必要です。

Windows 11の「Windows サンドボックス」は、「デスクトップ上で仮想的なWindows 11 PCを動作させる」というものです（Windows 11の上でWindows 11を起動できる）。「Hyper-V」（**Q600**）に似ているように思うかもしれませんが、「Windows サンドボックス」は別途OSのインストールが必要ありません。

「Windows サンドボックス」を利用するには、以下のシステム要件を満たす必要があります（Windows 11 Homeでは利用不可）。

● Windows サンドボックスの要件

・PCが仮想化機能をサポート（**Q592**）
・Windows 11 Pro／Enterprise／Education
・メモリ4GB（8GB以上推奨）

1 Windowsサンドボックスを有効にすれば、Windows 11の上で仮想マシンとしてのWindows 11を起動できます。

Windows 11　　仮想マシン

> **おトクな情報** Windowsサンドボックスの特性と注意
>
> Windowsサンドボックス内で導入したアプリや設定は終了後にすべて破棄されるという特性があります。
> なお、「Windows サンドボックス」は、上級者向けのテクニックです。難しさを感じる場合は、機能を有効化しないことを勧めます。

Q597 お役立ち度 ★★★ Windows 11の機能

Windows サンドボックスを有効にするには?

A 「Windowsの機能」から「Windows サンドボックス」をチェックして有効にします。

Windows 11で「Windows サンドボックス」を有効にする前に、要件を満たした環境であることを確認します（**Q596**）。「設定」画面から「システム」→「オプション機能」を開いて、「Windowsのその他の機能」をクリックします。「Windowsの機能」で「Windows サンドボックス」をチェックして「OK」をクリックします。以後、再起動など指示に従います。

1 「設定」画面から「システム」→「オプション機能」を開いて、「Windowsのその他の機能」をクリックします（**Q591**）。

2 「Windowsの機能」で「Windows サンドボックス」をチェックして、

3 「OK」をクリックします。

4 「今すぐ再起動」をクリックします。

「Windowsサンドボックス」が見当たらない場合やチェックできない場合は、非対応環境であることを意味します。

Q598 お役立ち度 ★★★ Windows 11の機能

Windows サンドボックスを 起動するには?

A [スタート]メニューから 「Windowsサンドボックス」をクリックします。

[スタート]メニューの「すべてのアプリ」から「Windows Sandbox」(Windowsサンドボックス)をクリックします。 デスクトップ上で「Windowsサンドボックス」が起動します。Windowsサンドボックス内では自由にアプリ導入や設定を行うことができます。また、ここで行った操作は「Windowsサンドボックス」を終了した際にすべて破棄されるのが特徴です(**Q599**)。なお、エディションやバージョンによっては、Windowsサンドボックス内のWindows 11が英語版になります。

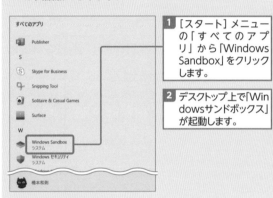

1 [スタート]メニューの「すべてのアプリ」から「Windows Sandbox」をクリックします。

2 デスクトップ上で「Windowsサンドボックス」が起動します。

Q599 お役立ち度 ★★★ Windows 11の機能

Windows サンドボックスの内容を 破棄するには?

A Windowsサンドボックスを終了します。 内容はすべてが破棄されます。

Windowsサンドボックスを終了するには、Windowsサンドボックスのウィンドウのタイトルバー右端にある「×」をクリックします。あるいは、Windowsサンドボックス内のWindowsから「シャットダウン」(Shutdown)を行います。「Windowsサンドボックス」におけるゲストOSは使い捨てであり、ゲストOS上で設定・導入・保存した内容は終了時にすべてリセットされます。つまり次回起動した際には初期状態のフレッシュなWindowsであるためテスト環境に向いています。

1 Windowsサンドボックスのウィンドウのタイトルバー右端にある「×」をクリックします。

2 「OK」をクリックします。

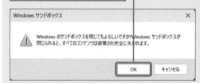

3 Windowsサンドボックスの内容を破棄して終了できます。

Q600 お役立ち度 ★★★ Windows 11の機能

Hyper-Vを利用するための システム要件は?

A 仮想化機能をサポート、Pro以上の エディション、OSのライセンスが必要です。

現在のWindows 11をホストとして、デスクトップ上で仮想マシンを起動できる「Hyper-V」を利用するには、システム要件を満たす必要があります(Windows 11 Homeでは利用不可)。なお、「Hyper-V」は仮想マシンを作成した後に、別途OSのセットアップ(要ライセンス)が必要な点に注意します。

● Hyper-V の要件

- ・PCが仮想化機能をサポート(**Q592**)
- ・Windows 11 Pro / Enterprise / Education
- ・メモリ4GB+仮想マシンで利用するメモリ(16GB以上推奨)
- ・仮想マシンを運用するためのストレージ容量(空き領域40GB以上が目安)
- ・仮想マシンにインストールするOSのライセンス(ホストとは別のOSライセンス)

Windows 11のHyper-Vで作成した仮想マシンにWindows 10をインストールした画面です。

Hyper-Vの運用はハードウェアやシステムに詳しい必要があります。

Q601

お役立ち度 ★★★　Windows 11の機能

Hyper-Vを有効にするには?

1 「設定」画面（■ +｜）を開きます（Q017）。

2 「設定」画面から「システム」→「オプション機能」を開いて、「Windowsのその他の機能」をクリックします。

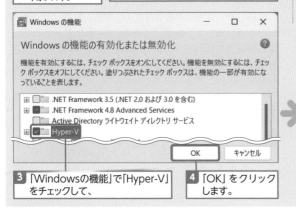

3 「Windowsの機能」で「Hyper-V」をチェックして、

4 「OK」をクリックします。

A 「Windowsの機能」から「Hyper-V」をチェックして有効にします。

Windows 11で「Hyper-V」を有効にする前に、要件を満たした環境であることを確認します（Q600）。また、「Hyper-V」を利用するためには、全般的にハードウェアとシステムに対する知識が必要なことに留意します。「設定」画面から「システム」→「オプション機能」を開いて、「Windowsのその他の機能」をクリックします。「Windowsの機能」で「Hyper-V」をチェックして「OK」をクリックします。以後、再起動など指示に従います。

5 「今すぐ再起動」をクリックします。

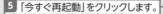

「Hyper-V」が見当たらない場合やチェックできない場合は、非対応環境であることを意味します。

Q602

お役立ち度 ★★★　Windows 11の機能

Hyper-Vで仮想マシンを作成するには?

A Hyper-Vでゲストに導入するOSの仕様に従った仮想マシンを作成します。

[スタート]メニューの「すべてのアプリ」から「Windowsツール」をクリックして、「Hyper-Vマネージャー」をダブルクリックします。「Hyper-Vマネージャー」が起動したら、ホストコンピューター名を右クリックして、ショートカットメニューから「新規」→「仮想マシン」と選択します。ウィザードに従って仮想マシンを作成します。ウィザード内、「世代の指定」は仮想マシンにインストールするOSに対応できる世代を選択します。メモリ・ストレージもゲストの仕様に従って下限や上限の容量を指定します。

1 [スタート]メニューの「すべてのアプリ」から「Windowsツール」をクリックして開きます。

2 「Hyper-Vマネージャー」をダブルクリックします。

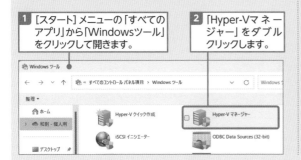

3 「Hyper-Vマネージャー」が起動したら、ホストコンピューター名を右クリックして、

4 ショートカットメニューから「新規」→「仮想マシン」と選択します。

5 ウィザード内、「世代の指定」は仮想マシンにインストールするOSに対応する（できる）世代を選択します。

6 以後、ウィザードに従って仮想マシンを作成します。

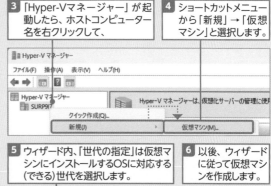

おトクな情報　仮想マシン作成時のポイント

新しいOSではメモリやストレージのシステム要件を満たす必要があります。また古いOSでは大容量メモリ・ストレージをサポートしていないことがあるので、サイズの上限を超えると導入できないことに注意します。

Q603 お役立ち度 ★★★ Windows 11の機能

Hyper-Vで作成した仮想マシンに OSをインストールするには?

A 仮想マシンからOSセットアップディスクを 起動してインストールします。

仮想マシンへのOSをインストールする手順は、OSによって異なります。Windowsであれば基本的に該当セットアップメディア（ISOファイルなど）を用意して、仮想マシンにマウントしたうえでOSセットアップを起動してインストールを行います。

1 「Hyper-Vマネージャー」内で、作成した仮想マシンをダブルクリックします。

2 仮想マシンのウィンドウが開くので、OSセットアップメディアを用意したうえで、

3 仮想マシンの「起動」をクリックすると、

4 OSのセットアップが開始されます。ウィザードに従ってOSをインストールします。

おトクな情報 OSのセットアップファイルの用意

MicrosoftのWindows 11のダウンロードページ（Q630）にある、「Windows 11 ディスク イメージ (ISO) をダウンロードする」からISOファイルを入手できます。なお、OSのラインセスが必要なことに留意します。

Q604 お役立ち度 ★★★ ストレージの設定

「ごみ箱」に入れたファイルを 一定期間経過したら削除するには?

A ストレージセンサーで自動的に削除する 日数を指定します。

Windows 11でファイルを消去すると、一時的に「ごみ箱」に保持され、ファイル自体はすぐに削除されないのでストレージを圧迫しています。「ごみ箱」に入れたファイルを一定日数経過後に消去するには、「設定」画面から「システム」→「ストレージ」を開いて、「ストレージセンサー」をオンにします。続けて「ストレージセンサー」をクリックして開き、「ごみ箱に移動してから次の期間が過ぎたファイルを削除する」のドロップダウンから日数を選択します。

1 「設定」画面（⊞＋Ｉ）を開きます（Q017）。

2 「設定」画面から「システム」→「ストレージ」を開いて、

3 「ストレージセンサー」をオンにします。

4 続けて「ストレージセンサー」をクリックして開きます。

5 「ごみ箱に移動してから次の期間が過ぎたファイルを削除する」のドロップダウンから日数を選択します。

システム ＞ ストレージ ＞ ストレージ センサー

ユーザー コンテンツの自動クリーンアップ

ごみ箱に移動してから次の期間が過ぎたファイルを削除する:

- 実行しない
- 1 日
- 14 日間
- 30 日 (既定)
- 60 日

ごみ箱に入れたファイルを自動的に削除したくない場合は、ドロップダウンから「実行しない」を選択します。

Q605 お役立ち度 ★★★ ストレージの設定

一時ファイルを削除して
空き容量を確保するには?

A 「ストレージ」設定から
一時ファイルを削除できます。

Windows 11では「インターネットのキャッシュ」「以前の
Windowsのインストール」「アップグレードのログ」などが
一時ファイルとして保持されます。この一時ファイルを削
除するには、「設定」画面から「システム」→「ストレージ」を
開いて、「一時ファイル」をクリックします。削除したい項
目をチェックして「ファイルの削除」をクリックします。一
時ファイルの削除は、主にストレージの空き容量を確保し
たい場合に活用します。

1 「設定」画面（■+Ｉ）
を開きます（**Q017**）。

2 「設定」画面から「システム」
→「ストレージ」を開いて、

システム 〉 ストレージ

ローカル ディスク (C:) - 255 GB

40.1 GB 使用済み   214 GB 空き

🗑 一時ファイル   294 MB/40.1 GB 使用済み   ＞

3 「一時ファイル」を
クリックします。

4 削除したい項目を
チェックして、

ファイルの削除   最新の情報に更新 🔄   選択された合計: 331 MB

最終スキャン日時: 2023/10/05 13:06

☑ **配信の最適化ファイル**   291 MB
配信の最適化は、Microsoft から更新プログラムをダウンロードするために使
用されます。これらのファイルは専用のキャッシュに格納され、ローカル ネット
ワーク上の他のデバイスにアップロードされます (設定でこのような使用が許可
されている場合)。空き領域が必要な場合は、これらのファイルを削除しても
問題ありません。

☐ **ごみ箱**   218 MB
ごみ箱には、コンピューターから削除されたファイルが格納されています。ごみ箱
を空にするまでは、ファイルは完全に削除されません。

☑ **Microsoft Defender ウイルス対策**   26.5 MB
Microsoft Defender ウイルス対策で使用される重要度の低いファイル

ダウンロード   11.8 MB

5 「ファイルの削除」をクリックします。

削除項目の説明文を
よく読んで、不要なも
のを削除します。

ファイルの削除

選択したファイルとそのデータは完全に削除されます。

[続行]   [キャンセル]

6 「続行」をクリック
すると、一時ファイ
ルを削除できます。

Q606 お役立ち度 ★★★ ストレージの設定

HDDをデブラグあるいはSSDを
トリムして最適化するには?

A 「ドライブの最適化」で最適化します。

HDD（ハードディスク）は読み書きを繰り返すとファイル
の不連続化が起こり、動作が遅くなります。またSSDも
読み書きを繰り返すとフラッシュメモリに残骸が残るため
動作が遅くなります。これらを改善するには、「設定」画面
から「システム」→「ストレージ」を開いて、「ストレージの
詳細設定」をクリックして開き、「ドライブの最適化」をク
リックします。「ドライブの最適化」から最適化を行いたい
ドライブを選択して（基本的な対象は「C:ドライブ」）、「最
適化」をクリックすればドライブの最適化（HDDはデフラ
グ、SSDはトリム）が行われます。

1 「設定」画面（■+Ｉ）
を開きます（**Q017**）。

2 「設定」画面から「システム」
→「ストレージ」を開いて、

システム 〉 ストレージ

📄 **ストレージ センサー**   オン ⬤ ＞
自動的に空き領域を増やす、一時ファイルを削除する、ローカルで利用可能なクラウド コンテンツを管
理する

🖊 **クリーンアップ対象候補**   ＞
256 MB 以上のストレージが使用可能です。

⚙ **ストレージの詳細設定**   ⌄
バックアップ オプション、ストレージ スペース、その他のディスクおよびボリューム

他のドライブでの使用済みストレージ   ＞

新しいコンテンツの保存先   ＞

記憶域スペース   ＞

バックアップ オプション   ＞

ドライブの最適化   ⬀

3 「ストレージの詳細設定」を
クリックして開き、「ドライブ
の最適化」をクリックします。

4 「ドライブの最適化」から
対象ドライブをクリック
して、

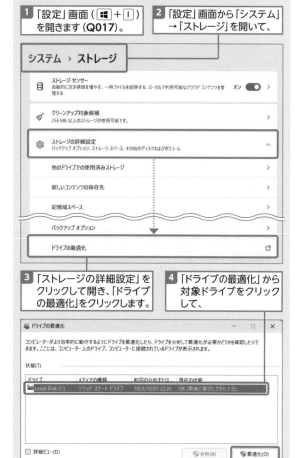

ドライブの最適化

コンピューターがより効率的に動作するようにドライブを最適化したり、ドライブを分析して最適化が必要かどうかを確認したりで
きます。ここには、コンピューター上のドライブ、コンピューターに接続されているドライブが表示されます。

状態(T)

ドライブ	メディアの種類	前回の分析または	現在の状態
💾 Local Disk (C:)	ソリッド ステート ドライブ	2023/10/01 22:29	OK (最後に実行してから 3 日)

☐ 詳細ビュー(D)   [🔍 分析(A)] [⚙ 最適化(O)]

5 「最適化」をクリックします。

Q607

お役立ち度 ★★★　ストレージの設定

ストレージの電源が切れるまでの時間を調整するには?

A 電源オプションの詳細設定で分数を指定します。

PCの省電力機能はストレージに対しても行われますが、ストレージが省電力化して電源が切れると、復帰時の読み書きに若干のタイムラグが生じます(特にハードディスクの場合)。このストレージが省電力化するまでの時間を調整するには、コントロールパネル(アイコン表示)から「電源オプション」をクリックします。タスクペインにある「コンピューターがスリープ状態になる時間を変更」をクリックして、「詳細な電源設定の変更」をクリックします。「電源オプション」内の「ハードディスク」→「次の時間が経過後ハードディスクの電源を切る」を任意の分数に設定します。

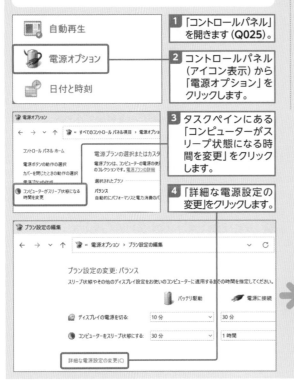

1 「コントロールパネル」を開きます(Q025)。

2 コントロールパネル(アイコン表示)から「電源オプション」をクリックします。

3 タスクペインにある「コンピューターがスリープ状態になる時間を変更」をクリックします。

4 「詳細な電源設定の変更」をクリックします。

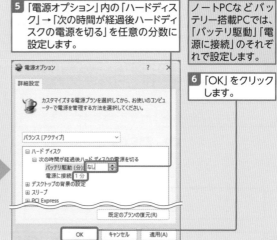

5 「電源オプション」内の「ハードディスク」→「次の時間が経過後ハードディスクの電源を切る」を任意の分数に設定します。

ノートPCなどバッテリー搭載PCでは、「バッテリ駆動」「電源に接続」のそれぞれで設定します。

6 「OK」をクリックします。

Q608

お役立ち度 ★★★　ストレージの設定

ドライブにエラーがないか確認するには?

A ドライブをエラーチェックして、正常性を確認します。

ドライブにエラーがないか確認するには、エクスプローラーの「PC」を開き、任意のドライブを右クリックして、ショートカットメニューから「プロパティ」を選択します。プロパティダイアログの「ツール」タブから「チェック」をクリックして、「ドライブのスキャン」をクリックします。スキャンが完了すると、結果が表示されます。詳細を確認するには「詳細の表示」をクリックします。

1 エクスプローラーの「PC」から任意のドライブを右クリックして、ショートカットメニューから「プロパティ」を選択します。

2 プロパティダイアログの「ツール」タブから「チェック」をクリックします。

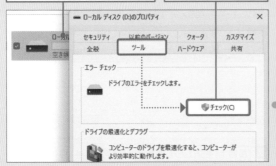

3 「ドライブのスキャン」をクリックします。

4 スキャンが完了すると、結果が表示されます。

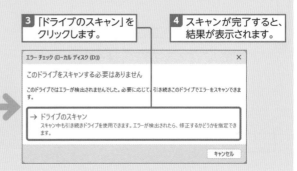

Q609 お役立ち度 ★★★ システムの管理

コンピューター名(PC名・デバイス名)の確認・変更をするには?

A 「設定」の「バージョン情報」で確認・変更できます。

Windows 11上では「コンピューター名」「PC名」「デバイス名」はすべて同じ意味になります。「設定」画面から「システム」→「バージョン情報」を開いて、コンピューター名を確認します。コンピューター名を変更するには「このPCの名前を変更」をクリックします。名前を入力し「次へ」をクリックして、ウィザードに従います。なお、コンピューター名は同じネットワーク(LAN)内において一意(ユニーク)である必要があります。

1 「設定」画面(⊞+I)を開きます(Q017)。

2 「設定」画面から「システム」→「バージョン情報」を開いて、

3 コンピューター名を確認します。

4 コンピューター名を変更するには「このPCの名前を変更」をクリックします。

5 名前を入力して、

6 「次へ」をクリックします。

7 「今すぐ再起動する」あるいは「後で再起動する」をクリックします。

新しいコンピューター名は再起動後に有効になります。

⌨ 「バージョン情報」を開く ⊞+X→Y

Q610 お役立ち度 ★★★ システムの管理

Windows 11 HomeをProにアップグレードするには?

A 再インストールせずに有料アップグレードできます。

Windows 11 HomeからProへのアップグレードを行いたい場合は、「設定」画面から「システム」→「ライセンス認証」を開いて、「Windowsのエディションをアップグレード」をクリックして開き、「Microsoft Storeを開く」をクリックします。「Windows 11 Proにアップグレードする」が表示され、価格や機能の違いなどを確認できます。Proにアップグレードするには「購入」をクリックして、ウィザードに従います。

1 「設定」画面(⊞+I)を開きます(Q017)。

2 「設定」画面から「システム」→「ライセンス認証」を開いて、

3 「Windowsのエディションをアップグレード」をクリックして開き、

4 「Microsoft Storeを開く」をクリックします。

5 「Windows 11 Proにアップグレードする」が表示され、価格や機能の違いなどを確認できます。

6 Proにアップグレードするには「購入」をクリックして、ウィザードに従います。

時事によってアップグレードの価格は異なる場合があります。

Q611

お役立ち度 ★★★　システムの管理

プログラムを導入する際に
より厳密に警告を出すには?

A UAC (User Account Control) のレベルを
設定します。

プログラム（アプリ）を導入する際にシステムに影響のある
設定変更に対して警告（通知）を出すのが、「UAC」(User
Account Control) です。アプリ導入時やシステム設定変
更時により厳密に通知を出すには、🪟 を押して[スタート]
メニューを開き、検索ボックスに「uac」と入力して検索結
果から「ユーザーアカウント制御設定の変更」をクリックし
ます。「ユーザーアカウント制御の設定」のスライダーで通
知レベルを「常に通知する」に設定します。特に安易にアプ
リや設定を変更しがちなユーザーに対して有効な設定です。

1 🪟 を押して「uac」
と入力して、

2 検索結果から「ユーザーアカウント
制御設定の変更」をクリックします。

おトクな情報　UACの警告の内容

UACの警告は機械的な動作であり、警告表示そのも
のがウイルスなどの具体的なセキュリティリスクを示す
わけではありません。

3 「ユーザーアカウント制御の設定」のスライダーで通知レベル
を任意に設定します。

4 「OK」をクリックします。

①	アプリがソフトウェアをインストールする場合やシステム変更する際とユーザーがシステムに変更をする際に、画面を暗転して警告する（最もセキュアな設定）
②	アプリがシステムを変更しようとした際に、画面を暗転して警告する（既定）
③	アプリがシステムを変更しようとした際に、警告する（画面は暗転しない）
④	通知を行わない（非推奨）

5 設定に従った場面に応じて、「ユーザーアカウント制御」が表示されるようになります。

Q612

お役立ち度 ★★★　システムの管理

今動作しているアプリを
確認するには?

A タスクマネージャーの「プロセス」で
確認できます。

現在動作しているアプリ（プログラム）と、各アプリが
CPUリソースやメモリリソースを使っているかは、タス
クマネージャー（**Q584**）のナビゲーションから「プロセス」
をクリックすることで確認できます。デスクトップ上で動
作しているアプリだけでなく、バックグラウンドで動作し
ているプログラムなども確認できます。
また、タスクマネージャーの「パフォーマンス」ではCPU

やメモリ負荷を確認できましたが（**Q586**、**Q588**）、ここ
ではアプリ（プログラム）ごとの負荷を確認できます。

1 タスクマネージャーを起
動します（**Q584**）。

2 ナビゲーションから「プロ
セス」をクリックします。

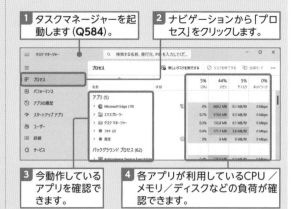

3 今動作している
アプリを確認で
きます。

4 各アプリが利用しているCPU／
メモリ／ディスクなどの負荷が確
認できます。

Q613 お役立ち度 ★★★ システムの管理

プログラムが利用する CPU のコアを指定するには?

A 関係の設定で割り当てる CPU コアを指定します。

タスクマネージャーの「プロセス」で、対象アプリを右クリックして、ショートカットメニューから「詳細の表示」を選択します。「詳細」で選択されているプログラムファイルを右クリックして、ショートカットメニューから「関係の設定」を選択すれば、「プロセッサの関係」で該当プログラムが利用するCPUコアを指定できます。また、「詳細」で選択されているプログラムファイルを右クリックして、ショートカットメニューから「優先度の設定」→[任意の優先度]を選択すれば、指定のCPU優先度を該当プログラムに割り当てることができます。

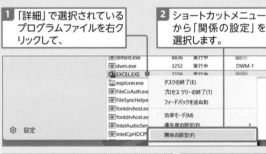

> **1** 「詳細」で選択されているプログラムファイルを右クリックして、

> **2** ショートカットメニューから「関係の設定」を選択します。

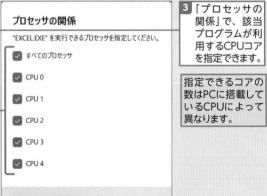

> **3** 「プロセッサの関係」で、該当プログラムが利用するCPUコアを指定できます。

> 指定できるコアの数はPCに搭載しているCPUによって異なります。

> **4** 「OK」をクリックします。

おトクな情報 CPU リソースの割り当てについて

プログラムの優先度やCPUのコアを指定することで、重いアプリの動作をスムーズにしたり、該当アプリ以外の処理をスムーズにできたりします。

Q614 お役立ち度 ★★★ システムの管理

自動的に起動するプログラムを制御するには?

A 「スタートアップ」で任意に制御できます。

アプリによっては「サインイン時に自動的に起動するプログラムを登録する」ものがあります。このようなサインイン時に自動起動するアプリを一覧で確認するには、「設定」画面から「アプリ」→「スタートアップ」を開きます。この一覧の中から自動起動させたくないアプリがある場合はオフにします。また、タスクマネージャーからスタートアップを制御することも可能です。

設定からのプログラムの制御

> **1** 「設定」画面（■+I）を開きます（Q017）。

> **2** 「設定」画面から「アプリ」→「スタートアップ」を開き、

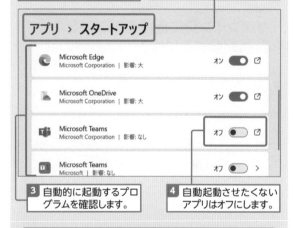

> **3** 自動的に起動するプログラムを確認します。

> **4** 自動起動させたくないアプリはオフにします。

タスクマネージャーからのプログラムの制御

> **1** タスクマネージャーを起動します（Q584）。

> **2** ナビゲーションから「スタートアップアプリ」をクリックします。

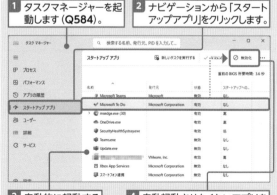

> **3** 自動的に起動するプログラムを確認します。

> **4** 自動起動させたくないアプリを選択して、「無効化」をクリックします。

Q615 お役立ち度 ★★★ システムの管理

アプリを強制終了するには?

1 タスクマネージャーを起動します (Q584)。

2 ナビゲーションから「プロセス」をクリックします。

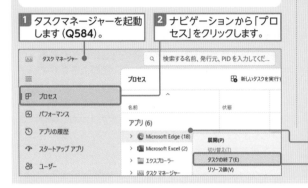

A タスクマネージャーで対象アプリを終了させます。

アプリを終了させるには、通常はタイトルバーの「×」をクリック、あるいはショートカットキー Alt + F4 を入力します。しかし、どうしても終了しないアプリ（ハングアップしている、あるいは悪意のあるサイトがWebブラウザーを閉じることを阻害している）は「強制終了」を行います。タスクマネージャー (Q584) のナビゲーションから「プロセス」をクリックして、終了させたいアプリを右クリックして、ショートカットメニューから「タスクの終了」を選択します。なお、強制終了を行った場合、該当アプリで編集中の内容は保存されません。あくまでも、問題がある場合に適用すべき操作です。

3 強制終了させたいアプリを右クリックして、

4 ショートカットメニューから「タスクの終了」を選択します。

Q616 お役立ち度 ★★★ システムの管理

サインイン時に任意のアプリを自動起動するには?

A 「shell:startup」で開いた「スタートアップ」フォルダーに登録します。

サインイン時に自分がよく利用するアプリを自動起動するには、ショートカットキー ■ + R で「ファイル名を指定して実行」を表示して、「shell:startup」と入力して Enter を押します。開いたフォルダーの中に、アプリのショートカットアイコンを登録すれば（プログラム本体は置かず、ショートカットアイコンを登録）、Windowsの起動時に自動起動します。なお、[スタート] メニューに登録されているアプリの一覧（ショート

カットアイコン）は、ショートカットキー ■ + R で「ファイル名を指定して実行」を表示して、「shell:appsfolder」と入力して Enter を押せば表示できるので (Q096)、ここからアイコンをドラッグ＆ドロップするのがおすすめです。

5 「Applications」フォルダーにある自動起動したいアプリのショートカットアイコンをドラッグして、

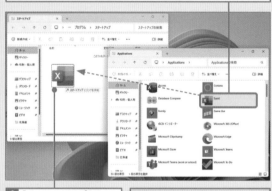

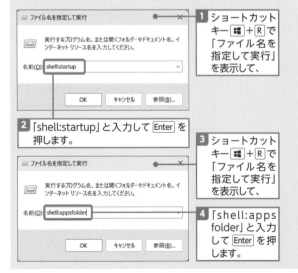

1 ショートカットキー ■ + R で「ファイル名を指定して実行」を表示して、

2 「shell:startup」と入力して Enter を押します。

3 ショートカットキー ■ + R で「ファイル名を指定して実行」を表示して、

4 「shell:appsfolder」と入力して Enter を押します。

6 「スタートアップ」フォルダーにドロップします。

登録できるのはショートカットアイコンのみです、プログラム本体は置かないようにします。

7 サインイン時に任意のアプリを自動起動できます。

一部のアプリは、自動起動がブロックされることがあります。

Q617 お役立ち度 ★★★ システムの管理

デスクトップ全般のアニメーション効果を停止するには?

A 「視覚効果」の設定でアニメーション効果を停止できます。

Windows 11のデスクトップ動作では全体にアニメーションが行われています。例えば、[スタート]メニューを表示する際には下からメニューが瞬時に生えてくるような表示を行っています。これらのアニメーション全般を無効にするには、「設定」画面から「アクセシビリティ」→「視覚効果」を開いて、「アニメーション効果」をオフにします。これにより、デスクトップ動作は若干レスポンスが良くなりますが、スクリーンショット時などの効果もなくなることに留意します。

1 「設定」画面（■+I）を開きます（Q017）。

2 「設定」画面から「アクセシビリティ」→「視覚効果」を開いて、

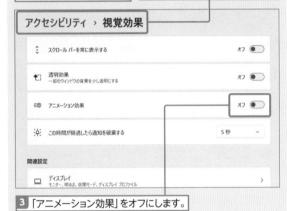

3 「アニメーション効果」をオフにします。

Q618 お役立ち度 ★★★ システムの管理

位置情報サービスをオンにして、任意のアプリにアクセス許可するには?

A 「プライバシーとセキュリティ」で位置情報を設定します。

「位置情報」は、現在の場所を測定する機能です（PCにGPSが搭載されていなくてもネットワークである程度の位置は測定される）。この位置情報を各アプリからの利用を許可するか否かを設定するには、「設定」画面から「プライバシーとセキュリティ」→「位置情報」を開いて、「位置情報サービス」をオンにしたうえで、「アプリに位置情報へのアクセスを許可する」をオンにしてクリックして開き、任意のアプリに対してオン/オフを指定します。

1 「設定」画面（■+I）を開きます（Q017）。

2 「設定」画面から「プライバシーとセキュリティ」→「位置情報」を開いて、

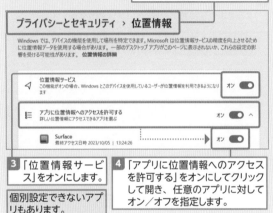

3 「位置情報サービス」をオンにします。

個別設定できないアプリもあります。

4 「アプリに位置情報へのアクセスを許可する」をオンにしてクリックして開き、任意のアプリに対してオン/オフを指定します。

Q619 お役立ち度 ★★★ システムの管理

タスクマネージャーからコマンドを実行するには?

A タスクマネージャーで「新しいタスクを実行する」をクリックします。

タスクマネージャー（Q584）では、「新しいタスクを実行する」をクリックすることにより、「新しいタスクの作成」を表示でき、ここから任意のコマンドを実行できます。例えば、タスクマネージャー以外が操作不可能な場合においては、ここから「shutdown」コマンドを利用すると再起動などの対処を行うことができます。

1 タスクマネージャーを起動します（Q584）。

2 「新しいタスクを実行する」をクリックします。

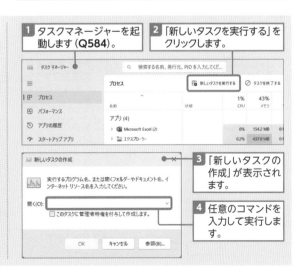

3 「新しいタスクの作成」が表示されます。

4 任意のコマンドを入力して実行します。

Q620 お役立ち度 ★★★ システムの管理

イベントサウンドを
鳴らないようにするには?

A サウンド設定でイベントに対するサウンドを
なしにします。

Windows 11では操作ミスの際やシステムエラーなどの
際にイベントサウンドが鳴ります。すべての音声をミュー
トするには、ボリュームで設定すればよいですが(**Q034**)、
イベントサウンドのみ鳴らないようにすることもできま
す。「設定」画面から「システム」→「サウンド」を開いて、「サ
ウンドの詳細設定」をクリックします。「サウンド」タブの
「プログラムベント」欄で任意の場面のサウンドを指定でき
ます。
また、すべてのイベントサウンドがいらない場合は、「サウンド
設定」欄でドロップダウンから「サウンドなし」を選択します。

1 「設定」画面（ **⊞** + **I** ）
を開きます（**Q017**）。

2 「設定」画面から「システム」→
「サウンド」を開いて、

3 「サウンドの詳細設定」をクリックします。

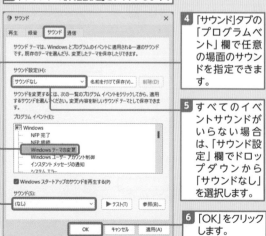

4 「サウンド」タブの
「プログラムベ
ント」欄で任意
の場面のサウン
ドを指定できま
す。

5 すべてのイベ
ントサウンドが
いらない場合
は、「サウンド設
定」欄でドロッ
プダウンから
「サウンドなし」
を選択します。

6 「OK」をクリック
します。

Q621 お役立ち度 ★★★ システムの管理

コマンドで電源操作を行うには?

A shutdownコマンドにオプションを付けて
実行します。

コマンドで電源操作を行いたい場合は、「shutdown」コマ
ンドにオプションを指定します。例えば、再起動を行いた
い場合は、ショートカットキー **⊞** + **R** で「ファイル名を
指定して実行」を表示して、「shutdown /r」と入力して
Enter を押します。その他のオプションは下表のようにな
ります。コマンドによる電源操作は、トラブル時など特殊
な場面で活用できます。

●「shutdown」コマンドのオプション

/s	シャットダウン
/r	再起動
/t **	指定動作までのタイムアウト秒数（**は秒数）
/l	ログオフ
/a	指定した電源操作の中止

1 ショートカットキー **⊞** + **R** で
「ファイル名を指定して実行」
を表示して、

2 「shutdown /r」と
入力して **Enter** を押
します。

3 コマンドで
電源操作を
行うことが
できます。

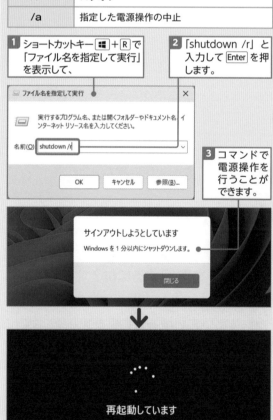

Q622 お役立ち度 ★★★ 回復とトラブルシューティング

回復ドライブを作成するには?

A USBメモリを用意して「回復ドライブの作成」
を実行します。

Windows 11を回復するには、「設定」画面からアプローチ
する方法もありますが(**Q623**)、Windowsがそもそも起
動できなくなった場合は、USBメモリから起動して回復
を行わなければならないときもあります。USBメモリで
「回復ドライブ」を作成するには、コントロールパネル(ア
イコン表示)から「回復」をクリックして、「回復ドライブの
作成」をクリックしてウィザードに従います。
PCの環境によって表示されるオプションは異なりますが、
回復ドライブ作成中に「システムファイルを回復ドライブ
にバックアップします。」のチェックがある場合は、チェッ
クしてシステムをバックアップします。回復ドライブの作
成は、ウィザード内で指定される容量以上のUSBメモリ
の用意が必要です。

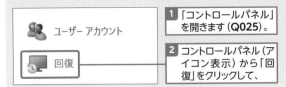

1 「コントロールパネル」
を開きます(**Q025**)。

2 コントロールパネル(ア
イコン表示)から「回
復」をクリックして、

3 「回復ドライブの作成」をクリックしてウィザードに従います。

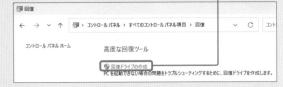

4 回復ドライブ作成中に「システムファイルを回復ドライブに
バックアップします。」が存在する場合は、チェックします。

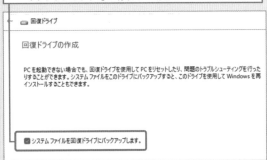

5 ウィザードで指定される容量以上のUSBメモリを用意して、
回復ドライブを作成します。

Q623 お役立ち度 ★★★ 回復とトラブルシューティング

PCを回復するためのオプションの
選択にアクセスするには?

A 「設定」の「回復」にアクセスして
再起動します。

回復の「オプション選択」ではセーフモード起動やスタート
アップ修復などの回復操作を行うことができます。
Windows 11で回復の「オプション選択」にアクセスする
には、「設定」画面から「システム」→「回復」を開いて、「PC
の起動をカスタマイズする」にある「今すぐ再起動」をク
リックします。あるいは、[スタート]メニューから「電源」
をクリックして、Shift を押しながら「再起動」をクリック
しても同様です。Windows 11が終了して、「オプション
の選択」が表示されます。なお、本操作はPCが正常に動
作している環境では必要ありません。

1 「設定」画面(■ + I)
を開きます(**Q017**)。

2 「設定」画面から「システム」→
「回復」を開いて、

PC に問題がある場合、または PC をリセットする場合、これらの回復オプションが役立つ

PC の起動をカスタマイズする
デバイスを再起動してディスクから起動、または USB ド
ライブから起動するなど、スタートアップ設定を変更する   [今すぐ再起動]

3 「今すぐ再起動」
をクリックします。

あるいは[スタート]メニューから「電源」
をクリックして、Shift を押しながら「再
起動」をクリックします。

4 Windows
11が再起動し
て、「オプショ
ンの選択」が
表示されます。

Q624 お役立ち度 ★★★ 回復とトラブルシューティング

トラブルシューティングの「詳細オプション」にアクセスするには?

A 回復の「オプションの選択」から アクセスできます。

回復における問題解決の多くは、トラブルシューティングの「詳細オプション」から行います。回復の「オプションの選択」を表示して(**Q623**)、「トラブルシューティング」をクリックします。「トラブルシューティング」が表示されたら「詳細オプション」をクリックすると、トラブルシューティングの「詳細オプション」にアクセスできます。なお、本操作はPCが正常に動作している環境では必要ありません。

1 回復の「オプションの選択」にアクセスします(**Q623**)。

2 「トラブルシューティング」をクリックします。

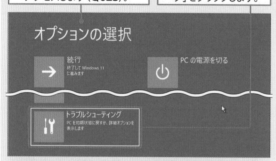

3 「詳細オプション」をクリックします。

4 トラブルシューティングの「詳細オプション」にアクセスできます。

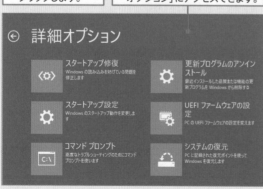

Q625 お役立ち度 ★★★ 回復とトラブルシューティング

セーフモードで起動するには?

A トラブルシューティングの「詳細オプション」から 起動できます。

「セーフモード」は最小限のシステムとデバイスドライバーを読み込んでWindows 11を起動します。最小限であるため、特にデバイスドライバーやアプリをインストール後に問題が起こった場合のトラブルシューティングに役立ちます。このセーフモードで起動するには、トラブルシューティングの「詳細オプション」(Q624)から「スタートアップ設定」をクリックして、「再起動」をクリックします。「スタートアップ設定」が表示されたら、キーボードの4(セーフモードを有効にする)を押して、セーフモードでWindows 11を起動します。

関連 Q624 トラブルシューティングの表示

1 トラブルシューティングの「詳細オプション」にアクセスします(**Q624**)。

2 「スタートアップ設定」をクリックします。

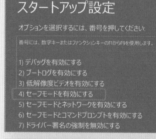

3 次の画面で「再起動」をクリックします。

4 「スタートアップ設定」が表示されたら、4(セーフモードを有効にする)を押します。

5 サインインすれば、Windows 11をセーフモードで起動できます。

Q626 お役立ち度 ★★★ 回復とトラブルシューティング

セーフモードの起動でネットワークを利用するには?

A 「セーフモードとネットワークを有効にする」を選択します。

「セーフモード」の起動については**Q625**で解説しましたが、セーフモード状態でもネットワークを利用したい場合は、トラブルシューティングの「詳細オプション」(**Q624**)から「スタートアップ設定」をクリックして、「再起動」をクリックします。「スタートアップ設定」が表示されたら、キーボードの 5 を押して、「セーフモードとネットワークを有効にする」でWindows 11を起動します。

● セーフモードの違い

セーフモードを有効にする	最小限のシステムでWindows 11を起動します。ネットワークは利用できません。
セーフモードとネットワークを有効にする	最小限のシステムで起動する「セーフモード」に加えて、ネットワーク機能を有効にします。セーフモード内でネットワークを利用できますが、ネットワーク関連のトラブルが存在する場合は正常に起動できない可能性があります。
セーフモードとコマンドプロンプトを有効にする	セーフモードをコマンドプロンプトで起動します(要コマンド操作)。

Q627 お役立ち度 ★★★ 回復とトラブルシューティング

PCのメモリの正常性を確認するには?

A 「Windowsメモリ診断」でハードウェアをテストします。

PCのメモリに負荷をかけた状態でも正常に動作するか(結果的にCPUやマザーボードの基本動作のテストにもなる)を確認するには、[スタート]メニューの「すべてのアプリ」から「Windowsツール」をクリックして、「Windowsメモリ診断」をダブルクリックします。「Windowsメモリ診断」から「今すぐ再起動して問題の有無を確認する」をクリックすれば、再起動後にメモリ診断が行われます。診断はメモリ容量やPCスペックに応じて、数分〜数時間かかります。デスクトップ起動後に「メモリエラーは検出されませんでした」と表示されれば、PCのメモリ動作が正常であることを確認できます。

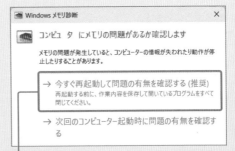

3 「Windowsメモリ診断」から「今すぐ再起動して問題の有無を確認する」をクリックします。

4 再起動後にメモリ診断が行われます。

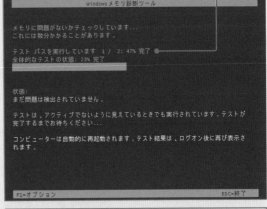

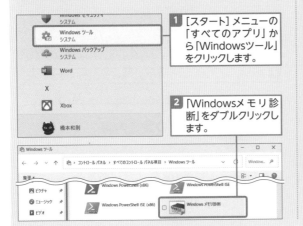

1 [スタート]メニューの「すべてのアプリ」から「Windowsツール」をクリックします。

2 「Windowsメモリ診断」をダブルクリックします。

5 デスクトップ起動後に「メモリエラーは検出されませんでした」と表示されれば、正常であることが確認できます。

Q628 お役立ち度 ★★★ 回復とトラブルシューティング

Windows 11がうまく起動できない場合には?

A 最終手段として「スタートアップ修復」を行います。

Windows 11起動時に問題が発生したなどのメッセージが表示されてうまく起動できない場合は、トラブルシューティングの「詳細オプション」(**Q624**)から「スタートアップ修復」をクリックします。「スタートアップ修復」では、ブート情報の診断を行ったうえで正常に起動できるように自動修復を行います。ただし、あくまでもWindows 11が用意している修復手段であるため、深刻なトラブルの場合はこの手順でも修復できない場合があります。
なお、特にWindows 11の起動トラブルがない場面では本操作は控えるようにします。

関連 Q624 トラブルシューティングの表示

1 トラブルシューティングの「詳細オプション」にアクセスします(**Q624**)。

2 「スタートアップ修復」をクリックします。

3 スタートアップ修復が実行されます。

正常にWindows 11を起動できる環境では、スタートアップ修復は行わないようにします。

Q629 お役立ち度 ★★★ 回復とトラブルシューティング

UEFIのセットアップを行うには?

A トラブルシューティングの「詳細オプション」からアクセスできますが、上級者向けです。

PCに搭載されたUEFI(PCのファームウェア)を設定するには、トラブルシューティングの「詳細オプション」(**Q624**)から「UEFIファームウェアの設定」をクリックします。また、PCによっては起動時に特定のキーを押してUEFI設定にアクセスできます。UEFIで設定できる内容はPCメーカー(マザーボードメーカー)によって異なります。なお、必然性のない場面でUEFIを設定することは推奨されません。設定変更内容によってはWindows 11が起動しなくなる危険性もあります。

関連 Q624 トラブルシューティングの表示

1 トラブルシューティングの「詳細オプション」にアクセスします(**Q624**)。

2 「UEFIファームウェアの設定」をクリックします。

3 「再起動」をクリックします。

⬅ UEFI ファームウェアの設定

再起動して UEFI ファームウェアの設定を変えます

再起動

4 再起動して、UEFIのセットアップを行うことができます。

おトクな情報 UEFI の設定内容

UEFIはPCメーカー(マザーボード)によって、設定内容や設定方法は異なります。UEFIの設定内容によってはOSの動作を損なうことがあるため、安易な設定変更は控えるようにします。

Q630 お役立ち度 ★★★ PCのリセット

Windows 11 セットアップ USBメモリを作成するには?

A Microsoft の Web サイトからダウンロードして作成できます。

Windows 11 のクリーンインストールや回復に役立つのが、「Windows 11セットアップUSBメモリ」です。「Windows 11セットアップUSBメモリ」を作成するには、8GB以上のUSBメモリを用意して、下記Webページにアクセスします。「Windows 11 のインストール メディアを作成する」から「今すぐダウンロード」をクリックします。ダウンロードが完了したら「開く」(あるいは「ファイルを開く」)をクリックして、ウィザードに従います。
なお、PC本体固有(メーカー固有)のデバイスドライバーやツールは同梱されていないので、PCを修復時にはメーカーが指定するリカバリを行うのが基本です。

●「Windows 11 のダウンロード」
https://www.microsoft.com/ja-jp/software-download/windows11/

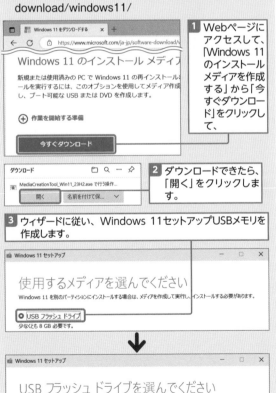

Q631 お役立ち度 ★★★ PCのリセット

個人用ファイルを残したまま PCをリセットするには?

A PCをリセットする際に「個人用ファイルを保持する」を選択します。

PCのリセットは通常は実行すべきではありません。しかし、アプリ動作やOSそのものの動作がどうしても不安定な場面では、問題解決の1つの手段になります。個人用ファイルを残したままPCをリセットするには「設定」画面から「システム」→「回復」を開いて、「このPCをリセット」にある「PCをリセットする」をクリックします。オプションの選択から「個人用ファイルを保持する」をクリックして、以後ウィザードに従ってリセットします。なお、機能としては「個人用ファイルを保持」とありますが、アプリ設定に準じるデータなどは保持されない可能性もあります。

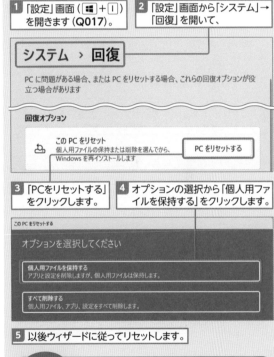

おトクな情報 リセット実行時の注意点

PCがリセットされるため、一部の環境は復元されません。環境の復元には再セットアップが必要になるので、安易な実行は推奨されません。リセットを行う前にすべてのデータを別媒体などにバックアップしておくことを強く推奨します。

Q632 お役立ち度 ★★★ PCのリセット

PCを初期出荷状態にするには?

A PCをリセットする際に「すべて削除する」を選択します。

PCを初期出荷状態に戻してアプリもデータもない状態に戻したい場合は、「設定」画面から「システム」→「回復」を開いて、「このPCをリセット」にある「PCをリセットする」をクリックします。オプションの選択から「すべて削除する」をクリックして、以後ウィザードに従ってリセットします。アプリもデータも完全にリセットされて、PCが初期化される点に留意します。

1 「設定」画面（■+Ｉ）を開きます（Q017）。

2 「設定」画面から「システム」→「回復」を開いて、

システム › 回復

回復オプション

このPCをリセット
個人用ファイルの保持または削除を選んでから、Windowsを再インストールします
[PCをリセットする]

3 「PCをリセットする」をクリックします。

4 オプションの選択から「すべて削除する」をクリックします。

このPCをリセットする

オプションを選択してください

個人用ファイルを保持する
アプリと設定を削除しますが、個人用ファイルは保持します。

すべて削除する
個人用ファイル、アプリ、設定をすべて削除します。

5 以後ウィザードに従います。

6 リセット時に処理される内容をよく確認します。

このPCをリセットする

このPCをリセットする準備ができました

初期状態に戻すと、次の処理が行われます:
・このPC上の個人用ファイルとユーザーアカウントをすべて削除する
・設定に加えられたすべての変更を削除する
・すべてのアプリとプログラムを削除する
・Windowsをダウンロードして再インストール

注:
・この処理には時間がかかり、PCは再起動されます。
・クラウドのダウンロードでは、2.77GB以上のデータが使用される可能性があります。

このPCのリセットに関する詳細情報 [リセット] [キャンセル]

7 「リセット」をクリックします。

PCが完全にリセットされるため、再セットアップが必要になる点に留意します。安易な実行は推奨されません。

Q633 お役立ち度 ★★★ PCのリセット

ファイルの痕跡を完全消去して初期出荷状態に戻すには?

A リセット時にクリーンアップを指定します。

PCを人に譲る、あるいは中古として売り渡す、PCを廃棄するなどの際は、単なるファイルの削除だけではなく、「削除したデータも復元できない消去」を実行する必要があります。PCを初期出荷状態にする際、情報漏えい対策としてドライブのクリーニングを行いたい場合は、ウィザード中の「追加の設定」で「設定の変更」をクリックして、「データのクリーニングを実行しますか?」を「はい」にして、リセットを実行します。すべてを消去する操作であるため、必然性のある場合のみ実行します。

関連 Q632 PCを初期出荷状態に戻す

1 「PCを初期出荷状態に戻す」を実行します（Q632）。

2 ウィザード中の「追加の設定」で「設定の変更」をクリックします。

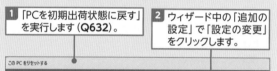

このPCをリセットする

追加の設定

現在の設定:
・アプリとファイルを削除する。ドライブのクリーニングは実行しない
・Windowsドライブからのみ、すべてのファイルを削除する
・Windowsをダウンロードして再インストール
設定の変更
クラウドのダウンロードでは、データ使用量が4GBを超える可能性があります。

このPCのリセットに関する詳細情報 [戻る] [次へ] [キャンセル]

3 「データのクリーニングを実行しますか?」を「はい」にします。

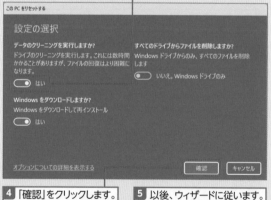

このPCをリセットする

設定の選択

データのクリーニングを実行しますか?
ドライブのクリーニングを実行します。これには数時間かかることがありますが、ファイルの回復はより困難になります。
[はい]

すべてのドライブからファイルを削除しますか?
Windowsドライブからのみ、すべてのファイルを削除します
[いいえ。Windowsドライブのみ]

Windowsをダウンロードしますか?
Windowsをダウンロードして再インストール
[はい]

オプションについての詳細を表示する [確認] [キャンセル]

4 「確認」をクリックします。

5 以後、ウィザードに従います。

データのクリーニングも行うので時間がかなりかかることがあります。

第15章

セキュリティ対策を知る

Windows 11を利用するうえで日常的にセキュリティを意識することは重要なことです。本章では、Windows 11のセキュリティ状態の確認やウイルス感染が起こっていないかのチェック、Webブラウズ中に気を付けるべき偽警告（フェイクアラート）への対処、パスワードの設定、Windows Updateの管理などについて解説します。

Q634 お役立ち度 ★★★ セキュリティ機能の確認

「Windowsセキュリティ」に アクセスするには?

A 通知領域、あるいは「設定」画面から アクセスできます。

Windowsのセキュリティ全般を確認できる「Windowsセキュリティ」(セキュリティの概要)にアクセスするには、通知領域から「Windowsセキュリティ」アイコンをクリックする方法と、「設定」画面から「プライバシーとセキュリティ」→「Windowsセキュリティ」をクリックする方法の2つがあります。

通知領域から「Windowsセキュリティ」を開く

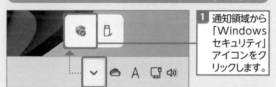

1 通知領域から「Windowsセキュリティ」アイコンをクリックします。

2 「Windowsセキュリティ」(セキュリティの概要)にアクセスできます。

「設定」画面から「Windowsセキュリティ」を開く

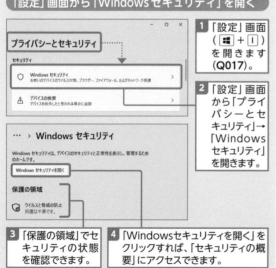

1 「設定」画面(■ + I)を開きます(Q017)。

2 「設定」画面から「プライバシーとセキュリティ」→「Windowsセキュリティ」を開きます。

3 「保護の領域」でセキュリティの状態を確認できます。

4 「Windowsセキュリティを開く」をクリックすれば、「セキュリティの概要」にアクセスできます。

Q635 お役立ち度 ★★★ セキュリティ機能の確認

Windowsのセキュリティ状態を 確認するには?

A 「セキュリティの概要」でPCのセキュリティ 全般に問題がないかを確認できます。

「Windowsセキュリティ」の「セキュリティの概要」(Q634)では、「ウイルスと脅威の防止」(アンチウイルス機能)や「ファイアウォールとネットワーク保護」でファイアウォールなどの状態を確認できます。

⊗マークの対処

1 メッセージを確認して「有効にする」などをクリックします。

2 項目がチェックマークになります。

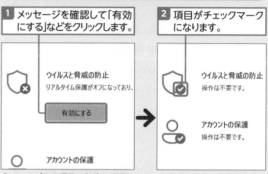

⊗マークがある項目は危険な状態であることを示します。危険な状態に対しての警告なので、必ずメッセージに従って対処を行います。

⚠マークの対処

1 対策をするには「有効にする」をクリックします。

2 警告が不要である場合は「無視」をクリックします。

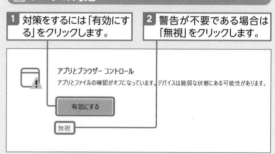

⚠マークは推奨機能が有効になっていないという意味です。必要であれば対処、不要な警告である場合は「無視」をクリックすればマークを消すことができます。

おトクな情報 Windows 11での ウイルスの表記

本来はワームやウイルスなどの悪意の総称のことを「マルウェア」と呼びます。しかし、一般的には悪意のことを「ウイルス」と呼称することも多く、実際にWindows 11の設定などでは「ウイルス」(本来は寄生するもののみ対象とする)と表記されています。

Q636

お役立ち度 ★★★　セキュリティ機能の確認

有料セキュリティソフトは
絶対に必要なの?

A Windows 11には標準で
Microsoft Defenderが搭載されています。

Windows 11には標準で「Microsoft Defenderウイルス対策」「Windowsファイアウォール」などのセキュリティ対策機能が搭載されています。

そのため、有料セキュリティソフトは任意導入になり、購入して導入が必要というわけではありません。使い慣れたセキュリティソフトがある場合、あるいは組織で指定されたセキュリティソフトがある場合は必要に応じて導入します。

なお、Web上で公開されている無料セキュリティソフトの中には、プログラム本体に悪意があるものもあるため、導入は推奨しません。

Windows 11には、標準でセキュリティソフトが搭載されています(確認方法はQ637)。

● **アンチウイルスソフトの大まかな違い**

タイトル	料金	安定動作	オススメ	特徴
Microsoft Defender (Windows標準)	無料	◎	◎	OSとの相性問題が起こらず安定動作、OSサポート期間内であれば永年無料
サードパーティ製セキュリティソフト	有料	○	○	料金の支払いを継続しないと機能無効になる
無料セキュリティソフト	無料	△	×	機能が限定的であるなど注意が必要

Q637

お役立ち度 ★★★　セキュリティ機能の確認

PCに導入されている
セキュリティソフトを確認するには?

A 「セキュリティプロバイダー」から
確認できます。

現在PCに導入しているセキュリティソフト(アンチウイルスソフトなど)を確認するには、通知領域から「Windowsセキュリティ」アイコンをクリックして、「Windowsセキュリティ」から「設定」をクリックします。「セキュリティプロバイダー」欄から「プロバイダーの管理」をクリックすれば、現在PCで利用しているセキュリティソフトを確認できます。

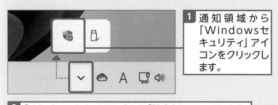

1 通知領域から「Windowsセキュリティ」アイコンをクリックします。

2 「Windowsセキュリティ」から「設定」をクリックします。

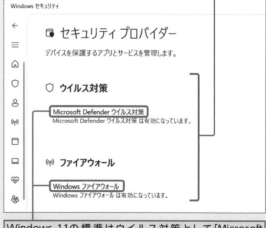

3 「セキュリティプロバイダー」欄から「プロバイダーの管理」をクリックします。

4 PCに導入されているセキュリティソフトを確認できます。

Windows 11の標準はウイルス対策として「Microsoft Defenderウイルス対策」、ファイアウォールとして「Windowsファイアウォール」になります。

Q638 ★★★ お役立ち度 日常的なセキュリティ対策

Webブラウズ中に「ウイルスに感染している」などと表示された!

A ほぼ偽警告なので無視してWebブラウザーを閉じます。

Microsoft EdgeなどのWebブラウザーを利用している際に、「ウイルスに感染している」「PCやシステムに問題がある」「アカウントに問題がある」「修復ツールが必要」などと表示されたら、「偽警告」(フェイクアラート)を疑います。特に警告内に「〜に電話」「〜アカウントを確認」「〜修復ツールをダウンロード」などと表示された場合は、ほぼ確実に偽警告です(MicrosoftやWindows 11は、このような連絡やダウンロードを促す警告や対策を行わない)。警告に従ってリンクをクリックしたり電話をしたりせず、メッセージも無視してWebブラウザーを閉じるようにします(Webブラウザーをすべて閉じます)。

修復ツールダウンロードを求める偽表示例

偽警告なので、指示に従わず、またあらゆるリンクをクリックしないようにします。	**1** Webブラウザーを閉じます。

偽警告画面

Microsoft Defenderを装った偽表示例

Windows 11やMicrosoftは警告時に連絡やツールの導入などを促しません。フェイクアラートはMicrosoftなど有名企業を名乗ることが多くあります。	**1** Webブラウザーを閉じます。

偽警告画面

Q639 ★★★ お役立ち度 日常的なセキュリティ対策

Webブラウザーを閉じることができない場合には?

A 悪意のあるサイトでは閉じられないことがあるので「強制終了」します。

Microsoft EdgeなどのWebブラウザーで悪意のあるWebサイトを開いてしまった際は、Webブラウザーを閉じることが対処になりますが、悪意のあるスクリプトなどが仕込まれている場合、通常の手順ではWebブラウザーを終了できないことがあります。そのような場面では、タスクバーを右クリックして、ショートカットメニューから「タスクマネージャー」を選択します。タスクマネージャーを起動して、「プロセス」から該当アプリを右クリックして、ショートカットメニューから「タスクの終了」を選択して強制終了します。

1 タスクマネージャーを起動します(**Q584**)。	**2** ナビゲーションから「プロセス」をクリックします。

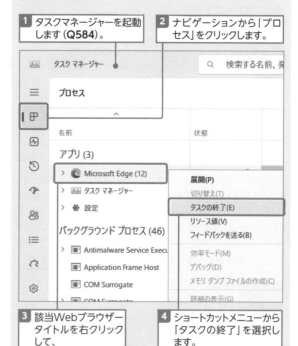

3 該当Webブラウザータイトルを右クリックして、	**4** ショートカットメニューから「タスクの終了」を選択します。

5 Webブラウザーを強制終了できます。

「タスクマネージャー」の起動 `Ctrl` + `Shift` + `Esc`

おトクな情報 ウイルスチェック

PCがウイルスに感染していないかを確認するには、ウイルスチェック(ウイルススキャン)を行います(**Q646**)。

Q640 お役立ち度 ★★★ 日常的なセキュリティ対策

Webブラウズを より安全に行うには?

A 「評価ベースの保護」を有効にします。

悪意のあるWebサイトや望ましくない可能性のあるアプリなどをブロックして保護したい場合は、「評価ベースの保護」を有効にします。「Windowsセキュリティ」(**Q634**)から「アプリとブラウザーコントロール」をクリックします。「評価ベースの保護」欄から「評価ベースの保護設定」をクリックします。「評価ベースの保護」から必要と思われる項目をすべて「オン」にします。「望ましくない可能性のあるアプリのブロック」をオンにして、「アプリをブロックする」「ダウンロードをブロックする」の双方をチェックすることなどが推奨されます。

なお、この設定はあくまでも機能として「望ましくない可能性のある〜」なので、悪意のすべてをブロックするわけではありません。また、悪意を含まない安全なアプリであっても「望ましくない可能性がある」と判断された場合はブロックされることにも留意します。

1 「Windowsセキュリティ」(セキュリティの概要、**Q634**)から「アプリとブラウザーコントロール」をクリックします。

2 「評価ベースの保護」欄から「評価ベースの保護設定」をクリックします。

3 説明をよく読み、必要と思われる項目を「オン」にします。

該当項目をオンにすると機能に該当する操作が制限されることがあります。

Q641 お役立ち度 ★★★ 日常的なセキュリティ対策

信頼性不明のフリーウェア (無料ソフト)の導入は大丈夫?

A ウイルス感染や個人情報漏えいの リスクがあります。

Windows 11のウイルス対策として、信頼性が確実ではないアプリは導入しないことが強く推奨されます。Web上でダウンロードできる不明のアプリの中には、スパイウェアやウイルスなどが最初から含まれているものもあるからです。Webからアプリをダウンロードするのであれば「メーカー公式サイト」「作者公式サイト」など信頼性が高い場所からダウンロードします。

また比較的安全という意味では「Microsoft Store」からのアプリ導入が推奨されます。

なお、Webブラウズ中に導入が促されるツールは、ウイルスである可能性が高いため導入は控えます。

アプリはセキュリティを考えると、「Microsoft Store」からの導入が推奨されます。

Q642 お役立ち度 ★★★　日常的なセキュリティ対策

アプリの導入場所を制限するには？

A アプリを入手する場所を Microsoft Store のみに設定します。

PCを管理する立場などで、PCに詳しくないユーザーなどが悪意ある誘導によってアプリ導入してしまうことを制限したい場合は、「設定」画面から「アプリ」→「アプリの詳細設定」を開いて、「アプリを入手する場所」のドロップダウンから「Microsoft Storeのみ」を選択します。これで、アプリ導入を比較的安全な「Microsoft Storeのみ」に制限でき、Web上などからダウンロードしたアプリを導入すると警告が表示され導入が制限されます。

なお、あくまでも警告のみにとどめたい場合は、「アプリを入手する場所」のドロップダウンから「入手元を制限しないが、Microsoft Store 以外からのアプリをインストールする前に警告を表示する」を選択します。

なお、この設定はあくまでもアプリの導入制限が必要な環境のみ適用します。

1 「設定」画面（■＋ I ）を開きます（**Q017**）。　**2** 「設定」画面から「アプリ」→「アプリの詳細設定」を開きます。

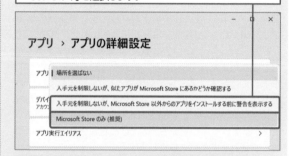

3 「アプリを入手する場所」のドロップダウンから「入手元を制限しないが、Microsoft Store以外からのアプリをインストールする前に警告を表示する」あるいは「Microsoft Storeのみ」を選択します。

制限が必要と思われる環境でのみ、本設定を適用します。

Q643 お役立ち度 ★★★　Windows 11のセキュリティ

Windows 11を 安全に運用するには？

A Windows Updateで 最新の状態に更新します。

Windows 11を安全に運用するには、「更新プログラムの適用」が必要になります。更新プログラムには、脆弱性対策に必要な「品質更新プログラム」や、ウイルス対策に必要な「最新のウイルス対策プログラムやウイルスデータベース」（Microsoft Defenderのアップデート）などがありますが、これらの更新プログラムをダウンロードしてインストールするのが「Windows Update」です。Windows Updateによる更新プログラムの取得は、日常的にインターネットに接続していれば、自動的に行われる設定になっています。

また、更新プログラムの導入を確認するには、「設定」画面から「Windows Update」を開いて、「更新プログラムのチェック」をクリックします。

1 「設定」画面（■＋ I ）を開きます（**Q017**）。

2 「設定」画面から「Windows Update」を開いて、　**3** 「更新プログラムのチェック」をクリックします。

4 更新プログラムの確認が行われ、必要なアップデートが行われます。

Q644 お役立ち度 ★★★ Windows 11のセキュリティ

パスワードはどのように設定すればよい?

● パスワード設定のポイント

複雑なパスワード文字列にする	規則性のない「英大文字＋英小文字＋数字＋記号が混在した文字列でかつ11ケタ以上」の構成が望ましくなります（ブルートフォースアタック対策、なおサービスによってパスワードに利用できる文字は異なる）。
パスワードの使い回しをしない	他のサービスで利用しているパスワードは利用しないようにします（パスワードリスト攻撃対策）。
2段階認証を設定する	サービスが2段階認証をサポートしている場合は有効にします。

A 他のアカウントと完全に別の11ケタ以上の英数記号混在のパスワードを作成します。

Microsoftアカウントや他のサービスアカウントなどを作成する際、パスワードを設定しなければなりませんが、気を付けたいのは「他のサービスで利用しているパスワードを利用しない」ことです。

これは、サービス側が攻撃を受けてパスワードが漏えいした場合、「パスワードリスト攻撃」（攻撃者が入手したユーザー名とパスワードを利用して、他のサービスのログインを試みる）が行われることがあるためで、他のサービスと同じパスワードにしていると、該当サービス以外のアカウントも乗っ取られる可能性があります。

このほか、あらゆるパターンのパスワードを総当たりして強制的に不正ログインする「ブルートフォースアタック」が存在するため、英大文字・英小文字・数字・記号を混在させたパスワードにすることが推奨されます。

Q645 お役立ち度 ★★★ Windows 11のセキュリティ

現在ウイルスに感染していないかを任意にチェックするには?

A 「ウイルスの脅威と防止」から「クイックスキャン」を実行します。

現在メモリ上に存在するプロセスや、Windowsの主要なフォルダー内にウイルスが存在しないかをチェックしたい場合は、「Windowsセキュリティ」（Q634）から「ウイルスと脅威の防止」をクリックします。

「現在の脅威」欄内、「クイックスキャン」をクリックすればスキャンを行うことができます（Windows 11標準のMicrosoft Defenderの場合）。

1 「Windowsセキュリティ」（セキュリティの概要、Q634）から「ウイルスと脅威の防止」をクリックします。

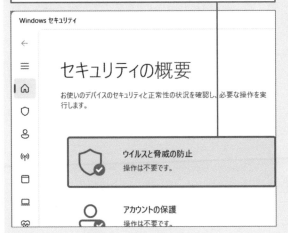

2 「現在の脅威」欄内、「クイックスキャン」をクリックします。

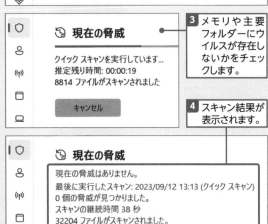

3 メモリや主要フォルダーにウイルスが存在しないかをチェックします。

4 スキャン結果が表示されます。

Q646 お役立ち度 ★★★ Windows 11のセキュリティ

PC全体にウイルスがないかを
チェックするには?

A 「スキャンのオプション」から
「フルスキャン」を実行します。

クイックスキャン（Q645）では、メモリや主要フォルダーをウイルススキャンしましたが、PC全体をウイルススキャンしたい場合は、「Windowsセキュリティ」（Q634）から「ウイルスと脅威の防止」をクリックして、「現在の脅威」欄内の「スキャンのオプション」をクリックします。スキャンのオプションから「フルスキャン」を選択して、「今すぐスキャン」をクリックします（Windows 11標準のMicrosoft Defenderの場合）。

なお、フルスキャンが完了するまでの時間はPCの総ファイル数次第になり、環境によっては数時間から半日ほどの時間を要します。

1 「Windowsセキュリティ」（セキュリティの概要、Q634）から「ウイルスと脅威の防止」をクリックして、

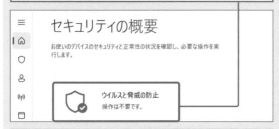

2 「現在の脅威」欄内、「スキャンのオプション」をクリックします。

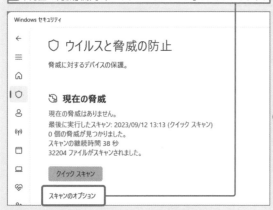

3 「フルスキャン」を選択して、

4 「今すぐスキャン」をクリックします。

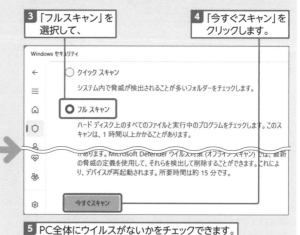

5 PC全体にウイルスがないかをチェックできます。

Q647 お役立ち度 ★★★ Windows 11のセキュリティ

Windows Updateの更新を
一時停止するには?

A 更新の一時停止から任意の期間を
選択します。

オンライン会議やプレゼンテーションを行う際などに、ダウンロード（通信負荷増）や不意な再起動を避けたい場合は、Windows Updateによる更新プログラムの導入を一時停止します。「設定」画面から「Windows Update」を開いて、「更新の一時停止」の「1週間一時停止する」をクリックすれば、更新を一時停止できます。なお、設定のタイミングによって、ドロップダウンから任意の停止期間を選択できることもあります。

1 「設定」画面（■+I）を開きます（Q017）。 **2** 「設定」画面から「Windows Update」を開いて、

3 「更新の一時停止」の「1週間一時停止する」をクリックします。 **4** Windows Updateの更新を一時停止できます。

Q648 お役立ち度 ★★★ Windows 11のセキュリティ

特定のフォルダーを指定して
ウイルススキャンするには?

A エクスプローラーからフォルダーを
右クリックしてスキャンします。

特定のフォルダーをウイルススキャンしたい際は、エクスプローラーから該当フォルダーを Shift を押しながら右クリックして、ショートカットメニューから「Microsoft Defenderでスキャンする」を選択します。

この手順ではダウンロードフォルダーなどの特定のフォルダーをウイルススキャンできるほか、ネットワークフォルダーをウイルススキャンすることもできます。

1 エクスプローラーからウイルススキャンしたいフォルダーを Shift を押しながら右クリックして、

2 ショートカットメニューから「Microsoft Defenderでスキャンする」を選択します。

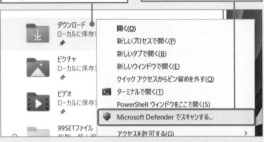

3 特定のフォルダーを指定してウイルススキャンできます。

右クリックしてから「その他のオプションを確認」を選択しても、同様のメニューを表示できます。

Q649 お役立ち度 ★★★ Windows 11のセキュリティ

品質更新プログラムの受信日を
延期したい!

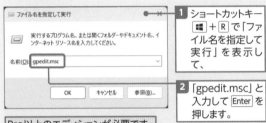

Pro以上のエディションが必要です。

1 ショートカットキー ■ + R で「ファイル名を指定して実行」を表示して、

2 「gpedit.msc」と入力して Enter を押します。

3 ローカルグループポリシーエディターが開いたら、「コンピューターの構成」→「管理用テンプレート」→「Windows コンポーネント」→「Windows Update」→「Windows Updateから提供される更新プログラムの管理」を選択して、

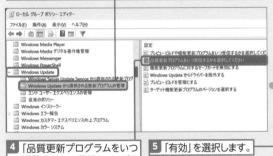

4 「品質更新プログラムをいつ受信するかを選択してください」をダブルクリックします。

5 「有効」を選択します。

6 「品質更新プログラムがリリースされた後、受信を延期する日数」に任意の延期日数を入力して、

7 「OK」をクリックします。

A Pro以上のエディションで「ローカルグループポリシーエディター」で設定します。

更新プログラムにおける「品質更新プログラム」(脆弱性対策やバグの修正) は、基本的に即時適用すべきアップデートですが、この更新により「特定のアプリが起動しなくなる」などの問題が起こることもあります。

現在利用しているハードウェアやアプリとの互換性のバランスを考えて、あえて最新版の更新プログラムを適用せずに、一定期間経過してから適用したいという場合は、ショートカットキー ■ + R で「ファイル名を指定して実行」を表示して、「gpedit.msc」と入力して Enter を押します (Windows 11 Homeは不可)。「コンピューターの構成」→「管理用テンプレート」→「Windows コンポーネント」→「Windows Update」→「Windows Updateから提供される更新プログラムの管理」を選択して、「品質更新プログラムをいつ受信するかを選択してください」をダブルクリックします。「有効」を選択したうえで、「品質更新プログラムがリリースされた後、受信を延期する日数」に任意の延期日数を入力して、「OK」をクリックします。

ローマ字／かな対応表

あ行

あ	い	う	え	お
A	I	U	E	O
	YI	WU		
		WHU		

あ	い	う	え	お
LA	LI	LU	LE	LO
XA	XI	XU	XE	XO
	LYI		LYE	
	XYI		XYE	

	いぇ			
	YE			

うぁ	うぃ		うぇ	うぉ
WHA	WHI		WHE	WHO
	WI		WE	

か行

か	き	く	け	こ
KA	KI	KU	KE	KO
CA		CU		CO
		QU		

が	ぎ	ぐ	げ	ご
GA	GI	GU	GE	GO

ヵ			ヶ	
LKA			LKE	
XKA			XKE	

きゃ	きぃ	きゅ	きぇ	きょ
KYA	KYI	KYU	KYE	KYO

ぎゃ	ぎぃ	ぎゅ	ぎぇ	ぎょ
GYA	GYI	GYU	GYE	GYO

くぁ	くぃ	くぅ	くぇ	くぉ
QWA	QWI	QWU	QWE	QWO
QA	QI		QE	QO
KWA	QYI		QYE	

ぐぁ	ぐぃ	ぐぅ	ぐぇ	ぐぉ
GWA	GWI	GWU	GWE	GWO

くゃ		くゅ		くょ
QYA		QYU		QYO

さ行

さ	し	す	せ	そ
SA	SI	SU	SE	SO
	CI		CE	
	SHI			

ざ	じ	ず	ぜ	ぞ
ZA	ZI	ZU	ZE	ZO
	JI			

しゃ	しぃ	しゅ	しぇ	しょ
SYA	SYI	SYU	SYE	SYO
SHA		SHU	SHE	SHO

じゃ	じぃ	じゅ	じぇ	じょ
JYA	JYI	JYU	JYE	JYO
ZYA	ZYI	ZYU	ZYE	ZYO
JA		JU	JE	JO

すぁ	すぃ	すぅ	すぇ	すぉ
SWA	SWI	SWU	SWE	SWO

た行

た	ち	つ	て	と
TA	TI	TU	TE	TO
	CHI	TSU		

		っ		
		LTU		
		XTU		
		LTSU		

だ	ぢ	づ	で	ど
DA	DI	DU	DE	DO

ちゃ	ちぃ	ちゅ	ちぇ	ちょ		ぢゃ	ぢぃ	ぢゅ	ぢぇ	ぢょ
TYA	TYI	TYU	TYE	TYO		DYA	DYI	DYU	DYE	DYO
CYA	CYI	CYU	CYE	CYO						
CHA		CHU	CHE	CHO						

つぁ	つぃ		つぇ	つぉ
TSA	TSI		TSE	TSO

てゃ	てぃ	てゅ	てぇ	てょ		でゃ	でぃ	でゅ	でぇ	でょ
THA	THI	THU	THE	THO		DHA	DHI	DHU	DHE	DHO

とぁ	とぃ	とぅ	とぇ	とぉ		どぁ	どぃ	どぅ	どぇ	どぉ
TWA	TWI	TWU	TWE	TWO		DWA	DWI	DWU	DWE	DWO

な行

な	に	ぬ	ね	の		にゃ	にぃ	にゅ	にぇ	にょ
NA	NI	NU	NE	NO		NYA	NYI	NYU	NYE	NYO

は行

は	ひ	ふ	へ	ほ		ば	び	ぶ	べ	ぼ
HA	HI	HU	HE	HO		BA	BI	BU	BE	BO
		FU				ぱ	ぴ	ぷ	ぺ	ぽ
						PA	PI	PU	PE	PO

ひゃ	ひぃ	ひゅ	ひぇ	ひょ		びゃ	びぃ	びゅ	びぇ	びょ
HYA	HYI	HYU	HYE	HYO		BYA	BYI	BYU	BYE	BYO
						ぴゃ	ぴぃ	ぴゅ	ぴぇ	ぴょ
						PYA	PYI	PYU	PYE	PYO

ふぁ	ふぃ	ふぅ	ふぇ	ふぉ		ヴぁ	ヴぃ	ヴ	ヴぇ	ヴぉ
FWA	FWI	FWU	FWE	FWO		VA	VI	VU	VE	VO
FA	FI		FE	FO			VYI		VYE	
	FYI		FYE							

ふゃ		ふゅ		ふょ		ヴゃ	ヴぃ	ヴゅ	ヴぇ	ヴょ
FYA		FYU		FYO		VYA		VYU		VYO

ま行

ま	み	む	め	も		みゃ	みぃ	みゅ	みぇ	みょ
MA	MI	MU	ME	MO		MYA	MYI	MYU	MYE	MYO

や行

や		ゆ		よ		ゃ		ゅ		ょ
YA		YU		YO		LYA		LYU		LYO
						XYA		XYU		XYO

ら行

ら	り	る	れ	ろ		りゃ	りぃ	りゅ	りぇ	りょ
RA	RI	RU	RE	RO		RYA	RYI	RYU	RYE	RYO

わ行

わ	ゐ		ゑ	を		ん
WA	WI		WE	WO		N
						NN
						XN
						N'

● 「ん」は、母音（A、I、U、E、O）の前と、単語の最後ではNNと入力します。（TANI→たに、TANNI→たんい、HONN→ほん）

● 「っ」は、N以外の子音を連続しても入力できます。（ITTA→いった）

● 「ヴ」のひらがなはありません。

ショートカットキー

●デスクトップ

ショートカットキー	操作内容
⊞	[スタート] メニューを開く
⊞ + A	クイック設定を開く
⊞ + B	通知領域の「∧」ボタンにフォーカス
⊞ + C	Copilot を開く
⊞ + H	音声入力を開く
⊞ + I	設定を開く
⊞ + K	キャストを開く
⊞ + L	ロック
⊞ + N	通知センターを開く
⊞ + O	自動回転ロック／ロック解除（対応 PC のみ）
⊞ + P	表示モードの切り替え
⊞ + R	ファイル名を指定して実行を開く
⊞ + S	検索にアクセス
⊞ + T	タスクバーアイコンにフォーカス
⊞ + W	ウィジェットボードを開く
⊞ + X	クイックリンクメニューの表示
⊞ + X → U → I	サインアウト
⊞ + X → U → R	再起動
⊞ + X → U → S	スリープ
⊞ + X → U → U	シャットダウン
⊞ + PrintScreen	スクリーンショット（即ファイル保存）
⊞ + 数字	タスクバーのアプリを起動／タスクの切り替え
⊞ + Alt + 数字	ジャンプリストの表示
⊞ + Tab	タスクビューの表示
⊞ + Shift + 数字	タスクバーの起動済みのアプリをもう 1 つ起動
⊞ + Shift + S	Snipping Tool の起動
⊞ + Ctrl + V	音声出力を開く
⊞ + ,	デスクトップを一時的にプレビュー
⊞ + ;	拡大鏡の起動
⊞ + − ／ ⊞ + +	拡大鏡起動時の縮小／拡大
Alt + Tab	Windows フリップ
Alt + Shift + Tab	Windows フリップ（逆回転）
Ctrl + Alt + Tab	Windows フリップ（表示したままに）
Ctrl + Shift + Esc	タスクマネージャーを開く

●ウィンドウ

ショートカットキー	操作内容
⊞ + D	すべてのウィンドウの最小化／復元
⊞ + M	すべてのウィンドウの最小化
⊞ + Shift + M	⊞ + M の復元
⊞ + Z	スナップレイアウトの表示
⊞ + ↑	ウィンドウの最大化
⊞ + →	ウィンドウの右半面スナップ
⊞ + ↓	ウィンドウのサイズを元に戻す／最小化
⊞ + ←	ウィンドウの左半面スナップ
⊞ + → + ↑	ウィンドウの右上 4 分の 1 スナップ
⊞ + → + ↓	ウィンドウの右下 4 分の 1 スナップ
⊞ + ← + ↑	ウィンドウの左上 4 分の 1 スナップ
⊞ + ← + ↓	ウィンドウの左下 4 分の 1 スナップ
⊞ + Shift + ↑	ウィンドウを縦方向のみに最大化
⊞ + Home	作業しているウィンドウ以外をすべて最小化
Alt + F4	ウィンドウを閉じる
Alt + Space → M	ウィンドウの移動
Alt + Space → N	ウィンドウの最小化
Alt + Space → S	ウィンドウのサイズをキーで変更
Alt + Space → X	ウィンドウの最大化

●仮想デスクトップ

ショートカットキー	操作内容
⊞ + Ctrl + D	新しいデスクトップの作成（仮想デスクトップ）
⊞ + Ctrl + F4	現在表示中のデスクトップを閉じる（仮想デスクトップ）
⊞ + Ctrl + →	右デスクトップに切り替え（仮想デスクトップ）
⊞ + Ctrl + ←	左デスクトップに切り替え（仮想デスクトップ）

●エクスプローラー

ショートカットキー	操作内容
⊞ + E	エクスプローラーを開く
Ctrl + E	検索（検索ボックス）にフォーカス
Ctrl + N	新しいウィンドウで開く
Ctrl + T	新しいタブの追加
Ctrl + W	エクスプローラーのタブを閉じる
Alt + D	アドレスバーに移動

Alt + P	プレビューウィンドウを開く
Alt + Shift + P	詳細ウィンドウを開く
Alt + ↑	上位フォルダーの表示
Alt + →	進む
Alt + ←	戻る
Alt + Enter	プロパティの表示
Shift + F10	ショートカットメニュー（右クリックメニュー）の表示
Ctrl + Shift + 1	特大アイコン表示
Ctrl + Shift + 2	大アイコン表示
Ctrl + Shift + 3	中アイコン表示
Ctrl + Shift + 4	小アイコン表示
Ctrl + Shift + 5	一覧表示
Ctrl + Shift + 6	詳細表示
Ctrl + Shift + 7	並べて表示
Ctrl + Shift + 8	コンテンツ表示
Ctrl + Shift + C	フルパスをテキストとして取得
Ctrl + Shift + N	フォルダーの作成
Delete	削除
Shift + Delete	ごみ箱に入れずに削除
F2	名前の変更

● Microsoft Edge

ショートカットキー	操作内容
Ctrl + D	お気に入りに登録
Ctrl + E	アドレスバーで検索
Ctrl + F	Web ページ内に含まれる文字列を検索
Ctrl + H	履歴を開く
Ctrl + M	タブのミュート
Ctrl + P	印刷（印刷プレビュー）
Ctrl + S	名前を付けて保存
Ctrl + T	新しいタブを作る
Ctrl + W	タブを閉じる
Ctrl + F5 ／ Ctrl + R	更新
Ctrl + +	拡大表示
Ctrl + −	縮小表示
Ctrl + 0	通常倍率表示
Alt + →	進む
Alt + ←	戻る

ショートカットキー	操作内容
Ctrl + 1～9 / Ctrl + Tab	タブの切り替え
Ctrl + Shift + E	Web ページ内の文字列でサイドバー検索
Ctrl + Shift + N	InPrivate ウィンドウを開く
Ctrl + Shift + O	お気に入りにアクセス
Ctrl + Shift + S	Web キャプチャ
Ctrl + Shift + T	直前に閉じたタブを復元

●アプリ全般

ショートカットキー	操作内容
Ctrl + A	すべて選択
Ctrl + C	コピー
Ctrl + P	印刷（対応アプリのみ）
Ctrl + S	保存
Ctrl + V	貼り付け
Ctrl + W	タブを閉じる
Ctrl + X	切り取り
Ctrl + Z	直前の操作を取り消す（アンドゥ）
PageDown	下スクロール
PageUp	上スクロール
Esc	キャンセル
⊞ + V	クリップボードの履歴を表示
Ctrl + Shift + C	書式のコピー（対応アプリのみ）
Ctrl + Shift + V	書式の貼り付け（対応アプリのみ）
Ctrl + Alt + V	形式選択貼り付け（対応アプリのみ）

●入力関連

ショートカットキー	操作内容
Tab	変換候補の一覧表示
⊞ + .	絵文字入力
Ctrl + U / F6	ひらがな変換
Ctrl + I / F7	カタカナ変換
Ctrl + O / F8	半角変換
Ctrl + P / F9	全角英数字変換
Ctrl + T / F10	半角英数字変換
Ctrl + 変換 → D	ユーザー辞書を開く
Ctrl + 変換 → O	Microsoft IME の単語登録
Ctrl + 変換 → S	Microsoft IME の設定

用語集

アルファベット

BCC（ビーシーシー）

「Blind Carbon Copy」の略で、指定したすべてのメールアドレスに同一内容のメールを送信する。CCと比べBCCで指定されたメールアドレスは差出人しかわからない。

Bing（ビング）

Microsoftが提供する検索サイト。Microsoft Edgeの標準検索エンジンでもある。

BitLocker（ビットロッカー）

ドライブの暗号化機能のことでデータの機密性を確保できる。内蔵ドライブに対してはTPMと紐づけた形で暗号化され、また外付けドライブに対してはBitLocker to Goが適用される。

Bluetooth（ブルートゥース）

無線通信技術の1つで、Wi-Fiとは異なり基本的に機器を1対1で接続する（マルチペアリング対応デバイスを除く）。Bluetoothデバイスを利用するにはペアリングが必要になる。

CC（シーシー）

「Carbon Copy」の略で、「CC」に指定したすべてのメールアドレスに同一内容のメールを送信する。

Clipchamp（クリップチャンプ）

Microsoftが提供する動画編集アプリであり、基本的な動画編集機能は無料で利用できる。AIビデオ作成などにも対応する。

exFAT（イーエックスファット）

FATを拡張したファイルシステムで16EiBまでサポートする。exFATはWindows 11やmacOS、iOS、Android、ChromeOSなどで利用できるが、古いOSや機器では利用できないことに注意。

FAT（ファット）

互換性が高いファイルシステムで、ほとんどのデバイスで利用可能。なお、1パーティションあたり、FATは4GBまで、FAT32は2TBまでサポートする。

Googleアカウント（グーグル アカウント）

Googleのクラウドサービス全般（Gmail・カレンダー・連絡先・Googleドライブなど）を利用するためのアカウントのこと。

HDD（ハードディスクドライブ）

「Hard Disk Drive」の略で、記憶媒体の1つ。データを読み書きするためのストレージであり、磁気ディスクで構成される。

Hyper-V（ハイパー ブイ）

Microsoft製の仮想化ソフトであり、物理マシン上で仮想マシンを作成して管理できる。メモリ・ストレージ・ライセンスなどを満たせば、複数の仮想マシンを管理できる。Windows 11 Pro ／ Enterprise ／ Educationなどの上位エディションでのみ利用可能。

IMAP（アイマップ）

「Internet Message Access Protocol」の略で、メールを受信するための通信方式の1つ。メールサーバーで情報を管理しているため、複数のデバイスからメールを送受信できる点が優れる。

IMEパッド（アイエムイーパッド）

Microsoft IMEの機能の1つで、手書き・ソフトキーボード・画数などで文字を入力できるパッド。

InPrivateウィンドウ（インプライベートウィンドウ）

Microsoft EdgeでCookie・一時ファイル・履歴などの閲覧データをPCに保存せずにWebページを表示する機能。

Internet Explorer（インターネット エクスプローラー）

古いWindowsに搭載されていた標準的なWebブラウザー。現在はサポートを終了しており、セキュリティリスクが存在するため利用は推奨されない。

Internet Explorerモード（インターネット エクスプローラーモード）

Microsoft Edgeでは正しく表示・動作しないInternet Explorer向けのWebやサービスなどを、Microsoft Edgeで動作させる機能。

LAN（ラン）

「Local Area Network」の略で、建物内や部屋内など限られた範囲でのネットワークのこと。

MACアドレス（マックアドレス）

ネットワークアダプターが持つ固有の番号のこと。「XX-XX-XX-XX-XX-XX」という形で示され、「XX」は00 〜 FFの数値（16進数）が割り当てられる。Windowsでは「物理アドレス」とも言う。

Microsoft Defender（マイクロソフト ディフェンダー）

Microsoftが提供するWindows 11標準のセキュリティ機能。一般的な統合セキュリティソフトにあたる。旧称は「Windows Defender」。

Microsoft Edge（マイクロソフト エッジ）

Microsoft製のWebブラウザー。Chromeと同じChromiumベースのWebブラウザーで、以前のInternet Explorerと比べてセキュアで高機能なのが特徴。

Microsoft IME（マイクロソフト アイエムイー）

Windows標準の言語入力システムのこと。日本語版Windowsにおいては標準の日本語入力システム。「MS-IME」と表記されることもある。

Microsoft Store（マイクロソフト ストア）

Microsoft公式のストアであり、さまざまなアプリを検索して導入できる。Web上からダウンロードして導入するアプリよりも安全性が高いのが特徴。

Microsoftアカウント（マイクロソフト アカウント）

Microsoftの製品とサービスにアクセスするために必要なアカウント。ユーザー情報をクラウドに保存する。Windows 11のすべての機能を利用するためには必須のアカウント。

Miracast（ミラキャスト）

ディスプレイ伝送技術であり、ワイヤレスでディスプレイ出力を実現する。PCとディスプレイ（モニター）間のほか、デバイスが対応していればPCとスマートフォン間やPCとPC間のワイヤレスディスプレイ出力も可能。

NTFS（エヌティーエフエス）

Windowsの標準的なファイルシステムであり、PCでの利用を前提としている。Windows以外のデバイスでは基本利用できない点に注意。

NumLock（ナムロックキー）

キーボードを数字入力に切り替えるキー。

OCR（オーシーアール）

「Optical Character Recognition」の略で、画像データ内の文字列を認識して、テキストデータに変換すること。光学文字認識機能。

OneDrive（ワンドライブ）

Microsoft社が提供するオンラインストーレジサービス。Windows 11の標準クラウドでもあり、エクスプローラーと連携してシームレスにクラウドストレージを利用できる。

OS（オーエス）

「Operating System」の略で、PCやアプリを動かす土台となるプログラム。本書ではWindows 11のこと。

Outlook（アウトルック）

Outlookの意味は場面によって異なり、サービス名を示すこともあれば、Microsoft Officeスイートのメールアプリを示すことや、Windows 11標準のメールアプリを示すこともある。

Outlook for Windows（アウトルック フォー ウィンドウズ）

Windows 11標準のメールアプリのこと。「新しいOutlook」や「Outlook(new)」などと表記されることもあり、Web版のOutlookと近いUIを持つ。

PC名（ピーシーメイ）

ネットワーク上で個々のPCを識別するための名前のこと。Windows 11では場面によって「コンピューター名」「デバイス名」とも表記される。

PDF（ピーディーエフ）

「Portable Document Format」の略で、文書や画像などを印刷したときと同じレイアウトで保存できるフォーマット。

PIN（ピン）

「Personal Identification Number」の略で、パスワードを利用せずにサインインできる暗証番号のこと。

Snipping Tool（スニッピング ツール）

Windowsのデスクトップ画面をスクリーンショットできるアプリのこと。矩形選択やウィンドウ指定でスクリーンショットでき、動画キャプチャにも対応する。スクリーンショットした画像を任意に編集することも可能。

SSD（ソリッドステートドライブ）

「Solid State Drive」の略で、フラッシュメモリを記憶媒体としたドライブ。最近のPCではOS領域として標準的にSSDが利用されている。

SSID（エスエスアイディー）

「Service Set Identifier」の略で、Wi-Fiにおけるネットワークを識別する名前。アクセスポイント名のこと。

TPM（ティーピーエム）

「Trusted Platform Module」の略で、セキュリティ機能を提供するためのモジュール。Windows 11を利用するにはTPM 2.0が必須になる。

UAC（ユーエーシー）

「User Account Control」の略で、ユーザーアカウント制御のこと。アプリがソフトウェアをインストールする場合や、システムの変更に対して画面を暗転して警告を発する機能。

UEFI（ユーイーエフアイ）

「Unified Extensible Firmware Interface」の略で、PCのハードウェア制御とOS起動するためのシステムのこと。

UI（ユーアイ）

「User Interface」の略で、ユーザーとシステム・アプリ・製品・サービスなどをつなぐ接点のこと。

URL（ユーアールエル）

「Uniform Resource Locator」の略で、インターネット上のWebサイトやファイルの位置を示す文字列のこと。WebブラウザーのアドレスバーでURLを指定することでWebページなどにアクセスできる。

USB（ユーエスビー）

「Universal Serial Bus」の略で、PCと周辺機器をつなぐ代表的なインターフェース。USB Type-Cなどのコネクタや通信速度の違いなどで複数の規格が存在する。

USBメモリ（ユーエスビーメモリ）

USBポートに着脱可能なフラッシュメモリのこと。

Webブラウザー（ウェブブラウザー）

WebサイトやWebページを閲覧するためのソフトウェアのこと。Microsoft EdgeやGoogle Chromeが代表的。

Wi-Fi（ワイファイ）

無線通信技術の1つで、ケーブル不要でLANを構築できる。Wi-Fi 6E／Wi-Fi 6／Wi-Fi 5などの規格のほか、周波数帯域として2.4GHz／5GHz／6GHzが存在する。

Wi-Fi規格（ワイファイキカク）

IEEE 802.11ax／IEEE 802.11acなど、「IEEE 802.11～」という規格名になるが、2019年にわかりやすく一般として「Wi-Fi 6」「Wi-Fi 5」などが割り当てられた。

Windows Hello（ウィンドウズ ハロー）

パスワードを利用せずに顔認証／指紋認証／PINを利用して、サインインできる認証機能のこと。

Windows PowerShell（ウィンドウズ パワーシェル）

コマンドを実行するためのシェルの1つ。コマンドプロンプトより機能が拡張されて、コマンドレットを利用して高度な処理を行える。

Windows Subsystem for Android（ウィンドウズ サブシステム フォー アンドロイド）

Windows上でAndroidアプリを動作させる仕組みのこと。要件を満たしていれば、Amazonアプリストアから導入したAndroidアプリを利用できる。

Windows Update（ウィンドウズ アップデート）

更新プログラムをダウンロードしてインストールする機能のこと。Windowsを最新の状態に保ち、新機能やセキュリティを確保できる。

Windowsサンドボックス

Windows上で仮想化したWindowsを起動してホスト（Windows 11）に影響のない範囲でアプリを試すことができる機能のこと。終了時には変更内容はすべて破棄されるのが特徴。Windows 11 Pro／Enterprise／Educationなどの上位エディションでのみ利用可能。

Windowsスポットライト

日替わりの壁紙のことで、風景などのMicrosoftが提案する写真を、ロック画面やデスクトップの背景として利用できる機能。

Windowsセキュリティ

Windowsのセキュリティの概要（PCのセキュリティ状態）がまとめられたメニュー。PCに必要とされるセキュリティを確認できる。

Windowsのバージョン名

Windowsの新旧を区分するための版やリリース番号のことで、Windows 11のバージョンでは「23H2」などと表記される。前の2桁は西暦20XXのXXを示し、末尾の「H1」は前期、「H2」は後期であることを示している。

Windowsフリップ

従来のWindowsからあるタスクの切り替え機能の1つで、デスクトップを表示したまま、ウィンドウのサムネイルの一覧から任意のタスクに切り替えることができる。

Windowsメモリ診断

メモリが正常に読み書きできるかをPCに負荷をかけた状態で確認するツール。新しいメモリを増設した際やPCが不安定な場合の正常動作チェックに役立つ。

Windowsモビリティセンター

ディスプレイの明るさ・音量・画面回転を1つのコンソールで設定できる機能のこと。バッテリー搭載機のみ利用できる。

ZIPファイル（ジップファイル）

PCで一般的に利用されている圧縮フォーマット（アーカイブ形式）の1つで、容量を圧縮できるほか、複数のファイルを1つのZIPファイルにまとめることもできる。

あ行

アカウントの種類

Windowsにおけるアカウントの種類には「管理者」と「標準ユーザー」が存在する。なお、サインインできるアカウントにはMicrosoftアカウントとローカルアカウントがあるが、それとは別の種別である。

アクセシビリティ

利用のしやすさのことで、Windows 11ではアクセシビリティとしてテキストのサイズ・マウスポインターの色やサイズ・テキストカーソルの外観などを設定できる。

圧縮ファイル

ファイルを圧縮してファイルサイズを小さくしたものを「圧縮ファイル」と言う。圧縮ファイルは、複数のファイルを1つにまとめることもできる。

アドレスバー［Webブラウザー］

WebブラウザーにおけるWebページのアドレスを表示する部位。検索キーワードを直接入力してWeb検索することや、URLを直接指定してWebページにジャンプすることも可能。

アドレスバー［エクスプローラー］

エクスプローラーにおける現在表示してるパスを表示する部位。また、アドレスバーからパスを直接指定してフォルダーにジャンプすることも可能。

アニメーション効果

表示を行う際にアニメーションを交える視覚効果。Windows 11のデスクトップにおいてアニメーション効果は随所で行われている。

アンインストール

PC（Windows 11）から、アプリを削除すること。

暗号化キー［Wi-Fi］

Wi-Fiにおけるアクセスポイントに接続する際のパスワードに該当するもの。ネットワークセキュリティキーとも呼ばれる。

暗号化

第三者がデータの内容を簡単に解読できない状態にすること。Windows 11のBitLockerにおいてはTPMと紐づけられて暗号化が行われ該当PC以外からはデータの読み書きができない状態になり、解除するには回復キーが必要。

安全な取り外し

外付けストレージなどを安全に取り外すための操作。通知領域や該当ドライブのアイコンから操作できる。

アンドゥ

すでに行った操作を取り消すこと。基本的には直前の操作の取り消しになる。

一時ファイル

アプリやシステムにおいて動作のために一時的に作成されるファイルのこと。テンポラリファイルとも言う。

位置情報［Windows 11］

PCの現在の位置を管理するサービスのこと。GPSがなくてもネットワークである程度の位置は計測される。位置情報へのアクセス許可はアプリごとに設定できる。

位置情報［写真］

写真ファイルに埋め込まれた位置情報のこと。緯度・経度・高度などがGPS情報として書き込まれている。プロパティの詳細で確認できる。

イベント

Outlookの予定表における「予定」のこと。イベントではタイトルや時間範囲、メモなどを記述できる。

イベントサウンド

PC上で起こったイベントに対して効果音を発する機能あるいは音声のこと。エラー音やシステム通知音など。Windowsでは各場面に各サウンド（効果音）を設定できるほか、サウンドなしにもできる。

インターネットサービスプロバイダー（ISP）

インターネット接続サービスを提供する組織のこと。単に「プロバイダー」と呼ばれることもある。

インポート

ファイル化されているデータをアプリなどに取り込むこと。情報の復元に利用できるほか、異なるアプリ間でのデータの受け渡しなどに用いる。

ウィジェットボード

指定したアプリやサービスの情報を小さなカードとして表示するウィジェットを、一覧化したボードのこと。

ウイルス

本来はプログラムなどに寄生する悪意のことを示すが、一般的には悪意の総称（本来はマルウェアと呼ぶべきもの）として示されることも多い。

ウィンドウのシェイク

ウィンドウのタイトルバーを左右に小刻みにドラッグする操作のこと。設定で「タイトルバーウィンドウのシェイク」がオンになっていれば、ウィンドウのシェイクでアクティブウィンドウ以外を最小化できる。

エクスプローラー

Windows 11におけるファイル管理する標準アプリのこと。開いているフォルダーのファイルを参照できるほか、ファイルのコピー／移動／削除などが可能。

エクスポート

外部にデータを出力することを示し、多くはデータをファイル化することを意味する。対義語は「インポート」になる。

閲覧ウィンドウ［Outlook］

Outlookのメールにおける、メールをウィンドウで開かずにメインウィンドウのままメール内容を確認できる部位のこと。

絵文字パネル

絵文字を簡単に入力できるパネルのこと。絵文字以外にも記号・顔文字・GIFアニメなども入力できる。

オートコンプリート

過去の履歴や予測できるキーワードを自動的に入力する機能のこと。検索ボックスなどにある機能で、候補を自動的に表示する。

お気に入り

よく閲覧するWebサイトやWebページをWebブラウザーに記憶させておく機能。ブックマークとも言う。

オフライン

ネットワークに接続していない状態、あるいはサービスに接続していない状態のこと。一般的には「インターネットに接続していない状態」を示す。対義語は「オンライン」になる。

音声ミキサー

音声出力において、アプリごとに音量を調整できる機能のこと。

オンライン

ネットワークやサービスに接続している状態を意味するが、一般的には「インターネットに接続している状態」のことを示す。対義語は「オフライン」になる。

か行

開封済み

Outlookにおいて開封したメールを示す。一般的に「既読」と言わることもあるが、Outlookでは「開封済み」という表現が用いられている。対義語は「未開封」（未読）。

回復キー

BitLockerにおける暗号を解除してデータを回復するための暗証コード。BitLockerを適用する際には、ウィザード中に該当PC以外の媒体への回復キーの保存が促される。

回復ドライブ

PCに問題が起こった際にWindowsの修復・回復に利用できるドライブのこと。回復ドライブは外付けストレージ（一般的にUSBメモリ）に作成する。

回復のオプション

トラブルシューティングにアクセスするための回復のオプションメニューのこと。Windowsシステムを読み込んでいない状態であるため、Windowsの修復が行いやすい。

可逆圧縮

圧縮の際データを簡略化せず、デコードの際に完全に元の状態に復元できる圧縮。ロスがないためロスレス圧縮とも言う。

拡大鏡

デスクトップの一部表示を拡大して表示できるアプリのこと。

拡張子

ファイルの種別を識別するための文字列で、ファイル名における最後の「.」（ピリオド）以降の文字列。例えば、JPEG画像ファイルにおける「.jpg」、Word文書ファイルにおける「.docx」の部分のこと。

仮想タッチパッド

一般的なノートPCにあるタッチパッドをデスクトップ上で仮想的に実現する機能のこと。画面上の仮想タッチパッドをタッチすることで物理的なタッチパッド同様に操作できる。

仮想デスクトップ

Windows 11では、デスクトップを仮想的に増やすことができ、各デスクトップにウィンドウを配置したうえで表示を切り替えてデスクトップを広く使うことができる機能のこと。

かな入力

キーボードの各キーに表記されている「ひらがな」で日本語入力を行うこと。日本語入力を「かな入力」で行うにはMicrosoft IMEの設定が必要。

顔認証

カメラで本人確認してサインインすること。Windows Hello顔認証においてはIRカメラが必要になる（一般的なWebカメラでは顔認証不可）。

画面キャプチャ

スクリーンショットと同意であり、デスクトップ画面やウィンドウ画面をそのまま画像として保存すること。

管理者

ユーザーのアカウントの種類における「管理者」は、PCへの完全なアクセス権を持ち、システムに対する操作や設定が可能。

偽警告

セキュリティに問題がないにもかかわらずウイルス警告、PCに問題がないにもかかわらずトラブル警告を行うなどのいわゆる「嘘の警告」のこと。メッセージに従ってしまうと逆にセキュリティリスクを抱えたりPCトラブルが起こることになる。「フェイクアラート」とも言う。

既定のアプリ

ファイルの種類（拡張子）に従って、ファイルを開いた際に標準で起動するアプリのこと。ファイルをダブルクリックしたときに開くのが既定のアプリになる。

既読

すでに内容を確認したメールのこと。Outlookでは「開封済み」とも言う。対義語は「未開封」（未読）。

機能更新プログラム

Windows Updateにおいて配布される、Windowsの機能を更新するプログラム。Windowsバージョンを更新し、新機能の追加のほか、機能の廃止や仕様変更なども含む。

キャッシュ

一度閲覧したWebページ情報をファイルとして保存しておき、次回閲覧する際に保存した情報を参照して素早くWebページを表示するための仕組みのこと。

ギャラリー

エクスプローラーにおいて対象フォルダー内にある画像をまとめて一覧表示する機能のこと。

強制終了［PC］

PCを強制的に終了すること。OSは常に読み書きが行われているため、最悪OSクラッシュを招く可能性がある。ハングアップなどどうしても電源が切れない場合にのみ行うべき操作。

強制終了［アプリ］

対象のアプリを強制終了すること。タスクマネージャーからの操作が基本。対象アプリがどうしても終了できない場合や操作できないなどの最終手段として行う操作。

クイックアクセス

エクスプローラーにおいてよく使うフォルダーやファイルに素早くアクセスできる場所のこと。ホームやナビゲーションウィンドウからアクセスできる。

クイック設定

Bluetooth・Wi-Fi（無線LAN）・音量など、よく使う機能をすぐに設定できるメニュー。ノートPCであれば画面の明るさ、タブレットであれば画面の回転なども制御できる。

クラウド

インターネット経由でサービスを提供する形態のこと。ネットワークを通じてクラウドサーバーが提供するサービスを、必要なときに必要な分だけ利用できるのが特徴。

クラウドストレージ

オンラインでファイルにアクセス・共有できるサービスのこと。ファイルをインターネットの先にあるクラウドサーバーに置くことで、いつでも・どこでも・どのデバイスからでもファイルにアクセス可能なのが特徴。

クリックリンクメニュー

[スタート] ボタンを右クリックすることで表示できる、よく利用する操作や設定をまとめたメニューのこと。

クリップボード

テキストや画像などのオブジェクトをコピー／切り取りした際に、一時的に保存される場所のこと。通常は1つだけ保存されるが、「クリップボードの履歴」をオンにすれば、複数の項目を保存でき、内容を表示できる。

クロック

時刻の確認のほか、タイマー、アラーム、ストップウォッチなどが可能なアプリ。フォーカスセッションで利用するアプリでもある。

検索エンジン

インターネット上に存在するWebページなどを探すためのサービスのこと。画像や動画なども探し出すことができる。GoogleやBingなどが有名。

更新の一時停止

Windows Updateにおける更新プログラムのダウンロードやインストールを一時的に停止すること。

更新プログラム

Windowsにおいてシステムなどに対する新しい機能の追加やサービスの修正のためのプログラムのこと。「品質更新プログラム」や「機能更新プログラム」などが存在する。

項目チェックボックス

エクスプローラーにおけるフォルダーやファイルをチェックボックスで選択できる方式のこと。タッチ対応PCではデフォルトで有効になっている。

固定回線

光回線、CATV回線などの物理的に接続するインターネット回線のこと。一般的にONU ／モデム経由でWi-Fiルーターに接続して利用する。

コマンドプロンプト

コマンドを実行するためのシェルの1つで、CUI（Character User Interface）であり、画像やアイコンを使わず、文字だけで命令を実行する。

ごみ箱

フォルダーやファイルを削除した際に、一時的に削除したアイテムを保管しておく機能・場所。ごみ箱を開くことで以前削除したファイルを復元できるが、完全削除や容量が大きいファイルなどは復元できない。

コントロールパネル

PCやWindowsの設定項目をひとまとめにしたフォルダーで、デバイス・システム・セキュリティなどの各種設定を行うことができる。

コンピューター名

ネットワーク上で個々のPCを識別するための名前のこと。Windows 11では場面によって「PC名」「デバイス名」とも表記される。

さ行

サイドバー

Microsoft Edgeにおいて、右端で展開するCopilotや電卓や翻訳などのツールを利用できる場所のこと。

サイドバー検索

Microsoft Edgeにおいて、現在表示しているWebページは保持したまま、サイドバーで検索を行う機能のこと。

サインアウト

サービスにサインインしていたアカウントの利用を終了して、認証を解除すること。サービスや場面によっては「ログアウト」などとも呼ばれる。

サインイン

サービスを利用する際に、IDやパスワードなどを使って本人確認を行う作業のこと。サービスや場面によっては「ログイン」「ログオン」などとも呼ばれる。

サインインオプション

サインインするための方法のことで、Windowsでは顔認証／指紋認証／ PINなどがある。

サウンドレコーダー

PCのマイクを利用して音を録音できるアプリ。バージョンによってはボイスレコーダーという名称になる。

サブスクリプション

商品やサービスを買いきりで所有するのではなく、月額や年額などの定額料金を支払うことで商品やサービスを一定期間利用できる仕組みのこと。

サムネイル

画像を縮小して表示したもの。Windows 11ではフォトやギャラリーで写真をサムネイルで確認できるほか、タスクバーアイコンをホバーした際やタスクビューではウィンドウをサムネイルで確認できる。

システムトレイ

デスクトップ下部のタスクバー右端にある「通知領域」のこと。タスクトレイとも言う。

下書き

未送信のメールを送信せずに閉じた際に、メールを「下書き」に保存する機能。あるいは下書きメールのこと。

自動再生

リムーバブルドライブ・メモリーカード・BD/DVD/CDメディアを挿入した際に自動的に実行されるアクションのこと。

指紋認証

指紋で本人確認してサインインすること。Windows Hello 指紋認証を利用するには、PCに指紋リーダーが搭載されている必要がある。

ジャンプリスト

タスクバーアイコンを右クリックした際に表示されるリストで、アプリ固有の操作やアプリで開いた履歴にアクセスできる。

詳細ウィンドウ

エクスプローラーにおける、ファイルの詳細を確認できるウィンドウのこと。ファイルのタグなどを編集することも可能。

ショートカットアイコン

目的のアプリやファイルを素早く利用するために使用するアイコンのこと。エイリアスであるため削除しても本体には影響しない。

垂直タブ［Microsoft Edge］

Microsoft Edgeにおいて、タブがウィンドウの左側で展開されている状態で、水平タブと比べてタイトルを長く表示できるほか、タブの切り替えもスムーズに行える。

水平タブ［Microsoft Edge］

Microsoft Edgeにおいて、タブがウィンドウの上部で展開されている状態のこと。一般的なタブのこと。

スクリーンキーボード

デスクトップ上で表示されるソフトウェアのキーボードのこと。スクリーンキーボード上のキーをクリックすることで入力が可能。ソフトキーボードとも言う。

スクリーンショット

デスクトップ画面やウィンドウ画面をそのまま画像として保存できる機能のこと。「スクショ」「画面キャプチャ」とも言う。

スクリーンセーバー

本来はディブレイの焼き付きを防ぐための機能だが、現在では一定時間無操作状態が続いた際にスリープせずにロックするために利用する。

スケジュール送信

Outlookにおいて、メールを指定した日時に従って送信する機能のこと。

スタートアップフォルダー

サインインした際に自動的に起動するアプリのショートカットを登録する場所。以前のWindowsでは［スタート］メニューに存在したフォルダーだが、Windows 11ではコマンドで開く必要がある。

スタートアップ修復

Windows起動時に問題が起こった際に、ブート情報などを診断して正常に起動できるように修復を行う機能のこと。

ステルス設定

Wi-FiアクセスポイントにおけるSSIDを隠す設定のこと。Wi-Fi接続の際にはSSID（アクセスポイント名）の入力が必要になる。

ストレージセンサー

ストレージ上の不要なファイルである一時ファイルやごみ箱内のファイルを削除して、空き容量を増やす機能。

スナップ

ウィンドウを並べて表示する機能であり、画面端に吸着する形でデスクトップ上に無駄なくウィンドウを並べることができる。

スパイウェア

マルウェアの一種で、ユーザーの許可なく行動や個人情報を収集して送信するソフトウェアのこと。

すべてのアプリ

［スタート］メニューを開いた際に表示される「ピン留め済み」は登録したアプリのみが表示されるのに対して、「すべてのアプリ」では［スタート］メニューに登録されているすべてのアプリを一覧で確認できる。

スレッド表示

Outlookの受信トレイにて同種のメールをまとめて表示する機能。同じ件名を持つ受信メールや返信メールがグループ化される。

脆弱性

プログラムの不具合や設計ミスのこと。悪意あるものは脆弱性を突いて攻撃を行う。Windowsにおいては、脆弱性対策のためにもWindows Updateによる更新プログラムの適用が必要になる。

セーフモード

必要最小限のシステムとデバイスドライバーを読み込んでWindowsを起動するモードのこと。新しいアプリや周辺機器を導入した際のトラブルシュートなどに活用できる。

セキュリティプロバイダー

WindowsにおいてPCを保護するアプリとサービスを提供しているセキュリティソフトのこと。Windows 11での標準ウイルス対策機能は「Microsoft Defenderウイルス対策」が担う。

セマンティックズーム

［スタート］メニューの「すべてのアプリ」のインデックスをクリックした際に、インデックスの一覧を表示して目的の位置にジャンプする機能。

全画面表示

エクスプローラーやMicrosoft Edgeなど、アプリの表示でタイトルバーやアドレスバーなどのウィンドウ要素がない全画面での表示のこと。

センターボタン

マウスの左クリックボタンと右クリックボタンの間にあるボタン。多くのマウスにおいて、ホイールボタンのこと。

ソフトキーボード

デスクトップ上で表示されるソフトウェアのキーボード。ソフトキーボード上のキーをクリックすることで入力が可能。スクリーンキーボードとも言う。

た行

タイトルバー

ウィンドウの上部にある帯状の部位。一部のアプリを除いてアプリ名（タイトル）が表示されていることが多い。

ダウンロードフォルダー

ユーザーのファイル（ユーザーフォルダー）における、Webブラウザーなどからダウンロードしたファイルを管理するフォルダー。

タスクビュー

タスクバーの「タスクビュー」ボタンをクリックすることで表示できる画面で、タスクの切り替えやウィンドウのスナップ指定、仮想デスクトップの管理などを行うことができる。

タスクマネージャー

PCのアプリやプログラムの状態を確認・管理できる機能。CPU・メモリ・GPU・ストレージ・ネットワークなどのパフォーマンスを確認することや、スタートアップアプリを管理することもできる。

タッチキーボード

画面タッチで入力を行うためのデスクトップ上に表示されるキーボード。タッチ対応PCで活用するのが基本だが、マウスで操作することもできる。

タブ

エクスプローラーやWebブラウザーの最上部で複数のフォルダー／Webを切り替えて利用するための見出し部分。以前のエクスプローラーにおいては複数のフォルダーにアクセスするためには複数のエクスプローラーを展開する必要があったが、タブを使用することで異なるフォルダーを1つのエクスプローラーで管理できる。

通知領域

デスクトップ下部のタスクバー右端にある通知アイコンを表示する領域のこと。システムトレイとも言う。

通知アイコン

通知領域に表示されるシステムやアプリからの通知や状態を示すアイコンのこと。

通知センター

通知の一覧を確認でき、通知センター表示に指定された通知や、見逃した通知バナーなどを確認できる。

通知バナー

デスクトップの右下に表示される横長長方形のメッセージのこと。システムやアプリの通知が表示される。トースト通知とも言う。

ディスククリーンアップ

ストレージにある不要ファイルを選択して削除できるツール。システムファイルなども削除できる。

データのクリーニング

ファイルを読み書きしたストレージはファイルを削除してもデータの痕跡が残るため修復することは不可能ではないが、このようなデータの痕跡を含め完全に削除する操作のこと。

テキストアクション

Snipping Toolにおける画像内文字（画像化されている文字）をOCRして、テキスト化できる機能のこと。

テザリング

スマートフォンなどモバイルデータ通信可能なデバイスを無線LAN親機のアクセスポイントとして設定して、他のデバイスでもインターネット接続を可能にする機能。

デスクトップ

サインイン直後に表示される画面のこと。アイコンを配置したりウィンドウを展開できる作業領域のこと。

デバイスドライバー

OSとデバイスの間で相互のやり取りを可能にするためのソフトウェアのこと。Windowsでデバイスを制御するためにはデバイスドライバーが必要。

デバイスマネージャー

Windowsの管理ツールの1つで、PCを構成しているパーツや接続周辺機器などを確認できる。

デバイス名

ネットワーク上で個々のPCを識別するための名前のこと。Windows 11では場面によって「PC名」「コンピューター名」とも表記される。

デフラグ

ストレージのフラグメンテーションを解消して最適化する処理のこと。ファイルの断片化を解消できる。

電源ボタン

PCを起動できるボタンであるほか、Windows 11起動中の電源ボタンに対してはシャットダウン／スリープ／何もしないなどの任意の電源動作を割り当てることができる。

転送

メールを転送すること。メールを転送する際には、件名が「FW:〜」になるが、これは「Forward」（転送）の略である。

添付ファイル

メールに本文に添付する（あるいは添付されてくる）ファイルのこと。文書・画像・音声などのデータファイルや圧縮ファイルなどを添付できる。

透明効果

デスクトップにウィンドウや［スタート］メニューを表示した際、背面が透けて見える効果のこと。一般的なWindows 11 PCではこの透明効果が適用されているが、オフにすることもできる。

ドキュメントフォルダー

ユーザーのファイル（ユーザーフォルダー）における、個人データを管理するためのフォルダー。

トグルスイッチ

同じ操作でオン／オフを切り替えられるスイッチ。あるいは、同じ操作で2つ以上のパターンが巡回すること。

ドメイン

インターネット上の住所のこと。「https://hjsk.jp」であれば「hjsk.jp」、メールアドレス「abc@win11.jp」であれば「@」以下の「win11.jp」がドメインになる。

トリム

SSDにおいて、フラッシュメモリ上に消去されず残存するデータを削除して最適化する処理のこと。

な行

ナビゲーションウィンドウ

エクスプローラーにおける左側のウィンドウのことで、「ドライブ」「ホーム」「ギャラリー」「OneDrive」のほか、「クイックアクセス」からよく利用するフォルダーなどにアクセスできる。

2段階認証

ID・パスワードによる認証の後に、スマホアプリ・SMS・音声案内・メールなどで本人確認を行い、より安全にサインインするための仕組み。

入力履歴

Microsoft IMEでの入力（変換）した情報を次回以降の入力に活用する機能のこと。入力履歴は消去できるほか、利用しない設定も可能。

入力インジケーター

Microsoft IMEの日本語入力オン／オフを確認できるシステムアイコン。日本語入力オンは「あ」、日本語入力オフ（直接入力）は「A」になる。

ネットワークセキュリティキー

Wi-Fiにおけるアクセスポイントに接続する際のパスワードに該当するもの。暗号化キーとも呼ばれる。

は行

バーコードリーダー

バーコードを読み取る機能のこと。Windows 11では「カメラ」（アプリ）でQRコードを読み取りできる。

パス

フォルダーやファイルの場所を示す情報のこと。エクスプローラーにおいてはアドレスバーをクリックすることで確認できる。

パスワードリスト攻撃

悪意あるものが入手したユーザー名とパスワードを利用して、他のサービスのログインを試みる攻撃のこと。パスワードリスト攻撃対策として、他のサービスで利用しているパスワードは利用しないことが望まれる。

バッテリーアイコン

通知領域に表示されているバッテリーの状態を示すアイコンのこと。バッテリー搭載機におけるバッテリーの残量を確認できる。

パブリックネットワーク

ネットワークプロファイルの1つで、外部から該当PCへのネットワーク接続を許可しない（公開しない）プロファイル。

ハングアップ

システムやアプリ（プログラム）が異常をきたして、停止して操作不能な状態のこと。

ピクチャフォルダー

ユーザーのファイル（ユーザーフォルダー）における、画像を管理するためのフォルダー。

ビデオフォルダー

ユーザーのファイル（ユーザーフォルダー）における、動画を管理するためのフォルダー。

評価ベースの保護

悪意や望ましくない動作をする可能性があるアプリ・ファイル・WebからPCを保護する機能。なお、あくまでも「悪意の可能性がある～」であるため、実際には悪意が含まれないものもブロックしてしまうこともある。

標準ユーザー

ユーザーのアカウントの種類における「標準ユーザー」は、「管理者」とは異なりシステムに対する操作や設定の権限がなく、個人の範囲（他のユーザーに影響のない）の設定のみ許可される。

品質更新プログラム

Windows Updateにおいて配布される、不具合の修正などWindowsの品質を更新するプログラム。脆弱性対策などセキュリティ対策に欠かせない更新。

ピン留め

必要なアプリやよく使う項目を登録して留めておくこと。ピン留めは[スタート]メニュー、タスクバー、ジャンプリストなどで活用できる。

ファイアウォール

ネットワークの通信において、アプリやポートの通信許可や拒否を設定できる機能。不正アクセスやサイバー攻撃を防御できる。

ファイルオンデマンド

ファイル本体をクラウドストレージ上に保存して、ファイルを開く際にダウンロードする機能のこと。ローカルストレージを消費しないなどの利点がある。

フェイクアラート

セキュリティに問題がないにもかかわらずウイルス警告、PCに問題がないにもかかわらずトラブル警告を行うなどのいわゆる「嘘の警告」のこと。メッセージに従ってしまうと逆にセキュリティリスクを抱えたりPCトラブルが起こることになる。「偽警告」とも言う。

フォーカスセッション

作業に集中するために応答不可モードになる機能。一定時間通知を停止して、作業に集中するための機能。

フォーマット

ドライブや領域に対する初期化を意味する。メディアやドライブをフォーマットするとデータは消去される。

フォト

Windows 11において写真を管理する標準アプリ。ピクチャフォルダー内の画像をまとめて表示できるほか、各画像を表示・編集できる。

付箋

デスクトップで付箋（ふせん）を管理できるアプリ。メモの色や数を変更できるほか、同一Microsoftアカウントを利用するデバイス間でメモの同期が可能。

物理アドレス

ネットワークアダプターが持つ固有の番号のこと。「XX-XX-XX-XX-XX-XX」という形で示され、「XX」は00 ～ FFの数値（16進数）が割り当てられる。なお、Windowsでは物理アドレスという言葉が用いられているが、一般的には「MACアドレス」という。

プライベートネットワーク

ネットワークプロファイルの1つで、外部から該当PCへのネットワーク接続を許可する（公開する）プロファイル。主にサーバー用途のPCやリモートデスクトップを許可したいPCなどに適用するネットワークプロファイル。

プライベートモード［Microsoft IME］

Microsoft IMEにおける学習を行わない入力モード。通常は入力履歴の学習を行うため再表示されることがあるが、プライベートモードであれば履歴は再表示されないためプライバシーを確保できる。

フラグメンテーション

ファイルの断片化のことを意味し、HDDにおいてはディスク上にデータを書き込む関係上、断片化が起こると読み書きの速度が低下するほか、安定性にも影響する。

プラットフォーム

Windowsのシステム情報におけるプラットフォームでは、デスクトップ・ノートPC・スレート（タブレット）などのPCの種別を意味する。

ブルートフォースアタック

あらゆるパターンのパスワードを総当たりして強制的に不正ログインする攻撃のこと。ブルートフォースアタック対策として、パスワードは規則性がなく複雑であることが望まれる。

フルパス

最上位階層からフォルダーやファイルの場所を示す情報のこと。PCのローカルドライブ内のフォルダーであれば「[ドライブ名]:¥[フォルダー名]」という形で表記される。

プレビューウィンドウ［エクスプローラー］

エクスプローラーにおける、データの内容を確認できるウィンドウのこと。

プログラムの優先度

Windowsの動作において、CPUリソースをアプリ（プログラム）に優先的に割り当てる設定のこと。プログラムの優先度は、タスクマネージャーで「リアルタイム」「高」「通常」「低」などに任意に割り当てることができる。

分割画面［Microsoft Edge］

1つのMicrosoft Edgeのウィンドウ（タブ）で2つの画面を表示する機能のこと。

ペアリング

Bluetoothにおいて、親機（PC）と子機（Bluetoothデバイス）を接続するための設定のこと。

ペイント

絵を描いたり、色を塗ったりできるアプリ。背景の削除やレイヤー機能なども備える。

ページ内の検索

Microsoft EdgeなどのWebブラウザーにおいて、検索エンジンを用いたWeb検索ではなく、現在表示しているWebページ内の文字列を検索する操作のこと。

返信

メールを返信すること。メールを返信する際には、件名が「RE: ～」になるが、これは「Reply」の略で（あるいはラテン語の「res」）、「応える」あるいは「～について」という意味になる。

ホイールボタン

物理的なマウスにおいて、ホイール部分をボタンとして利用できる部位のこと。センターボタンとも言う。

ホームページ

Webサイトのトップページ（ホーム）を意味するが、Webサイトそのものの意味でとらえられることもある。

ホームボタン

Microsoft Edgeにおいて、クリックするだけで指定のページを素早く表示できるボタン。以前のWebブラウザーでは標準的に存在したが、Microsoft Edgeではカスタマイズで表示設定する必要がある。

ホームルーター

SIM／eSIMを用いてモバイルデータ通信を使ってインターネットに接続する据え置き型のルーターのこと。固定回線と比較して開通工事が不要というメリットがある。

ホバー

マウス操作における、マウスポインターを指定の場所に留める操作。クリックなどをせずに、単にマウスポインターを合わせるだけの操作。

ボリュームアイコン

通知領域に表示されている音量の状態を示すアイコンのこと。アイコンで大まかに音量を確認できるほか、クリックすることでスライダーで音量を設定できる。

ボリュームラベル

ドライブに付ける名前のこと。内蔵ドライブ（正確にはパーティション）のほか、外付けドライブにも任意に命名できる。

ま行

マルウェア

PC上で悪意を行うプログラムやスクリプトなどのこと。ウイルスやワームなどの総称が「マルウェア」になるが、一般的にはマルウェアのことを「ウイルス」と呼ぶことが多い。

未開封

開封していないメールのこと。未読メール。Outlookは場面によって「未開封」と表記されることもあれば、「未読」と表記されることもある。対義語は「開封済み」（既読）。

未読

読んでいないメールのこと。Outlookは場面によって「未読」と表記されることもあれば、「未開封」と表記されることもある。対義語は「開封済み」（既読）。

ミュージックフォルダー

ユーザーのファイル（ユーザーフォルダー）における、音楽を管理するためのフォルダー。

ミュート

音声出力の場面では消音であることを意味し、音が出ない状態を示す。また音声入力の場面では相手に聞こえない状態のこと。

無線LANルーター

Wi-Fiルーターとも呼ばれ、無線LAN親機機能（Wi-Fi機能）とルーター機能(DHCP／NAT)を搭載したデバイスのこと。固定回線では必須デバイスになる。

メールアプリ

メールを管理できるアプリのこと。メーラーとも言う。Windows 11であれば「Outlook for Windows」のこと。

メディアプレーヤー

Windows 11において動画を再生するための標準アプリ。なお、同一名称だが「Windows Media Player Legacy」は別アプリになる。

メモ帳

テキストファイルを作成・編集できるアプリ。タブ機能に対応し、1つのウィンドウで複数のテキストを扱うことが可能。

文字カーソル

文字の入力位置を示すもので、点滅する縦棒のこと。

モダンスタンバイ

PCがスリープ中であっても、対応アプリやネットワーク通信を継続して動作させることができる電源動作のこと。バッテリー搭載PCの一部のみが対応する。

モバイルルーター

SIM／eSIMを用いてモバイルデータ通信を使ってインターネットに接続する携帯型ルーター。持ち運び可能というメリットがある。

や行

夜間モード

ブルーライトの発光を抑える機能であり、輝度（明るさ）を抑えて目に優しい表示モードのこと。

ユーザーアイコン

ユーザー（アカウント）の画像のこと。Windows 11では任意に変更できる。

ユーザーアカウント制御

アプリがソフトウェアをインストールする場合や、システムの変更に対して画面を暗転して警告を発する機能。UAC (User Account Control) とも言う。

優先受信トレイ

Microsoft Exchangeアカウント／Microsoft 365のアカウント／Outlook.comアカウントなどのMicrosoft系アカウントで受信トレイを「優先」と「その他」に分ける機能のこと。

有線LAN接続

有線LANケーブルでネットワークに接続すること。本来ネットワークはケーブル接続が必要だが、Wi-Fi（無線LAN）接続が広く利用されるようになり、その対義語として有線LAN接続という言葉が用いられる。

郵便番号辞書

郵便番号で住所を入力するための辞書。Windows 11のMicrosoft IMEでは標準で郵便番号辞書が有効になっている。

予測入力

Microsoft IMEにおいて文字列を入力し始めると、自動的に予測候補が表示される機能のこと。

読み取り専用

ファイルの属性の1つで、ファイルのプロパティを「読み取り専用」にした場合、読み込み（閲覧）はできるが書き込みはできない状態になる。

ら・わ行

ライブキャプション

音声を自動的に自動で文字起こしできる機能。デスクトップ上で再生している動画内の会話などを文字として表示できる。

ランサムウェア

マルウェアの一種で、コンピューターをロックして使用不能にした後に身代金を要求する悪意あるプログラム。

リセット

すべてを元に戻すこと、初期化すること。なお、リセットの範囲や動作はリセットの対象によって異なる。

リボン

タブ単位でまとめられたコマンド群のこと。Word・Excel・Outlookなどの操作に用いられる。

リムーバブルドライブ

PCに着脱可能なドライブのこと。USBメモリ・外付けHDD／SSD・光学ドライブなどがこれにあたる。

履歴

Microsoft Edgeにおいて、閲覧したWebページの履歴や検索履歴などにアクセスできる機能のこと。

ルール［Outlook for Windows］

Outlookにおいて、メールをフォルダーに移動・フラグ設定などを条件に従って自動的に行える機能のこと。

ローカルアカウント

ユーザー情報をすべてローカル（PC内）に保持するアカウント。Windows 11でもローカルアカウントを作成してデスクトップにサインインすることは可能だが、すべての機能は利用できない。

ローカルグループポリシーエディター

PCのポリシーの構成を管理できるツールで、「設定」やコントロールパネルにはない細かいカスタマイズが行える。Windows 11 Pro ／ Enterprise ／ Educationなどの上位エディションのみで利用可能。

ローカルストレージ

PC内蔵のSSD ／ HDDなど、PC本体に直接接続されている記憶媒体などのこと。ネットワークドライブのように接続が必要なく、直接利用できるストレージのこと。

ログアウト

サービスにログインしていたアカウントの利用を終了して、認証を解除すること。サービスや場面によっては「サインアウト」などとも呼ばれる。

ログイン

サービスを利用する際に、IDやパスワードなどを使って本人確認を行う作業のこと。サービスや場面によっては「ログオン」「サインイン」などとも呼ばれる。

ロック

デスクトップを作業状態のまま、操作をロックすること。ロック解除にはサインインが必要になるためセキュリティ効果がある。またシャットダウンなどと異なり、ロック解除後には作業を再開できる。

ロック画面

サインインしなければデスクトップを利用できない状態の画面のこと。離席時などに他者にPCを利用させないためのロックされた画面のこと。

ワイヤレスディスプレイ

PCの画面表示をワイヤレス（ケーブルレス）で出力するディスプレイ伝送技術のこと。一般的にはMiracastのことを意味する。

語句索引

目的引き索引

S

Snipping Tool

W

Windows 11

Windows Hello

Windows セキュリティ

あ

アカウント

い

う

ウィジェットボード

ウィンドウ操作

本書サポートページ https://isbn2.sbcr.jp/23494/

著者紹介

橋本 和則（はしもと かずのり）

IT著書は80冊以上に及び、代表作には『時短×脱ムダ 最強の仕事術』『パソコン仕事 最強の習慣112』『小さな会社のLAN構築・運用ガイド』『Windows 10上級リファレンス』『Windows 10完全制覇パーフェクト』などがある。

IT Professionalの称号であるMicrosoft MVP（Windows and Devices for IT）を17年連続受賞。IT機器の使いこなしやWindows OSの操作・カスタマイズ・ネットワークなどをわかりやすく個性的に解説した著書が多く、雑誌・法人向け会報誌でもテレワーク・セキュリティ・Windows関連などのビジネス向けの解説で活躍。オンライン講義や講演も好評を博している。

Windows 11総合サイト「Win11.jp」（https://win11.jp/）のほか、サーフェスの総合サイト「Surface.jp」（https://surface.jp.net/）など6つのWebサイトを運営。

カバーデザイン	西垂水 敦（krran）
本文デザイン	ISSHIKI
編集・制作	BUCH⁺

ウ ィ ン ド ウ ズ　イ レ ブ ン　か ん ぜ ん
Windows 11 完全ガイド

2024年4月3日　初版第1刷発行

著　者		橋本 和則
発行者		小川 淳
発行所		SBクリエイティブ株式会社
		〒105-0001 東京都港区虎ノ門2-2-1
		https://www.sbcr.jp/
印　刷		株式会社シナノ